Bugge, Sophus

Beitraege zur Erforschung der etruskischen Sprache

Erste Sammlung

Bugge, Sophus

Beitraege zur Erforschung der etruskischen Sprache

Erste Sammlung

Inktank publishing, 2018

www.inktank-publishing.com

ISBN/EAN: 9783750122277

Beiträge

zur

Erforschung der etruskischen Sprache.

Von

Dr. Sophus Bugge,
Professor an der norwegischen Universität.

Erste Sammlung.

Stuttgart.
Verlag von Albert Heitz.
1883.

Bemerkung.

In Folge des Gegensatzes in Auffassung des Etruskischen, der sich zwischen meinem Mitarbeiter Herrn Rector Dr. C. Pauli und mir herausgestellt hat, ist Ersterer von der Redaction der »Etruskischen Forschungen und Studien« zurückgetreten. Dafür habe ich in Herrn Professor Sophus Bugge in Christiania einen auch durch Forschungen auf dem Gebiete der italischen Sprachen rühmlichst bekannten Forscher als Mitarbeiter wieder gewonnen.

W. Deecke.

Vorrede.

Die nachstehenden, in einer sehr freien Reihenfolge hervortretenden, Beiträge zur Erforschung der etruskischen Sprache sollen in einer zweiten Sammlung, auf welche in der hier vorgelegten mehrfach hingewiesen wird, ihre Fortsetzung finden.

Die Bedeutung etruskischer Wörter und Wortformen suche ich zunächst durch philologische Interpretation der unter einander verglichenen Inschriften zu finden. Allein daneben wage ich unter Beihülfe der etymologischen Vergleichung indogermanischer Wörter und Wortformen vorzudringen. Dass ich mich bei diesen Untersuchungen gegen die etymologisch-vergleichende Methode nicht abschliesse, findet seine Erklärung erstens darin, dass die etruskische Sprache, wie von Allen anerkannt wird, durch das Italische und das Griechische stark beeinflusst ist, zweitens darin, dass ich in dem Etruskischen nur eine indogermanische Sprache sehen kann.

Bereits in einer, leider unreifen und mehrfach verfehlten, Recension des ersten Bandes des bekannten Corssen'schen Werkes in der Jenaischen Literaturzeitung (Jahrg. 1875, Art. 259) habe ich die Überzeugung ausgesprochen, dass das Etruskische eine indogermanische Sprache ist, und diese Überzeugung habe ich seitdem festgehalten, wenn ich auch darin nicht mehr eine eigene Abtheilung der italischen Sprachen sehe. Meine jetzige Auffassung der Stellung des Etruskischen, welche man in der hier vorliegenden Sammlung durch viele einzelne Beiträge begründet finden wird, gedenke ich in der zweiten Sammlung meiner Beiträge im Zusammenhang auszuführen; hier gebe ich derselben nur in aller Kürze den Ausdruck.

Das Etruskische bildet eine eigene Abtheilung der indogermanischen Sprachenfamilie und weicht von allen übrigen Abtheilungen derselben stark ab. Dem Italischen und dem Griechischen steht es am nächsten und stimmt oft mit dem Griechischen überein, wo die italischen Sprachen von diesen abweichen. Auch mit den übrigen europäischen Sprachen indogermanischer Herkunft, zumal den baltisch-slavischen, zeigt das Etruskische einige spezielle Berührungen. Der Charakter der Sprache spricht, wie mir scheint, dafür, dass die Etrusker vom Nordosten her in Italien eingewandert sind.

Während ich einerseits festhalte, dass das Etruskische eine indogermanische Sprache ist, hebe ich andererseits stark hervor, dass es sich weit mehr, als irgend eine andere indogermanische Sprache der alten Zeit, von dem ursprünglichen Typus entfernt hat. Das alte System der Flexion ist zum grossen Theil zerrüttet; die alten Biegungsformen sind zum grossen Theil eingebüsst und durch die erweiterte Anwendung der wenigen erhaltenen Flexionsformen oder durch Neubildungen ersetzt. Diese Zerrüttung hängt damit zusammen, dass die ursprünglichen lautlichen Formen überhaupt stark umgeändert, oft fast bis zur Unkenntlichkeit entstellt und verstümmelt sind. Statt der ursprünglichen beweglichen Betonung ist eine feste Betonung eingetreten, welche die erste Silbe unverhältnissmässig stark hervorgehoben hat, und durch diese Hervorhebung ist Abwerfen vocalischer und consonantischer Endungen, Abschwächung oder Ausstossen inlautender Vocale, auch rückwirkende

Vocalassimilation und Epenthese in weitem Umfang bewirkt worden. Daneben spielt die Assibilation eine grosse Rolle. In dieser Umänderung des alten lautlichen und flexionellen Systems zeigt das Etruskische mit den modernen Sprachen schlagende Analogien.

Als eine Eigenthümlichkeit des Etruskischen, welche eine starke Änderung vieler Wortformen zur Folge hat, mag hier noch das bekannte Aufgeben der Mediae genannt werden. Dies Fehlen der Mediae kann ebenso wenig die indogermanische Herkunft des Etruskischen widerlegen, wie das Fehlen eines ursprünglichen p im Celtischen. Auch zeigen die germanischen Sprachen und das Armenische in ihren Lautverschiebungen, durch welche Mediae in Tenues geändert sind, eine fast ebenso starke Abweichung vom Ursprünglichen.

Dass das Etruskische in anderen Fällen (so, wie es scheint, in der Anwendung enklitischer Partikeln) Altes besser, als mehrere verwandte Sprachen, erhalten hat, kann nicht auffallen.

Es ist mir wahrscheinlich, dass der eigenthümliche und zum Theil fast moderne Charakter der etruskischen Sprache gewaltsame Umwälzungen in dem äusseren und inneren Schicksal des Volkes voraussetzt. Es kommt mir vor, als ob die Etrusker auf einer frühen Stufe ihres geschichtlichen Daseins einem überwältigenden Einfluss cultivierter Nachbarvölker ausgesetzt worden seien, wodurch ihre harmonische Fortentwickelung abgebrochen wurde, und als ob ihre Nationalität dann erst nach einer gründlichen Auflösung des Alten wieder erstarkt und in neue Bahnen hineingezogen worden sei.

Die hier kurz angedeutete Auffassung der Stellung des Etruskischen habe ich zuerst in zwei vor der Gesellschaft der Wissenschaften zu Christiania im September und November 1881 gehaltenen Vorträgen öffentlich ausgesprochen. Einer Aufforderung des Herrn Henry Sweet zufolge wurde eine kurze Mittheilung davon in the Academy vom 6. Mai 1882 gegeben und dabei, um meine Auffassung zu veranschaulichen, eine Deutung von Gamurr. Append. 912 bis gedruckt. Eine Inschrift, in welcher Worttrennung nicht angewendet ist, als Beispiel zu wählen, war wohl wenig glücklich; dies giebt aber Herrn Carl Pauli kein Recht zu der Behauptung (Altit. Stud. I, S. VI.), dass Inschriften ohne Worttrennung den Ausgangspunkt von meiner Entzifferung des Etruskischen bilden. Ich habe vielmehr in das Etruskische unter Zugrundelegung des gesammten inschriftlichen Materiales hineinzudringen versucht. Dabei habe ich, wie alle andere Forscher, auch die Inschriften ohne Wortrennung berücksichtigt.

Herr Pauli hat eben dieselbe Inschrift ohne Worttrennung benutzt, um die Bedeutung etruskischer Wörter zu entziffern (Stud. III, 141 f.). Dabei hat er aber die unbrauchbare Abschrift Gamurr. 552 zu Grunde gelegt, ohne die allein brauchbare Copie Gamurrini's 912 bis zu berücksichtigen. Obgleich also sogar Herr Pauli, wie alle, die sich mit dem Etruskischen beschäftigt haben, von »Phantasiegebilden« zuweilen getäuscht worden ist, habe ich aus seinen höchst werthvollen Studien schätzbare Belehrung geschöpft. Möchte er in meinen Beiträgen hie und da eine wahre und fördernde Bemerkung finden!

Da ich etruskische Inschriften im Original nicht habe untersuchen können, war ich bei den meisten auf die gedruckten Ausgaben, vor allen auf die umfassenden und sorgfältigen Sammlungen Fabretti's hingewiesen. Allein mein Material ist in sehr schätzbarer Weise dadurch gesichert und berichtigt worden, dass der norwegische Archäologe Dr. Ingvald Undset nicht wenige der wichtigsten Inschriften (u. a. Gamurr. 799, 802, 804) für mich an Ort und Stelle collationiert hat.

Endlich spreche ich es mit innigem Danke aus, dass

die trefflichen, durch Scharfsinn und Sorgfalt, durch Besonnenheit und durch Kühnheit zugleich ausgezeichneten Abhandlungen Wilhelm Deecke's, mehr als alle andere Schriften, mein Verständniss der etruskischen Sprache gefördert haben. Dieser Gelehrte hat beim Durchlesen meines Manuscripts meinen deutschen Ausdruck berichtigt und hat mir brieflich mehrere werthvolle Bemerkungen, die man zum Theil in dieser Sammlung benutzt finden wird, gütigst mitgetheilt.

Christiania, den 12. November 1883.

Sophus Bugge.

θaur und alpanu.

Als etruskischer Name einer Göttin findet sich *θaur* 1) Gerhard Etr. Spieg. T. LXVI = Fabretti 459: Spiegel aus Arezzo. 2) Gerh. T. CCCXXIV = F. 2505 ter; Spiegel unbekannter Herkunft. 3) Gerh. T. CCCXXIV, A = F. 2505 bis: Spiegel. orig. incert. 4) F. Suppl. III, 394, Spiegel aus Palestrina. 5) Bullett. dell' Inst. 1881 S. 39, Spiegel aus der Gegend von Orvieto: siehe unten. Dagegen gehört das letzte Wort der Inschrift F. 1900 nicht hieher. Eine andere Form desselben Namens *taur* hat Deecke Gött. g. Anz. 1880 S. 1442 in der Inschrift einer bronzenen Statuette aus Siena Gamurr. App. 87 T. III zu lesen geglaubt, was mir bedenklich scheint [1]).

Der Genetiv dieses Namens lautet *θaurs'* F. 2607, T. XLIV — weibliche Bronzestatue, or. inc.: siehe Deecke Fo. III, 148, Pauli St. III, 84. Eine andere Genetivform ist von Pauli St. III, 58 f., Fo. u. St. III, 51 gefunden: *θaurursi* F. Spl. III, 391 — Schale aus Cervetri —, wo der Name der beschenkten Gottheit im Genetiv steht; *θaurursi* F. 803 bis — Thongefäss aus Chiusi — und G. App. 396 — Gefäss aus Chiusi.

Die Bedeutung des Namens *θaur* ist bisher nicht gefunden worden. Mir scheint *θaur* aus dem dor. Δαμάτηρ entstellt, was ich hier zu begründen versuche.

[1]) Ich möchte lieber mit Gamurrini *unal* lesen und dies als *una* [illegible] d. h. Junoni (vgl. *laθa* G. App. 531, *laθia* [illegible] *laθal*, *larθal*) etwa mit [illegible] *tin'cvil* (vgl. F. 1048 oben *tin'cvil* und unten nach der Lesung Deecke's [illegible] *unial* [illegible]) deuten.

Bei Namen aus der griechischen Götter- und Heldensage ist es gewöhnlich, dass die etruskische Namensform auf eine dorische Form mit α, nicht auf die attische Form mit η hinweist. *θanr* steht dem att. Δημήτηρ entgegen, wie etr. *latva* dem att. Λήδα, etr. *prumaθe* dem att. Προμηθεύς, etr. *elparun* dem att. Ἐλπήνορ. Auch der messapische Genetiv *damatras* F. 2950 b »der Demeter« (Deecke Rhein. Mus. N. F. XXXVI S. 583) und die von dem Götternamen abgeleiteten messapischen Personennamen schliessen sich der dorischen Form an.

Etr. θ entspricht in *θanr* dem gr. δ wie in *palmiθe* = Παλαμήδης, *utuze* = Ὀδυσσεύς u. s. w. Das *n* von *θanr* ist aus *m* entstanden wie *n* in *aχmenrun* (auch hier vor *r*) = *aχmemrun*, Ἀγαμέμνονα und in *nevtlane* Νεοπτόλεμος. Ein Urnendeckel aus Perugia F. Spl. I, 355 hat die Inschrift *φumuris'*. Der Name *umris'* ist aus **umris'* entstanden; vgl. *umria* F. 789, *umris(n)i* G. App. 51, den in und um Chiusi häufigen Namen *umrana*, *umriai* F. Spl. I, 205 (Corss. I, 386), *umpres* G. App. 697 (Perugia), *upures* F. 2276 bis e (*umres*? Pauli Fo. u. St. III, 109) und die lateinischen Gentilicia *Umbrius*, *Umbricius* [1]).

[1]) Auf dem Fragmente eines Thonziegels aus Marzabotto (F. 46, Gloss. p. 1989) kann [*u*]*mrus'* oder [*u*]*mrus'* gelesen werden. Inlautendes *ur* scheint ferner in den folgenden Inschriften vorzukommen:

θucerhermenasturuce . . mru . .

F. 49 — bronzene Statuette eines Kriegers, aus Bologna; vgl. Deecke Fo. III, 168, Pauli St. III, 71 f. Die Buchstaben *ur* beruhen nur auf der alten Copie Coltellinis, worin zwei Punkte vor diesem Buchstaben und nach demselben stehen. . . *mru* . . F. Spl II. 2. T. I, Fragment eines thönernen Gefässes (grande dolio) aus Certosa bei Bologna. Vielleicht ist [*u*]*mru*[*s'*] zu ergänzen. Ich denke hier nicht an [*θu*]*p*-*ru*[*s'*]; denn auf den thönernen Gegenständen erwartet man den Namen eines Mannes, nicht den einer Göttin. Fabretti Spl. II. S. 5, der hier den Namen des Töpfners sucht, vergleicht gewiss mit Unrecht *ruvru* F. 2307, Wandinschrift eines Grabes, Corneto; denn eine Variante *puvpu* sieht hier wohl das richtige.

Das *ā* der zweiten Silbe von *Δαμάτηρ* ist in den etrusk. Formen *θanr*, *θanrs'*, wo der Hochton sich auf die erste Silbe zurückgeschoben hatte, ausgedrängt; vgl. *clutmsta Κλυταιμνήστρα*, *alcsti Ἄλκηστις*. Das *u* von *θanursi*, *θannursi* ist derselben Natur wie z. B. das zweite *u* von *munisuleθ* = *munieleθ*, das erste *u* von *kasutru Κάστωρ*. Vor dem *r* der etrusk. Formen *θanr*, *θanursi* ist ein *t* ausgedrängt wie in *sleparis*, *sleparis'* aus *Κλεοπατρίς*[1]). Ueber die Consonantendoppelung in *θannursi* vgl. Deecke Müll. II, 332: sie ist aus dem Hochton zu erklären wie in *Ἄννιος* bei Plutarch neben etrusk. *ani*, lat. *Janus* (Deecke Fo. IV, 25) und wie in osk. *akudunniad* = *Aquilonia* u. s. w.

Eine ursprünglichere Form des Namens scheint in G. App. 804 (Corneto, Goldplättchen, in einem Grabe gefunden) Z. 3 erhalten. Diese Inschrift bezieht sich nach meiner Ansicht auf ein Todtenopfer. Die Personen, welche das Opfer dargebracht haben, sind Z. 1 im Nom. pl. genannt. Das Verbum der in der ersten Zeile genannten Subjecte ist *arce* am Ende der Z. 2, d. h. *fecerunt*, *operati sunt*. Siehe das Nähere später. Die folgenden Zeilen geben speziellere Nachrichten von dem Opfer. Die fünf letzten Buchstaben der Z. 3 sind:

- - *θanuri*

So richtig in der Zeichnung T. IX, während Gamurrini im Texte falsch *tanri* giebt. Auch nach Dr. Undsets Lesung ist der betreffende Buchstabe *θ*, nicht *t*. *θanri* deute ich als Dativ von **θanur* = *θanr*. Hier ist gewiss von einem Opfer, das der *θanr* dargebracht ist, die Rede. Pauli leugnet die Existenz des Dativs im Etruskischen und deutet *aritimi* F. 2613 »der Artemis« als Genetiv. Allein *θanuri* zeigt ein anderes Casussuffix als die Genetiv-

[1]) Vor *l* ist *t* in *tanh* [illegible] *tanθ* und vielleicht in *seplu* neben [illegible] *ple* [illegible] ausgedrängt: Deecke Müll. II, 437. Gött. g. Anz. 1880 S. 1435.

formen *θaurs', θannursi, θanursi.* Andere Dativformen werde ich im folgenden besprechen. Wenn meine Deutung richtig ist, zeigt sich hier offenbare Uebereinstimmung mit den indogermanischen Sprachen.

In der von Piranesi mitgetheilten schlechten Copie der Inschriften eines cornetanischen Grabes F. 2344 glaube ich die nach einer Interpunction folgenden Buchstaben 8—4 vom Ende als *θauri* lesen zu dürfen. Dies *θauri* scheint mir Nebenform zu *θaurri* und Dativ von *θaur* [1]).

Ich meine dargethan zu haben, dass die Deutung *θaur* = *Δαμάτηρ* lautlich unanfechtbar ist. Sodann muss untersucht werden, ob diese Deutung auch sachlich sich stützen lässt. Dass *θaur* eine von den Etruskern vielfach verehrte Göttin war, erhellt daraus, dass nicht wenige an verschiedenen Orten gefundene Weihgeschenke ihren Namen tragen, und dass Inschriften etruskischer Gräber Opfergaben, die der *θaur* dargebracht sind, erwähnen. Hiemit stimmt es bei meiner Deutung gut überein, dass *Ceres* von Arnobius (adv. gent. III, 21, nach Caesius) und Pseudo-Serv. in Aen. II, 325 unter den tuskischen Penaten genannt wird (Müller-Deecke II, 61), und dass Martianus Capella mittelbar nach etruskischer Quelle Ceres in die fünfte Himmels-Region setzt (Deecke Fo. IV, 18, 46).

Eine Bestätigung meiner Deutung der *θaur* als *Δαμάτηρ* finde ich in F. Spl. III, 391 (Schale aus Cervetri):

minikaisieθannursiannatmulvannice

Diese Inschrift ist von Pauli St. III, 58 so gelesen und gedeutet worden: *mi ni.* (d. h. *nipe*) *kaisie θannursi annat*

[1]) Auch in den Wortformen: *·uçθunį· aisaru* — bei Piranesi (F. 2345) sind wohl Dative von Götternamen zu suchen. Unmittelbar vor *θauri* lese ich: *malvi*:, das ebenfalls die Bezeichnung einer Gottheit im Dativ sein mag; vgl. den Namen einer Göttin *malaviṣχ (malavis)* und zugleich *malave* F. 314 A 11, *malavinisa* F. 190.

mulvannice d. h. »diese Schale weihte Kaisie der Thanr.....« Ich übersetze: »der Thanr (Damater) von Enna«.

annat ist nach meiner Vermuthung durch rückwirkende Assimilation aus **ennat* entstanden. Vgl. *tala* auf einer Steinscheibe von Telamon (Poggi Contr. Nr. 35)[1]), daneben auf Münzen *tla[mun]*: *pakste* F. 1022 bis neben *pecse Πήγασος*: *harmna* G. App. 823 neben *hermenas*, *hermanas'*, lat. *Herminius*; *maurca* Gerh. Etr. Spieg. T. CCLXXXIV. 2 (wenn die Lesung richtig ist) = *menrva*, *menrva*, *menarva*; *çana[s]* (nach *zelar*) F. 2100 = *renas* (nach *s'ar*) F. 2056 (siehe meine Deutung dieses Wortes im folgenden). Andere Beispiele dieser Vocalassimilation werde ich später besprechen. Da das Locativsuffix *-θi*, *-ti* zu *-θ*, *-t* abgekürzt wird, könnte *annat* formell Locativ des Stadtnamens sein. In syntactischer Beziehung könnte man sich für diese Deutung auf F. 2250, G. App. 30 und F. Spl. I, 453 berufen, wo der Locativ eines Stadtnamens *velclθi* d. h. *Vulcis* bei dem Götternamen im Genetiv *fuflunsul (fuflunl)* d. h. *Liberi* steht: siehe meine Deutung im folgenden. Jedoch ist der Ausdruck in diesen Inschriften nicht ganz analog, weil wir hier nicht wie in F. Spl. III. 391 einen vollständigen Satz haben, und weil die Gegenstände, auf denen *velclθi* geschrieben ist, sich in Vulci befanden, während das entsprechende bei *annat* nicht der Fall war. Syntactisch ist es mir wahrscheinlicher, dass *annat* ein mit *θamursi* verbundenes, nicht voll ausgeschriebenes Adjectiv ist: *annat* also wol *annat[i-ale]* für **ennatiale* mit derselben Endung wie *larθiale* F. Spl. I. 398. Das Suffix *(-a-)te*, wodurch Ethnika von Städtenamen gebildet werden, ist im Etruskischen reich vertreten, z. B. *capenate*, *frentinate*, *atinate*, *sentinate*. Fem. *sentinati* u. s. w., sogar von echt etruskischen Städtenamen: *manθvate*, *felcinatial*. Das Suffix ist bekanntlich

[1]) I. G. App. 71 T. III scheint dieselbe Inschrift.

zugleich italisch und gallisch. Vgl. Corssen I, 294—299, II, 394 f.; Deecke-Müll. II, 140 f.

Dieser Beiname der *ϑanr* ist vom Namen der Stadt *Enna* auf Sicilien gebildet. Ebenso hat bei Sil. Italic. I, 214 Ceres den Beinamen *Hennaea*, *Ἀγρίτης* bei Lykophron 152 den Beinamen *Ἑνναία*. Enna, in deren Gegend die Göttin nach der Sage am liebsten weilte, hatte einen berühmten Tempel der Demeter (Cic. in Verr. V, 72. 187; *famam habet ob Cereris templum Enna* Pompon. Mela II, 7, 16). In der Zeit der Gracchischen Unruhen wurde von den Römern, bei denen der Dienst der Demeter-Ceres ganz einheimisch geworden war, auf den Rath der Sibyllinischen Bücher, die Göttin zu versöhnen, eine eigne Gesandtschaft nach Enna geschickt, weil man den römischen Ceres-Dienst für ein Filial des dortigen Demeter-Dienstes hielt (Val. Max. I, 1, 1). Dass der Dienst der ennischen Demeter von Sicilien aus auch nach Etrurien übertragen wurde, dürfen wir um so lieber annehmen, als die Tusker lange Zeiten hindurch mit den Syracusanern in Verhältnissen, die nicht immer feindlich waren, standen; siehe Müller-Deecke I, 189—191. Deecke nimmt an, dass das etruskische Münzsystem nach dem syracusanischen reformiert wurde, siehe Fo. II, 73—77. Müll. I, 392 f.

Die hier gegebene Deutung von *ϑanursi annal* wird dadurch bestätigt, dass auch in anderen etruskischen Inschriften einer Gottheit ein Ethnikon als Beiname beigelegt ist, wie dies im Lateinischen und Griechischen gewöhnlich vorkommt. Eine Bronzeplatte von Cortona, die einst einem grösseren Weihgeschenke angeheftet war (F. 1048, T. XXXV), trägt nach der Lesung von Deecke (Fo. IV, 34) unten die Inschrift: *mi unial curtun* d. h. »dies gehört der Uni (Juno) von Cortona.« Nach F. Spl. III, 391 schlage ich die Ergänzung *curtun[atial]* vor; die Einwohner von Cortona werden von griechischen Schriftstellern *Κρυτωπιέτια* genannt. Siehe zugleich im folgenden meine Behandlung von F. 2404 und F. 803.

Die Zeichnungen mehrerer etruskischer Spiegel geben wichtige Beiträge zur richtigen Auffassung der *θanr*. Auf dem Spiegel von Arezzo (Gerh. T. LXVI) ist *θanr* eine Frau, welche beide Arme emporstreckt, um die eben aus dem Haupte des *tina* (Jupiter) geborene Minerva in Empfang zu nehmen. Dass die *θanr* dieser Darstellung eine der obersten Göttinnen ist, wird dadurch wahrscheinlich, dass in einer verwandten Spiegelzeichnung (Gerh. T. CCLXXXIV, 1. 2), welche ebenfalls die Geburt der Minerva behandelt, *uni* (Juno) dieselbe Stellung neben Jupiter, wie die *θanr* des Spiegels von Arezzo, einnimmt, jedoch so, dass die Arme der *uni* nicht emporgestreckt sind: auf der anderen Seite neben Jupiter befindet sich in beiden Spiegelzeichnungen die *θalna* [1]).

Dadurch, dass *θanr* die Arme emporstreckt, um Minerva in Empfang zu nehmen, erscheint sie als Kindespflegerin oder Geburtshelferin [2]). In einer ähnlichen Wirksamkeit tritt die *θanr* in der Zeichnung eines in Palestrina gefundenen Spiegels auf. Hier steht die mit Diadem, Halsband, Chiton und Flügeln [3]) angethane *θanr* hinter dem sitzenden *tinia* und presst das Haupt desselben mit einer Binde oder Schleife zusammen (Corssen I, 372).

[1]) Auch in der Spiegelzeichnung Gerh. T. CCLXXXIV, 2 — F. 2471 bis sitzt der gebärende Jupiter zwischen Juno und *θalna*. Denn dass der entstellte Name einer Göttin, den Deecke Fo. IV, 35 als unleserlich bezeichnet, *θalna* ist, scheint mir nach der Zeichnung Gerhards unzweifelhaft.

[2]) S. Birch (Athenaeum 20. Juni 1871) deutet „*θana*“ als eine der Eileithyia entsprechende Göttin.

[3]) Die Flügel sind im griechischen Kunstgebrauch nicht begründet. So hat der Künstler eines anderen etruskischen Spiegels auf eigene Faust der von Peleus verfolgten Thetis Flügel gegeben (The Academy 31. August 1878). Auf dem Spiegel Gerh. T. CCXXIII ist Kalchas beflügelt.

Vor dem *tinia* steht *eθaus'va* [1]), die das Haupt und die Schulter des gebärenden Gottes gefasst hat und als die eigentliche Entbindungsgöttin bezeichnet scheint. Als *κουροτρόφος* erscheint die *θanr* endlich auf einem bei Orvieto gefundenen Spiegel (Bull. dell' Inst. 1881 S. 39). Die Darstellung des Spiegels zeigt in der Mitte *hercle*, der einen nackten Knaben hält. Ihm zur Seite sitzt eine völlig bekleidete Frau *θan .* (der letzte Buchstabe *a* oder *r*) d. h. *θanr*, welche die linke Hand unter dem Knaben hervorgestreckt hält, als wollte sie ihn aus den Händen des Herakles empfangen.

Das Auftreten der *θanr* in diesen etruskischen Spiegelzeichnungen stimmt gut zu meiner Deutung. Demeter, Ceres, die Göttin der Fruchtbarkeit und des Ackerbaus, war zugleich Ehegöttin (Calvus bei Pseudo-Serv. in Aen. IV, 58; Paul. Fest. p. 87 unter *Facem*; Plut. de off. conj., u. A.) und, was uns hier wichtig ist, eine Göttin der Geburt, s. *ἐπιλυσαμένη εἰλειθυία καὶ μία τῶν Εἰλειθυιῶν καὶ ἐπώνυμον Δήμητρος παρὰ Ταραντίνοις καὶ Συρακοσίοις* Hesych. Eben diejenigen Griechen, bei denen die Tusker die göttliche Mutter von Enna kennen lernten, verehrten sie hienach als eine Entbindungsgöttin. Demeter wurde zugleich als *κουροτρόφος*, pflegende Amme, verehrt; siehe Preller Griech. Myth. [2]I, 629 f.

Auf dem Spiegel von Arezzo ist *θanr* nicht, wie die anderen Personen *tina* (Jupiter), *θalna* und *s'eθlans* (Vulcanus), mit nacktem Oberleib dargestellt. Ebenso ist sie auf dem Spiegel von Orvieto völlig bekleidet. Hiezu stimmt es, dass Demeter in künstlerischen Darstellungen überhaupt ganz bekleidet auftritt.

Auf einem Spiegel bei Gerhard T. CCCXXIV, A sehen wir in der Mitte zwei Göttinnen *θanr* und *alpnu*, die sich

[1]) In *eθaus'va* vermuthe ich eine durch Volksetymologie beeinflusste Aenderung von *Εἰλείθυια*, *Ἐλεύθυια*.

küssen und einander mit den Armen umfassen. Daneben sitzt auf der einen Seite die *ϑalana* mit einer Frucht in der Hand, auf der anderen die *sipnu* [1]) mit einem Spiegel. Alle vier Frauen sind mit Chiton und Mantel bekleidet, haben Stirnband und Ohrgehänge. Die Brüste der *alpnu* scheinen entblösst zu sein, die der *ϑanr* dagegen nicht, wodurch *ϑanr* als die ältere Göttin, die Matrone gekennzeichnet ist, *alpnu* als die jüngere, die jugendliche (κόρη). Ich finde in diesem Bilde das Wiedersehen der *ϑanr* oder Demeter mit ihrer Tochter *alpnu* oder Persephone dargestellt.

Mit dem eben genannten Spiegelbild ist dasjenige bei Gerh. T. CCCXXIV verwandt. Dies zeigt in der Mitte die *alpanu*, welche die *axuvitr* umfasst und zu küssen im Begriff ist. Auf der einen Seite sitzt die *ϑanr*, der *axuvitr* am nächsten, mit einem Vogel, vielleicht einer Taube, auf dem emporgereckten Finger, auf der anderen Seite die *tipanu* mit einem Spiegel in der Hand. Alle vier haben Stirnband, Ohrgehänge und langes Gewand.

Die Taube ist aphrodisisches Symbol, kommt aber auch bei der Demeter vor. Pausanias VIII, 42, 3 erzählt, dass das alte hölzerne Bild der Demeter, welches in Phigalia aufgestellt war, auf der einen Hand eine Taube hatte.

De Witte und Gerhard (Etr. Spieg. IV, 61 f.) haben bereits *alpnu* oder *alpanu* als eine etruskische Benennung der Persephone aufgefasst. Dass diese Auffassung, jedoch nur für einige Bilder, richtig ist, finde ich durch einen Spiegel von Vulci im Vatican (Gerh. V, 28, T. CCCLXXXI; F. 2141) erwiesen. Das Hauptbild zeigt in seiner Mitte ein sich umarmendes Liebespaar, den Mann links, die Frau rechts; beide Figuren sind unbekleidet. Rechts von der Frau sieht man einen kleinen Vogel auf niedrigem

[1]) Deecke bei [illegible] *[illegible]*. Vgl. Pauli Fo. u. St. III, 24.

Baumstamme, worin Gerhard den Zaubervogel Iynx vermuthet. Ebenso nahe liegt es wohl, in dem Vogel eine Taube zu sehen, denn diese kommt ja oft als aphrodisisches Symbol vor.

Die bisherigen Deutungen des Paares als Adonis und Venus oder Peleus und Thetis oder Paris und Helena scheinen mir sämmtlich irrig. Das Bild des Mannes scheint, obgleich schlecht erhalten, in seiner künstlerischen Ausführung von dem weichlichen Typus des Paris und des Adonis bestimmt verschieden. Die in der Mitte stehende Frau hat Gerhard jedoch richtig als Helena aufgefasst. Ihren Namen lese ich *elenai;* den Anfang hat Gerhard *el* gelesen, und *-nai* ist bei Fabretti deutlich. Vgl. die sonst vorkommenden Schreibungen *helenaia*, *elinai*, *elinei* Deecke in Bezz. Beitr. II, 167. Vom Namen des Mannes sieht man bei Gerhard *ϑ ṣ ṣ*. Hierin steckt jedenfalls eine Form des Namens *Θησεύς*. Entweder ist *ϑ[e]s[e]s* zu lesen: vgl. für die Endung *qulnices* F. 1070 neben *qulnise*, *pulunice* — *Πολυνείκης*: *peleis* G. App. 952 neben *pele* — *Πηλεύς*, *Πηλῆς*. Oder auch es ist in der Zeichnung bei Gerhard *e* zweimal als *s* verschrieben, wie das erste *e* von *elenai*, und das richtige ist *ϑe[s]e*. Dies ist mir wahrscheinlicher, weil bei einer Namensform *ϑ[e]s[e]s* für das erste *e* nach der Zeichnung nicht Raum genug ist und weil der Name im Etruskischen sonst *ϑese* geschrieben ist. Nur Autopsie kann hier entscheiden.

Die Sage, dass Helena von Theseus und Peirithoos geraubt wurde, wonach sie dem Theseus zufiel, ist von Dichtern und Künstlern oft behandelt worden, und aus dieser Sage ist das Bild zu erklären.

Der Helena zur Seite steht rechts ein geflügelter nackter Jüngling mit Stirnband, Chlamys und aufgestütztem Speer, durch die Inschrift als *maristuran* bezeichnet. Dieser Jüngling, in dem Gerhard den Dämon des Kampfes, Deecke Fo. u. St. II, 21 u. 77 den Eros sieht, ist deutlich der eine der Dioskuren. Seine Erscheinung hier erklärt sich dadurch, dass die von Theseus geraubte Helena von den Dioskuren befreit wurde. Nach Aelians Beschreibung wurden die Dioskuren als Jünglinge mit Chlamys und aufgestütztem Speer abgebildet [1]). Auf zahlreichen etruskischen Spiegeln sind Abbildungen der Dioskuren erhalten, in denen wir sämmtliche Eigenthümlichkeiten unseres *maris turan* wiederfinden. So zeigen uns die Spiegel bei Gerhard T. XLIX. 1. 4. 5 nackte Dioskuren, von denen der eine sich auf einen Speer stützt. Auf LI, 1—2 sieht man die Dioskuren mit Helm, Speer und Chlamys, sonst aber unbekleidet. LII, 3 hat nackte Dioskuren, den einen mit Speer, den anderen mit Schild und Flügel. Auf LII, 4 sind beide nackt und mit Speer bewaffnet, der eine beflügelt. Auf LIV, 1 sind beide behelmt und beflügelt, der eine mit Speer bewaffnet. Diese Darstellung, wonach die Dioskuren beflügelt sind, ist nach Gerhard in altem Kunstgebrauche nicht begründet. Jedoch stimmt sie mit griechischen Vorstellungen von den im Sturme als Retter der Seefahrer erscheinenden Dioskuren überein:

οἱ δ' ἐξαπίνης ἐφάνησαν
ξουθῇσι πτερύγεσσι δι' αἰθέρος ἀΐξαντες

Hymn. Hom. XXXIII, 12—13.

Der Jüngling ist auf dem Spiegel als *maris turan* bezeichnet. Der Name *maris*, der anderswo sicher den *Mars* bezeichnet (Deecke Fo. IV, 36), ist hier vielleicht angewendet, weil die Dioskuren in vielen Sagen als Kriegsgötter, als Retter im Getümmel der Schlacht erschienen; siehe Preller Griech. Myth. II, 99—101, Röm. Myth. 659 f. Oder bedeutete *maris* ursprünglich *μεῖραξ*, wie

[1]) *νεανίαι μεγάλοι, γυμνοὶ τὰς παρειὰς ἑκάτεροι, ὅμοιοι τὸ εἶδος, καὶ χλαμύδας ἔχοντες ἐπὶ τῶν ὤμων ἐφημμένην ἑκάτεροι, καὶ ξίφη ἔχοντες τῶν χλαμύδων ἠρτημένα καὶ λόγχας εἶχον παραστάσι, ἐν οἷς ἐρείδοντο, ὁ μὲν κατὰ δεξιάν, ὁ δὲ κατὰ λαιάν.*

ich (Jen. Literaturzeit. 1875 Art. 259) und Deecke (Fo. u. St. II, 21) vermuthet haben?

maris turan möchte ich nicht mit Deecke »Mars der Venus« (Fo. IV, 36) oder »puer Veneris« (Fo. u. St. II, 21)[1]) übersetzen; denn um einen Mann als »den der Venus gehörigen« zu bezeichnen, müsste man eine von *turan* fem. gebildete Ableitung oder den Genetiv des Namens der Göttin anwenden. Auch Pauli Fo. u. St. III, 115 spricht sich gegen die Uebersetzung Deeckes aus. Ein Spiegel bei Gerhard T. L, 2 (— F. 2476, Gloss. p. 233) stellt zwei Personen dar, die nach den Inschriften *turan* und *atunis* (siehe Bull. dell' Inst. 1860 p. 25. Fabr. Gloss. 2053, statt dessen man früher mit Unrecht *aran* las) nur als Aphrodite und Adonis gemeint sein können: jene eine nackte, mit Stirnband versehene Gestalt, welche sich in rascher Bewegung, die rechte Hand gehoben, gegen den mit einem Speere bewaffneten Jüngling, der in der rechten Hand einen kleinen Zweig oder etwas ähnliches hält, wendet. Allein die Darstellungsweise, die derjenigen der beiden Dioskuren ähnlich ist, scheint dadurch beeinflusst, dass die Etrusker einen männlichen *turan* kannten, in dem man sonst den einen der Dioskuren sah. Man möchte die *turan* des Spiegels L, 2 nach der ausgeprägten Muskulatur der Brust, des Oberarmes und des Unterleibes für einen Mann halten; vgl. Corssen I, 254. Auch etrusk. *leinθ, axristr (axrizr)* und, wie scheint, *θalna* sind sowohl männlich als weiblich.

Dem Theseus zur Seite steht auf dem Spiegel von Vulci links eine nackte Frau. Ihr Name ist von Corssen I, 255 f., dem Deecke Fo. IV, 36 beistimmt, als *alpan* erkannt. In ihr sehe ich hier die Persephone. Nachdem Helena von Theseus und Peirithoos geraubt war, gingen

[1]) So hat bereits S. Birch (Athenaeum 20. Juni 1874) »The boy of Venus« übersetzt.

sie beide aus, um die Persephone für Peirithoos zu entführen. Dies Abenteuer deutet das Spiegelbild dadurch an, dass es die Persephoné neben den die Helena umarmenden Theseus stellt.

Die Richtigkeit dieser Auffassung wird dadurch bestätigt, dass man im oberen Raum des Bildes den Obertheil einer Furie mit fletschendem Antlitz nebst Schlange und Fackel sieht. Die Mythographen erzählen, dass Theseus und Peirithoos, die die Persephone rauben wollten, in der Unterwelt verhaftet blieben, und dass Pluton sie für ihre Frechheit durch die Furien strafen liess.

Diese Sage ist auch sonst in Etrurien künstlerisch behandelt. In der zweiten Kammer der Tomba del l'Orco bei Corneto sieht man ein Wandgemälde, welches den Theseus (*θese*) und Peirithoos in der Unterwelt festgebannt darstellt. Zwischen ihnen ragt eine Furie *tuχulχa* empor mit Frauenleib, Flügeln, Vogelschnabel und sträubigem Schlangenhaar, welche mit dem linken Arm eine züngelnde Schlange über das Haupt des Theseus hinstreckt. Siehe u. a. Corssen I, 374.

Das Hauptbild des Spiegels von Vulci ist zur rechten Seite neben dem *muris*, auch, wie es scheint, zur linken Seite, von mancherlei Meergeschöpfen eingefasst. Ob dies darauf hindeutet, dass die Dioskuren vorzüglich als die Retter der durch Sturm und Schiffbruch bedrängten Seeleute verehrt wurden, ist zweifelhaft, da die Etrusker auch sonst Wellenverzierung mit Seethieren anzuwenden liebten. Die Figur der geflügelten Muse am Griff dieses Spiegels, von der Beischrift *mus* begleitet, ist nach der Annahme Gerhards dazu bestimmt, durch ihr Saitenspiel den dichterischen Reiz des hier dargestellten Ereignisses anzudeuten. Die Form *mus*, die bei Corssen I und bei Deecke Bezz. Beitr. II fehlt, ist mit *murmis* *Μάρπησσα* zu vergleichen. Die Abkürzung ist vielleicht nur graphisch.

wie in *casenter* (d. h. *Cassandra*) auf einer pränestinischen Cista CIL. I, 1501.

Die von mir vertheidigte Deutung, wonach *alpnu*, *alpan* in einigen Spiegelzeichnungen die Persephone der Griechen vertritt, wird nicht dadurch widerlegt, dass *φersipnai*, *φersipnei* in anderen etruskischen Inschriften vorkommt, denn es lässt sich öfter nachweisen, dass derselben Gottheit in etruskischen Inschriften bald ein griechischer, bald ein ungriechischer Name gegeben wird. So heisst Hermes in etruskischen Inschriften gewöhnlich *turmus, turms*; daneben kommt G. App. 799 sein griechischer Name (*hermeri, hermu*) vor. Die Hera wird zuweilen mit ihrem griechischen Namen benannt, allein häufiger heisst sie *uni*.

Ohne Beziehung auf einen griechischen Mythus kommt *alpan* als Unterweltsgöttin auf dem placentinischen Templum nach Deeckes scharfsinniger Deutung vor. Dies zeigt nämlich in der zwölften Region *culalp*, worin Deecke zwei graphisch verkürzte Genetive erkannt hat, von *alpan* und der mit ihr verbundenen Todesgöttin *culs'u* oder einer entsprechenden männlichen Gottheit; siehe Fo. IV, 62--64; Fo. u. St. II, 24 N. 90.

Allein die Auffassung als Unterweltsgöttin ist nicht überall anwendbar. Auf einem Spiegel (Gerh. T. CCCXXII; F. 2494 bis; Corssen I, 255 f.) ist als Hauptbild die *turan* (Aphrodite) dargestellt, welche den Adonis umschlungen hält. Zu beiden Seiten erscheint ein Schwan und eine geflügelte dienstbare Göttin. Auf dem Rande des Spiegels sieht man rings herum dienstbare Gottheiten heranschweben. Unter ihnen ist *alpan* eine jugendlich schöne Frauengestalt, auf Flügeln dahinschwebend, mit nacktem Oberleib, künstlich emporgekämmtem Haar, Ohrgehängen, Halsband und Schuhen, den Mantel um die Hüften geschlungen. Sie hält mit beiden erhobenen Händen zwei grüne Palmenzweige empor. Auf einem Spiegel im britischen Museum kränzt die *alpan* den vergötterten Herakles (Deecke Fo. IV, 63 f.). Ferner erscheint in der Zeichnung eines zu Bomarzo gefundenen Spiegels (Gerh. IV, 58 f. T. CCCXXIII; F. 2412) *alpan* als eine Frau mit nacktem Oberleib, künstlich emporgebundenem Haar, Stirnreif, Ohrgehängen und Halsband, die einen schönen weichlichen Jüngling *φaun* (d. h. *Phaon* Deecke Fo. IV, 64) lockt, während auf der anderen Seite eine nackte schöne Frau *euturpa Εὐτέρπη* ihn zu sich hinwinkt. Das Bild scheint den Wettstreit schöner Göttinnen um Phaon darzustellen, was auch durch die zwischen *euturpa* und *φaun* stehende *eris* angedeutet wird [1]). Der Name *alpan* scheint hier angewendet zu sein, weil die Etrusker eine Göttin aphrodisischer Natur, die so hiess, kannten [2]).

Eine andere, bisher nicht erkannte Form desselben Namens finde ich auf einem zu Castelgiorgi zwischen Bolsena und Orvieto gefundenen, schlecht erhaltenen Spiegel (F. 2094 bis B, Bull. dell' Inst. 1865 p. 168), dessen Bild nicht gedeutet ist.

Im oberen Theil des Spiegels sind die Köpfe vier aufgezäumter Pferde eingraviert, zwei rechts, zwei links gewendet. In der Mitte zwischen ihnen sieht man einen menschlichen Kopf, wie es scheint, von einem Strahlenkranze umgeben. Im unteren Theile des Spiegels ist rechts der Kopf Apollons erhalten, durch die Beischrift *aplu* und durch den Lorbeerkranz erkennbar. Links neben ihm ist eine Frau mit künstlichem Haarputz und reichem Halsband, deren Namen ich *alapnu* lese. Im Gesicht beider Götter ist Kummer ausgeprägt; beide haben das

[1]) Gerhard findet auf diesem Spiegel den von Aphrodite und Persephone *(alpan)* um Adonis geführten Streit dargestellt. Diese Auffassung wird wohl durch den Namen des Jünglings widerlegt.

[2]) Wie hier *euturpa* neben *φaun* auftritt, so scheint mir *evrφia*, der Name der von *φaun* auf dem Spiegel F. 2346 bis stehenden Frau, eine Entstellung von *Εὐτέρπη*, nicht von *Εὐφορία*.

Haupt geneigt. In der Nähe ihrer Köpfe sieht man einen Stern. Zu äusserst links erkennt man von Hermes den Petasos und eine Hand mit einem Speerschaft (»asta«). Die Beischrift lese ich *turm*, welche Form auch auf dem Spiegel Gerh. T. CCXXXV, 1 — F. 2499 vorkommt: *u* ist von *r* durch die Hand, welche sich auf eine Lanze stützt, getrennt. Zwischen Hermes und *alapụu* muss eine vierte Person vorhanden gewesen sein, auf welche sich die vierte Beischrift bezieht, allein hier sieht man nur einige Linien, die das Kleid andeuten. Auch die Beischrift ist unsicher. Die Abschrift giebt nach *alapụu* einen offenen Raum, dann: *u m.ele*. Zwischen *u* und *m* ist Raum für einen breiten Buchstaben. Der Buchstabe vor *ele* scheint eher der obere Theil eines χ, als der obere Theil eines *t* oder eines *u*.

Das Spiegelbild ist so unvollständig beschrieben, dass sein Gegenstand sich nicht sicher bestimmen lässt. Wahrscheinlich wird hier, wie Gerh. T. CCXXXV, 1, die Seelenwägung Achills und Memnons dargestellt [1]). Auf dem letztgenannten Spiegel sieht man links Hermes. Er hält eine Wage, deren gleichstehende Schalen je eine kurz bekleidete Figur, die eine die des Memnon, die andere die des Achilleus, tragen. Dem Hermes gegenüber sitzt Apollon (*aplu*), mit der linken Hand das Ende seines Mantels über sein Angesicht ziehend, als wolle er in lebendigem Antheil für Memnons Geschick sein Haupt verhüllen.

Wenn meine Deutung von F. 2094 bis B richtig ist, haben wir im oberen Theil des Spiegels das Viergespann der Eos, der Mutter des Memnon. Die Beischrift zwischen *turm* und *alapụu* ist wohl [*memr*]*u*[*n a*]χ*ele* zu ergänzen. Die neben Apollon stehende Frau *alapụu*, die betrübt ihr

[1]) Andere künstlerische Darstellungen dieses Motivs sind Annali 1857 S. 119 f. erwähnt.

Haupt neigt, scheint mir die Aphrodite, die mit inniger Theilnahme dem Schicksal der Troer folgt. Ich vermuthe, dass die Hand des Hermes eine Wage, nicht, wie angegeben wird, einen Speerschaft, hält.

Die *alpan, alpanu, alpnu, alapnu* hat also eine doppelseitige Bedeutung. Sie ist einerseits eine Unterweltsgöttin, Todesgöttin, anderseits eine Göttin der Liebeslust, der Fröhlichkeit und des schwellenden Lebens, welche dem Kreise der *turan* (Aphrodite) angehört. Hienach identificiere ich die *alpan, alpanu, alpnu* sachlich mit der römischen *Libitina*, die ganz dieselbe doppelseitige Bedeutung hatte. *Libitina* war ja eine Göttin des Todes und der Leichenbestattung: sie wurde von einigen für dieselbe als Persephone ausgegeben. Andere hielten jedoch *Libitina* für einen Namen der Liebesgöttin. Dionys. Halic. IV. 15: *Εἰς δὲ τὸν τῆς Ἀφροδίτης ἐν ἄλσει καθιδρυμένον, ἣν προσαγορεύουσι Λιβιτίνην, ἐπὶ τῶν ἀπογινομένων.* Plutarch. Qu. Rom. cap. 23: *Διὰ τί τὰ πρὸς τὰς ταφὰς πιπράσκουσιν ἐν τῷ τεμένει τῆς Λιβιτίνης, νομίζοντες Ἀφροδίτην εἶναι τὴν Λιβιτίνην; Πότερον καὶ τοῦτο τῶν Νουμᾶ τοῦ βασιλέως φιλοσοφημάτων ἕν ἐστιν, ὅπως μανθάνωσι μὴ δυσχεραίνειν τὰ τοιαῦτα, μηδὲ φεύγειν, ὡς μιασμόν; Ἢ μᾶλλον ὑπόμνησίς ἐστι τοῦ φθαρτὸν εἶναι τὸ γεννητόν, ὡς μιᾶς θεοῦ τὰς γενέσεις καὶ τὰς τελευτὰς ἐπισκοπούσης; Καὶ γὰρ ἐν Δελφοῖς Ἀφροδίτης Ἐπιτυμβίας ἀγαλμάτιόν ἐστι, πρὸς ὃ τοὺς κατοιχομένους ἐπὶ τὰς χοὰς ἀνακαλοῦνται.* Plutarch. Numa XII. 1: *Ἐξαιρέτως δὲ τὴν προσαγορευομένην Λιβιτίναν, ἐπίσκοπον τῶν περὶ τοὺς θνῄσκοντας ὁσίων θεὸν οὖσαν, εἴτε Περσεφόνην εἴτε μᾶλλον, ὡς οἱ λογιώτατοι Ῥωμαίων ἐπιλαμβάνουσι, Ἀφροδίτην, οὐ κακῶς εἰς μιᾶς δύναμιν θεοῦ τὰ περὶ τὰς γενέσεις καὶ τὰς τελευτὰς ἀνάπτοντες.* Varro l. l. VI. 47: *Ab lubendo libido, libidinosus ac Venus Libentina et Libitina.* Der Name *Libitina* ist mittelbar von *libet* abgeleitet und bezeichnet die Göttin der Lust, wie *Libentina* oder *Lubentina*, ein Beiname der Venus. Siehe Varro

l. l. VI, 47: Cic. de nat. deor. II, 23: August. C. D. IV, 8: Serv. Aen. I, 720: Non. v. *prolubium* 64, 15: *Varro de lingua Latina lib. V prolubiem et prolubidinem dici ab eo, quod lubeat, unde etiam lucus Veneris Lubentinae dicitur* (sonst *lucus Libitinae* genannt).

Welches ist nun die sprachliche Bedeutung des Namens der Göttin *alpnu, alpanu, alapnu, alpan*? Um dies zu finden, muss ich ein offenbar verwandtes Appellativum untersuchen. Dies kommt in den folgenden Inschriften vor:

v· cvinti· arnθiaś· śelanśl· tez· alpan | turce

F. 1052, Cortona, Statuette von Bronze.

v· cvinti· arnt|iaś· culśanśi | alpan· turce

F. 1051, Cortona, Bronzestatuette. Ursprünglich war vielleicht, wie Pauli vermuthet, *culśanśl* geschrieben.

a· vẹls· cus· θuplθaś· alpan | turce

F. 1054, bei Cortona gefunden, Bronzelampe.

velias· fanacnal· θuflθaś | alpan· menaχe· clen· ceχa : tuθines· tlenaχeis (so die Inschr., nicht, wie Deecke Fo. u. St. II, 47 vermuthet, *tlenaχịẹś*)

F. 1055, t. XXXIII, Cortona, Bronzestatuette eines Knaben.

cen· ture | latinana | es· alpan·a

F. Spl. I, 443, Civita-Vecchia, Bronze.

cen· turce· larθi· | leθanei | selrausl· alpnu | cauzale

F. 2582 bis (wo: - - | *leθanei alpnu | selrausl | cauzale* gelesen wird). Deecke Fo. IV, 54, orig. inc., kleine Bronzestatue.

tite : alpnas | turce : aiseras : θuflθicla : trutvecie

F. 2603 bis, orig. inc., kleine Bronzestatue.

Deecke übersetzt *alpan, alpnu* durch »Bild« oder »Kunstwerk«, siehe Müller ²II, 511; Fo. IV, 63; Lit. Centr. 1881 S. 1185; Fo. u. St. II. 21, 52, 59, 89. Pauli dagegen durch »Weihgeschenk« »donum« St. I, 66; III, 67—77, 116, 144; Fo. u. St. III, 52. Pauli fasst *alpnu* als Lokativ »zum Geschenk«. Er wendet gegen die Erklärung Deecke's ein, dass *alpan* nicht Objekt sein kann, weil es »von den beginnenden pronominibus getrennt und in der Mehrzahl der Fälle unmittelbar mit *turce* verbunden steht. Hieraus wird gefolgert werden müssen, dass *alpan* mit *turce* zusammengehört und somit die Dedication mitbezeichnet.«

Auch ich nehme an, dass *alpan* mit *turce (ture, menaχe)* zusammengehört und somit die Dedication mitbezeichnet; allein darum braucht das Wort nicht »donum« zu bedeuten. Neben *tez — turce* F. 1052 erwartet man nicht ein Wort für »donum«. Bei der Deutung Paulis sieht man keinen Grund zu den Schwankungen des Ausdrucks *alpnas — alpnu — alpan*. Pauli fasst den Namen der Göttin als »die schenkende«. Dabei ist es befremdend, dass die Form *alpan* zugleich als Appellativum mit der Bedeutung von »Gabe« und ohne irgend eine Abweichung in Betreff des Suffixes als Name der schenkenden Göttin vorkommen soll.

Die Göttin *alpan, alpnu, alapnu, alpanu* entsprach, wie wir sahen, sachlich der römischen *Libitina*, deren Name mit *libet* zusammenhängt. Dies führt mich auf die Vermutung, dass das Appellativum *alpan* die Bedeutung »libens« hat, wie bereits Lorenz und Fabretti angenommen haben. Es wäre auffallend, wenn in etruskischen Weihe-inschriften nicht, wie in den lateinischen, neben Verben des Schenkens ein Wort für »libens« vorkäme. Bei meiner Deutung schwinden, wenn ich recht sehe, die meisten Schwierigkeiten.

Der Name der Göttin bezeichnet hiernach »libens«

d. h. »die, welche Lust hat«, »die begehrende« oder »die freudige«: die *alpan*, *alpanu*, *alapnu*, *alpan* entspricht also auch in Betreff der sprachlichen Bedeutung ihres Namens der *Libitina* oder *Libentina*.

In F. 2603 bis will Deecke Fo. u. St. II, 52 *alpnas* als Gentilicium fassen. Allein da in dieser Inschrift die Worte *turce* und *aulθicla* neben *alpnas* vorkommen und da in F. 1054 *alpan* zwischen *turce* und *θuplθas'* steht, ist es mir wenig wahrscheinlich, dass *alpnas* nicht mit *alpnu* dem Sinne nach analog sei. Ich fasse *alpnas* als nom. sg. masc. »libens«. F. Spl. I, 443 möchte ich statt *alpnara* vielmehr *alpana* vermuthen, auch dies nom. sg. masc. In F. 2582 bis ist *alpnu* nom. sg. fem. Die abgekürzte Form *alpan* ist sowol masculinum als femininum. Endlich vermuthe ich, dass *alapu* in der Inschrift G. App. 674 mit *alpan* identisch ist.

alpnas zeigt dieselbe Endung wie die Nominative der masculinen Gentilnamen *aleθnas*, *tarχnas*, *ripinunas* u. s. w. Das Appellativum *alpnu* zeigt dieselbe feminine Endung wie *alpnu*, *alpanu*, *alapnu* als Name einer Göttin, wie der Name *cilenu* neben *celenu*, wie der weibliche Vorname *racnθu*, *ramθu*, *ranθu* neben *ramθa*, *ramaθa*. Wenn meine Deutung richtig ist, liegen also hier die folgenden für die richtige Auffassung der etruskischen Sprache überhaupt wichtigen Resultate vor: 1) Bei einem echt etruskischen Appellativum erscheint die Motionsfähigkeit, was nach Pauli nicht nachweislich ist. 2) Ein echt etruskisches Appellativum zeigt männlichen Nominativ Sing. auf *-s* neben weiblichem auf Vokal, was nach Pauli ebenfalls nicht vorkommt. 3) Es finden sich von echt etruskischen Wörtern neben masculinen Stämmen auf *-a* feminine Nominative im Sing. auf *u*. Diese entsprechen wahrscheinlich den osk. Nominativen auf *o* (*molto*), den umbrischen auf *u* (*mutu*), den angelsächsischen auf *u* (*gifu*). (womit jedoch nicht behauptet sein soll, dass etrusk. *u* als Endung des Nom. sg. fem. in allen Wörtern denselben Ursprung habe). Ich hoffe die hier aufgestellten Sätze im folgenden durch mehrere Belege stützen zu können. *alpanu*, wenn meine Vermuthung über F. Spl. I, 443 richtig ist, verhält sich in Betreff der Endung zu *alpnas*, wie *aleϑna* zu *aleϑnas* u. s. w.

Die hier besprochenen Wortformen zeigen nicht nur in Betreff der Endungen Verwandtschaft mit dem Indogermanischen: *alp-na-s* ist auch durch das Suffix *-na* (= *-no*) gebildet, welches im Indogerm. in ganz derselben Anwendung vorkommt: vgl. z. B. das german. *gern* Grundform *ger-no-z*, *ger-na-z*. Es scheint hiernach erlaubt, für etr. *alp-na-s* d. h. lubens auch in Betreff des Stammes indogermanische Verwandte zu suchen. Andere haben bei dem Namen der Göttin bereits an ἄλπνιστος lieblichst, ἐπάλπνος erwünscht, erfreulich erinnert. Die Bedeutung des griechischen Wortes ist wesentlich dieselbe, wie die des etruskischen, nur jene passivisch gefasst »erwünscht«, diese activisch »wünschend«, »gern« [1]).

aχs'ies'.

Das Bild eines im Museum zu Bologna bewahrten Spiegels (Gerh. T. CCCLXXXII, 1 — F. 14) zeigt uns Alexandros (*elχsntre*) und Helena (*elinei*), welche neben einander, rechts (vom Standpunkt des Zuschauers) sitzen, in einer Gruppe mit dem links stehenden Menelaos (*menle*) und noch einem anderen Manne zum Gespräch vereinigt. Der Name des letzterwähnten wird *aχmiem* oder bei Fabretti, dem Deecke in Bezz. Beitr. II, 166 folgt, *aχmem* gelesen und als Agamemnon gedeutet. Dies ist unstatthaft.

Der nackte Jüngling, welcher in der Mitte zwischen

[1]) Anders Fick Bezz. Beitr. II, 265.

Menelaos und Helena steht, kann nach der Darstellung unmöglich Agamemnon sein, was Gerhard IV, S. 29 f. einräumt. Auch wird man bei dieser Deutung des Namens nicht wohl angeben können, welche mythische Scene hier dargestellt ist [1]). Endlich haben die Copien Lanzis, Schiassis, Gerhards weder *aχmiem* noch *aχmem*, sondern *aχs'ies'*. Die beiden *s'*, das erste: ᛗ, das zweite: M, sind von dem *m* ⋁⋁ (bei Lanzi m) in *menle* ganz verschieden. *Aχs'ies'* deute ich »Aineias, der Sohn des Anchises«, was ich hier begründe.

Aχs'ies' entspricht einer griechischen Adjectivform **Ἀγχισεῖος*, welche in der lateinischen Wiedergabe *Anchiseus* bei Verg. Aen. V, 761 vorkommt. In *aχs'ies'* ist *n* vor *χ* ausgedrängt, während es in *anχas* (oder *anχes?*) F. 2474 bis — *Ἀγχίσης* erhalten ist. Für den Ausfall vgl. *acari* — *ancari*, *ceu* — *cencu*, *laqe* — *lanqe* u. s. w., siehe Deecke Müll. II, 434 f., Pauli St. I, 30. Das unbetonte *ι* von *Ἀγχισεῖος* ist in *aχs'ies'* syncopiert, vgl. *aχle* = *Ἀχιλλεύς*. Die Endung *-ies'* entspricht hier der gr. *-εῖος*, wie *Τρώϊος* F. 2175 durch *truies* wiedergegeben ist, siehe Deecke Annali 1881 S. 162. Für die Schreibung mit *s'* vgl. *atunis'* F. 2493, *aivas'* F. 2151, F. Spl. I, 162. Für *i* gegen gr. *ει* vgl. *qulnices*, *qulnise*, *pulunice* = *Πολυνείκης*. In *eina* = *Αἰνείας* (Bull. dell' Inst. 1882 S. 133) ist *ει* sogar ganz ausgedrängt.

Im Griechischen werden patronymische Adjectiva oft durch das Suffix *-ιο-ς* gebildet. So steht schon im Homer *Τελαμώνιος Αἴας* synonym mit *Τελαμωνιάδης Α.*, *Νηλήϊος Νέστωρ* mit *Νηληϊάδης*, *Νηλείδης Ν.* u. s. w. (Deecke Rhein. Mus. N. F. XXXVI, 579). Hiernach kann man **Ἀγχισεῖος Αἰνείας* synonym mit *Αἰνείας Ἀγχισιάδης* gesagt haben. Dafür, dass ein solches patronymisches Adjectiv allein statt des eigentlichen Namens auf einem etruski-

[1]) Es wäre bedenklich Gerh. T. CLXXXI zu vergleichen.

schen Spiegel vorkommt, haben wir eine schlagende Analogie in *aevas* F. 2500, *evas* F. 2499 = 'ΑϜῷος d. h. Memnon (Deecke in Bezz. Beitr. II, 165).

Nachdem der in der Mitte der Spiegelzeichnung stehende Jüngling somit als Aineias nachgewiesen ist, lässt auch die Scene, welche auf dem Spiegel dargestellt ist, sich bestimmen. Schon in der Ilias wird davon erzählt, dass Odysseus und Menelaos als Gesandte nach Troja gesendet wurden, um Helena und die geraubten Schätze zurückzufordern. Die Erzählung von dieser Gesandtschaft wurde bei späteren Schriftstellern weiter ausgesponnen. Dictys II, 26 erzählt, wahrscheinlich nach älterer Quelle, dass Aineias unter diesen Verhandlungen gegen Menelaos auftrat. In der hier besprochenen Spiegelzeichnung wird Menelaos nach meiner Ansicht als Gesandter in Troja uns vorgeführt. Er ist vollständiger bekleidet, als Aineias und Paris, wodurch vielleicht angedeutet werden soll, dass er nicht wie diese zu Hause ist. Eine Säule im Hintergrunde deutet wol ein Gebäude in der Stadt Troja an. Durch seine phrygische Mütze ist *aχs'ies'* als ein troischer Jüngling gekennzeichnet. So ist auch auf einem anderen etruskischen Spiegel Aineias (*eina*) als ein Jüngling mit phrygischer Mütze dargestellt (Bull. dell' Inst. 1882 S. 133).

apre.

Ein Spiegel aus Vulci, den Helbig Bull. dell' Inst. 1880 p. 149 f. beschrieben hat, zeigt zwei sitzende Jünglinge, den *castur* rechts, den *apre* links. Zwischen ihnen steht ein dritter Jüngling *. u . uce* (d. h. *pultuce*), der den Kopf gegen *castur* wendet, und eine Frau *epiuna*, die den *apre* betrachtet. Dieser erhebt im Gespräch mit *epiuna* die rechte Hand.

Formell liegt es am nächsten, *apre* als 'Αφρεύς zu

deuten. Allein Aphareus greift in die Dioskuren-Sage nicht direct ein und könnte neben den Dioskuren nicht passend als Jüngling dargestellt werden. Dagegen ist der Kampf mit den Aphareïden für das Schicksal der Dioskuren entscheidend. Daher deute ich *apre* als Ἀφαρήϊος »der Sohn des Aphareus«. Ein Adjectiv auf -ιος ist hier mit patronymischer Bedeutung statt des eigentlichen Namens angewendet, ganz wie ich dies für *aχs'ies'* nachgewiesen habe. Das griech. φ ist hier durch *p* wiedergegeben, wie in *sispes'* F. Suppl. I. 410, *epsial* F. 1934. u. m. Das unbetonte α ist ausgedrängt, vgl. *capne* — Καπανεύς. Die griechische Nominativendung -ο-ς ist im Etruskischen nach Vokalen gewöhnlich abgefallen. Auch *i* ist hier nach *e* ausgedrängt.

Nach der gewöhnlichsten Sage waren die Töchter des Leukippos der Gegenstand des Streites zwischen den Dioskuren und den Söhnen des Aphareus, und mehrere Schriftsteller erzählen, dass diese Jungfrauen den Aphareïden früher verlobt waren. Es liegt daher nahe, in der Frau, die der Spiegel im Gespräch mit *apre* zeigt, die eine der Leukippiden zu sehen. Allein diese heissen in der griechischen Sage Phoibe und Hilaeira. Der auf dem Spiegel vorkommende Name *epiuna* scheint — griech. Ἠπιόνη: so heisst die Frau des Asklepios.

Es ist gewiss derselbe Spiegel, dessen Namen Klügmann Bull. dell' Inst. 1880 p. 68 als *Atre, Enuna, Pultuce, Castur* mitgetheilt hat. Allein *atre*, das Ἀτρεύς oder Ἀνδρεύς sein müsste, passt nicht als Name eines Jünglings, der neben *castur* und *pultuce* erscheint. Auch scheint mir *epiuna* richtiger, als *enuna*, das Οἰνώνη sein müsste.

talmiϑe. χais, puriχ und ite.

Die Darstellung eines Spiegels der Sammlung Terrosi zu Cetona, Gerh. T. CCLXXV. A, 2 — F. 1014 quater, ist bis jetzt unerklärt. In der Mitte steht eine nackte Frau *χuis* mit Halsband, Ohrringen und Armbändern. Neben ihr, mehr im Hintergrunde, steht eine bekleidete Frau *puriχ* mit phrygischem Kopfputz, der einem Helm ähnlich ist. Links und rechts sitzt ein fast nackter Jüngling mit einem langen Stabe. Links (vom Standpunkt des Zuschauers) sitzt *talmiϑe,* der seine Rechte gegen die nackte Frau, vielleicht nur zur Begleitung der Rede, ausstreckt: rechts *ite.*

Der Name *talmiϑe* ist Palamedes. Fabretti, der den Spiegel selbst untersucht hat, liest den ersten Buchstaben als *t,* und die Zeichnung Gerhards giebt bei linksläufiger Schrift ᴦ d. h. *t.* Ein Spiegelfragment Gerh. T. CXVI = F. 2513 zeigt den Jüngling *talmiϑe* d. h. Palamedes neben der bräutlich verschleierten Helena. Der erste Buchstabe ist bei Gerhard deutlich ein *t.*

Ein berühmter Scarabäus (F. 2215) zeigt Palamedes und Philoktetes am Altar der Chryse unmittelbar vor der Verwundung des Philoktetes durch die Schlange. Siehe A. de Montigny in Revue Archéol. IV (1847) S. 283—295 Pl. 68 Nr. 1: Arch. Zeit. VI (1849) S. 51—54, Taf. VI No. 2. Dabei steht die Inschrift *talm | eϑi.* Alle, die den Scarabäus gesehen haben, sind darüber einig, dass der erste Buchstabe nur als *t* gelesen werden kann (vgl. Bull. dell' Inst. 1849 S. 115), und dies ist auf den Zeichnungen ganz deutlich. Vielleicht ist nach Deecke *talm | iϑe* mit umgekehrtem *e* zu lesen.

Ein etruskisches Gemmenbild (Rev. Arch. angef. St. Pl. 68, 3) zeigt einen mit Speer versehenen Mann, der sich über einen mit Würfeln oder Steinchen besetzten Untersatz bückt. Dabei *talmite.* Dagegen giebt ein Spiegel aus Toscanella (Gerh. T. CCCLXXXII, 2 = F. 2097 ter) den Namen in der Form *palmiϑe,* obgleich Gerhard V, 30 gegen seine eigene Zeichnung *Talmithe* anführt. Wie die in vier verschiedenen Inschriften vorkommende Form *talm-*

erklärt werden soll, weiss ich nicht. Haben etruskische Künstler den Namen fehlerhaft copiert? oder wurde *Παλαμήδης* von den Etruskern zu **Ταλαμήδης* umgedeutet? oder endlich, ist in *talmite* das erste *t* dem zweiten assimiliert?

Der Name *talmiϑe* auf dem Spiegel von Cetona zeigt uns, dass wir die Erklärung des Bildes in der troischen Sage zu suchen haben, und dies wird durch den phrygischen Kopfputz des einen Weibes bestätigt. In der nackten Frau sehe ich die Helena. Ihren Namen *χais* deute ich als *Ἀχαιίς*, welche Bezeichnung Homer für Helena anwendet. Das unbetonte anlautende *ἀ* ist im Etruskischen abgefallen. So ist das altlat. *Frutis* wahrscheinlich eine volksthümliche Aenderung des gr. *Ἀφροδίτη*: vgl. vulgärlat. *rabonem* = *arrhabonem* und anderes bei Schuchardt Vocal. II, 380 f. Die Scene der Handlung ist in Troja, wie dies durch die Gefährtin der Helena mit dem phrygischen Kopfputz angedeutet wird. Ihren Namen *puriχ* deute ich nicht ohne Zweifel *Φρυγία*, »die phrygische Frau«. Für das *p* vgl. *puci* F. 2540 bis = *Φρῖξος*. Die Vokale sind umgestellt; die Endung *-α* ist abgefallen wie in *marmis* = *Μάρπησσα*, allein das *i* hat sich vor dem *χ* erhalten [1])

In dem rechts sitzenden Jüngling sehe ich den Paris. Seinen Namen *ite* deute ich als *Ἰδαῖος*, eine dichterische Bezeichnung des Paris. Zur Endung *-e* statt *-ae* vgl. *partinipe* Spl. I, 463 — *parϑanapae* F. 1070, *Παρθενοπαῖος*.

Drei Personen sind also, wie es scheint, in dieser Spiegelzeichnung nicht durch ihren eigentlichen Namen, sondern durch ein adjectivisches Ethnikon bezeichnet: *Ἀχαιίς*, *Φρυγία*?, *Ἰδαῖος*. Dies kommt auf den etruskischen Spiegeln auch sonst mehrfach vor. T. CCCLXXVIII

[1]) Deecke Müll. II, 481 bezeichnet *puriχ* als »cogn. Minervae«.

bei Gerh. ist Paris appellativisch als *tevcrun* d. h. der Teukrer bezeichnet.

Den Schlüssel zur Erklärung des von mir besprochenen Spiegelbildes finde ich in der Erzählung des Dictys (I, 4), dass Palamedes mit Ulixes und Menelaus nach Troja als Gesandter geschickt wurde, um über die Kränkung der Helena zu klagen und um das, was mit ihr geraubt war, zurückzufordern [1]). Dass die Erzählung des Dictys auf altgriechische, jetzt verlorene Darstellungen zurückgeht, wird mehrmals durch ihre Uebereinstimmung mit alten Kunstdenkmälern erwiesen. Nach Dictys fand Garrucci auf einer prünestinischen Cista (C. I. L. 1500) das Schicksal Memnons dargestellt. Das Bild des etruskischen Scarabäus mit der Beischrift *talmeϑi* konnte de Montigny nach der Erzählung des Dictys erklären. Und ich habe bereits in der Erklärung derjenigen Spiegelzeichnung, bei welcher der Name *aχs'ies'* vorkommt, mich auf Dictys berufen. — *Talmiϑe* hat zu seinen Füssen ein schräg durchkreuztes Geräth, einem Korbe vergleichbar. Ich vermuthe darin einen Reisekorb, wodurch er als Fremder gekennzeichnet wird.

truisie und **taliϑa.**

Auf dem volcentischen Spiegel Gerh. T. CDXIII = F. 2154 sehen wir einen Jüngling und ein Mädchen, beide ganz nackt, einander gegenüber. Indem die gesenkte Rechte des Jünglings ein Alabastron, die gesenkte Linke der Frau ein Henkelkörbchen hält, scheint der Jüngling mit der Linken dem Mädchen eine Blume darzubieten, während sie ihm die Wange streichelt. Die Beischrift des Mannes ist *truisie*, die der Frau *taliϑa*.

[1]) Aehnliches wird bei anderen späten Schriftstellern erzählt, siehe die Ausgabe Dederichs (Bonn 1833) S. 384.

Truisie kann durch Epenthese aus **trusie* entstanden sein, vgl. z. B. *ruifris'* neben *rufre*; siehe Deecke Müll. II, 365. Gött. g. Anz. 1880 S. 1422. In *truisie* für **trusie* vermuthe ich eine Ableitung von **trus* = Τρώς durch das Suffix *-ie* = gr. -ιο-ς. Ich deute *truisie* »Nachkomme des Tros«. Das Suffix ist hier an die Nominativform gehängt, wie das Genetivsuffix *-l* nicht selten an die Nominativform gehängt ist, so z. B. in *retisl.* Dagegen findet sich F. 2175 *truies* = Τρώϊος in der Bedeutung »troisch« gebraucht. Dazu, dass man von Τρώς *truisie* bildete, wirkte wahrscheinlich ein einheimisches Gentilicium **truisie* = lat. *Trosius* mit. *Truisie* bezeichnet hier nach meiner Vermuthung den Anchises, der der Urenkel des Tros war, und ich finde in dem Spiegelbilde die Begegnung des Anchises und der Aphrodite dargestellt.

taliϑa deute ich als „Ἰθαλία", Aphrodite. Das anlautende unbetonte Ἰ von Ἰθαλία ist in *taliϑa* abgefallen, wie das Ἀ von Ἀχαιίς in *χais*. An die Stelle des Femininsuffixes -α in Ἰθαλία haben die Etrusker *-ϑa* gesetzt, nach der Analogie etruskischer Feminina, die wie *lautniϑa* von *lautni* gebildet waren. *Lautniϑa* verhält sich nach meiner Ansicht zu *lautni* wesentlich wie Λεσβίς (Stamm Λεσβιδ-) zu Λέσβιος, νεφρίς zu νέφριος, ἐφημερίς zu ἐφημέριος. Das Suffix *-i-d*, dessen *-d* in den obliquen Casus erhalten war, ist im Etrusk. durch Antreten der gewöhnlichen Femininendung *-a* zu **-i-da*, *-iϑa* erweitert. So erscheint im Lateinischen *cassida* neben *cassis*, *cassidis*; vgl. Jordan Krit. Beitr. S. 54 f. Dieselbe Erweiterung ist im Vulgärlatein und Romanischen häufig, z. B. vulg. lat. *conjuga* = *conjux*. Meine Erklärung des Suffixes *-i-ϑa* wird durch ein Lehnwort gestützt: etr. *crisiϑa*, altlat. auf pränestinischen Cisten *crisida* und *creisita* — Χρυσηίς, Χρυσηΐς, Χρυσαις: jedoch hat hier die Form des griech. Accusativs wahrscheinlich auf die etruskische Wiedergebung Einfluss gehabt, wie im Lat. bei *promoscida* = *proboscis* u. ähnl. Wie *lautniϑa* sind wohl *ramϑa*, wenn es zum lat. *Rammes* gehört [1]), und *ϑuflϑa* gebildet.

pakste.

Eine etruskische Spiegelzeichnung stellt einen reitenden fast ganz nackten Jüngling dar, dem ein Delphin folgt. Daneben die Worte: *erkle pakste* (*k* zweimal nach rechts gewandt) F. 1022 bis; vgl. Corss. I, 327; Murray in the Academy 31. August 1878 und 13. Sept. 1879; I. Taylor in Athenaeum 6. Sept. 1879 und in the Academy 20. Sept. 1879. In der Jen. Literaturzeit. 1875 Art. 259 erklärte ich die Inschrift als *Ἡρακλῆς *Πηγασίτης*. Taylor übersetzte ähnlich »Hercules equester«; *pakste* ist nach ihm durch dasselbe Suffix wie die Ethnika *senate*, *manϑvate* u. s. w. gebildet. Murray meint dagegen, dass die Zeichnung eigentlich den Bellerophontes auf dem Pegasos darstelle und dass der etruskische Künstler statt seiner aus Unkenntniss der griechischen Mythologie den Herakles genannt habe. Nach Murray bezeichnet die Inschrift *erkle* allein den Jüngling, *pakste* dagegen das Ross. Dies scheint das natürlichere. Die Deutung des Wortes *pakste* als *Πήγασος*, der F. 2492 etr. *pecse* genannt ist, lässt sich durch die Analogie von *uϑuste* und *uϑste* — *Ὀδυσσεύς* neben *uϑuze* (siehe Deecke in Bezz. Beitr. II, 170) und *utus'e* G. App. 650 stützen [2]). Diese Anwendung des *t* findet vielleicht im folgenden ihre Erklärung. Im

[1]) Anders Deecke Rhein. Mus. N. F. 36, 590.

[2]) Sonderbar ist das *t* von *amφtiare* F. 1070, *a[m]φtia[re]* F. Spl. III, 395, *[a]mti[are]* F. Spl. I, 463 *'Αμφιάραος* neben *amφiare* F. 2152, *mφare* F. 2145, *hamφiar* F. 2514 (zweimal). Hat ein Etrusker in dem Namen eine Zusammensetzung von *ἀμφί* und *τιάρα* gefunden? Oder hat man ein griech. Zeichen für φ in diesem Namen (vgl. ↑ auf der apul. Archemoros-Vase) missverstanden?

Etrusk. kann *t* vor *i* und *e* in einen Zischlaut übergehen: *rezi* F. 1429, 1223 = *reti*; *zer* F. 1930 scheint mir trotz Pauli Fo. u. St. III, 25 eine Nebenform zu *tere* F. 1922. Nicht verschieden scheint *sece* in F. 315 t. XXV: *θus'aθuu* | *selasea* | *aluaupil* | *aiseetati*; Fabretti giebt im Texte: | *aisce* - -, was ein Fehler sein muss, wie aus seiner Zeichnung erhellt. Ich vermuthe, dass man öfter etymologisch *t* schrieb, nachdem der Uebergang des *t* in einen Zischlaut sich lautlich vollzogen hatte, und dass man sich dadurch verleiten liess, auch in Fremdwörtern *t* vor *e* statt eines Zischlautes zu schreiben. Ein anderes Wunderross Arion erscheint bei dem Herakles; Brunn findet sie auf einem pränest. Spiegel Gerh. T. CCCXXXIV. 1 dargestellt.

meas.

Auf einem in Florenz bewahrten Scarabaeus (G. App. 842, Poggi Contribuzioni No. 22 S. 58 ff.) ist *meas* der Name eines nackten mit Schild bewaffneten Kriegers, der eine Lanze aus der Hand fallen lässt, indem er von einem grossen von oben geschleuderten Steine getroffen wird. In ihm erkenne ich den Giganten *Μίμας*, der nach einigen von Ares, nach anderen vom Blitzstrahle des Zeus erschlagen wurde. Die Darstellung des Scarabaeus setzt die Sage voraus, dass *meas* = Mimas, wie mehrere Giganten, dadurch seinen Tod fand, dass ein Felsenstück von einem Gotte auf ihn geschleudert wurde. Hiemit vergleiche man, was Sil. Ital. XII, 147 (*Apparet Prochyte saevum sortita Mimantem*) andeutet, dass die Insel Prochyte bei Sicilien auf Mimas ruhte. Eustath. zu Odyss. III, 172 erzählt dagegen, dass der Berg Mimas bei Chios *ἀπὸ Μίμαντος γίγαντος ἐν αὐτῷ κειμένου* den Namen führte. Die Giganten wurden von den hellenischen Dichtern und Künstlern der klassischen Periode in menschlicher Gestalt dargestellt, mit Schild und Speer bewaffnet.

Für den Ausfall des inlautenden *m* in *meas*, das mit *m* anlautet, vgl. *maerce* F. 2754 = *mamerce*; *e* entspricht in *meas* dem griech. *ι*, wie in *areaϑa* Ἀριάδνη, *easun* Ἰάσων, *cerca* Κίρκη, *pelucte* Φιλοκτήτης u. m. Der etruskische Name einer Göttin *mean* ist bei der Entstellung des griech. Namens *Μήνας* zu *meas* vielleicht nicht ohne Einfluss gewesen, hat aber mit *meas* ursprünglich nichts zu thun gehabt.

akraϑe.

Ein Spiegel im Museum zu Perugia Gerh. T. LXVIII = F. 1062 zeigt Pallas als Besiegerin eines Giganten. Seinen Namen *akraϑe* hat man allgemein als *Ἄκρατος* gedeutet. Allein Akratos kommt nicht in einer ähnlichen Verbindung vor, er wird nur im Gefolge des Dionysos erwähnt, wie sein Name ihn als den Dämon des ungemischten Trunks bezeichnet. Dagegen wird im Gigantenkampfe Enkelados speziell der Athene gegenübergestellt; siehe Preller Griech. Myth. [3]I, 60 Anm. 2. Hiernach sehe ich in *akraϑe* eine etruskische Umgestaltung des Namens *Ἐγκέλαδος*. *Akraϑe* steht für **ankraϑe*, vgl. *aχs'ies'* für **anχis'ies'*, *acari* = *ancari*, *cecu* = *cencu* u. s. w.: *akraϑe*, **ankraϑe* ist durch rückwirkende Assimilation aus **enkraϑe* entstanden; vgl. *amat-* für *emat-*, *tala-* für *tela-*, *mamrcu* = *menrcu*, u. s. w. Endlich ist das *r* in *akraϑe* statt *l* in *Ἐγκέλαδος* eingetreten. Ich werde im folgenden nicht wenige Beispiele dieses Lautwandels im Etruskischen beibringen: *ceru* von *cela*, *cares* und *caraϑsle* von *cal*, *caru* = *calu* u. m. Dass das zweite *ε* von *Ἐγκέλαδος* ausgefallen ist und dass die Etrusker *-αδος* durch *-aϑe* wiedergegeben haben, stimmt mit der gewöhnlichen Behandlung griechischer Wörter im Etruskischen überein

amatutunia.

Auf einem in Orvieto gefundenen Spiegel (Gerh. T. CCLVII, B = F. 2094) sieht man ein kleines Kind *maris' halna*, welches von einer fast nackten, an Kopf, Hals und Ohr reich geschmückten Frau *amaṭutuniạ* (nach Anderen *amaputunia*) gehalten wird. Ausser diesen zwei Personen zeigt das Spiegelbild einen jungen Krieger *[l]aran*; die verhüllte *turan*; die *menrva*, welche ein aus einem kraterförmigen Gefäss aufblickendes Kind *maris' husrnana* fasst, und endlich den *turms* mit einem dritten Kinde *maris' isminθians*.

Gerhard (III, 329) sieht in *amatutunia* die Liebesgöttin *'Αμαθουσία*, während *turan* hier mehr der Libitina entsprechen soll. Deecke Fo. IV, 86 vermuthet, dass *'Αμαθουσία* zu *amatutunia* durch Volksetymologie von *amare* und *Tutunus* umgewandelt sei. Dieser Vermuthung kann ich nicht beistimmen, denn weder findet sich eine Spur davon, dass die Namensform *amatutunia* ursprünglich lateinisch war, noch sind umgekehrt die Wörter *amare* (vgl. jedoch *aminθ*) und *Tutunus* im Etrusk. nachgewiesen. Ausserdem sind, wie Curtius bemerkt hat, derartige Composita mit vorausgehendem verbalen Bestandtheil im Lateinischen so selten, dass sie gewiss dem Volkssinne nicht vorschwebten.

Auch mir scheint *amatutunia* eine Umwandlung von *'Αμαθουσία*. Ich erkläre sie folgendermassen. *'Αμαθουσία* ist von *'Αμαθοῦς*, Accus. *'Αμαθοῦντα* abgeleitet. Die Nominative der etruskischen aus dem Griech. entlehnten Namen sind mehrmals den griechischen Accusativformen nachgebildet. So *tereran* F. 2726 bis und *crisiθa* ibid. Ich vermuthe hiernach, dass die etruskische Form des Stadtnamens *'Αμαθοῦς* dem griech. Accus. *'Αμαθοῦντα* nachgebildet war und demnach, wenn wir von der Endung absehen, *amatunt-* oder, da *a* vor *t* oft ausfiel (Deecke

Möll. II. 434 f.), *amatut-* geschrieben wurde. Hievon kann *amatutunia* durch das Doppelsuffix *-unia*, welches in vielen weiblichen Namen erscheint, gebildet sein [1]). Dies wird durch die lateinische Umwandelung griechischer Städtenamen auf *-ς*, Gen. *-ντος*, Accus. *-ντα* bestätigt: *Hydruntum* Ὑδροῦς, *Tarentum* Τάρας u. s. w., bei welcher Umwandelung italische Ortsnamen auf *-ntum* mitwirkten. Mit lat. *Tarentina* gehören die etrusk. weiblichen Namen *tretna* F. 1814, *tretnei* F. Spl. II. 48, *trentinei* F. 1182 zusammen (Deecke Bezz. Beitr. III. 41; Pauli St. I. 44 f.).

turmucas.

Auf einem Krater von Vulci (F. 2147) ist gemalt eine Gruppe von vier Gestalten in der Unterwelt, worin man eine Darstellung des Urtheils über die todte Penthesileia findet. Neben dem Todtenschatten der *pentasila* sieht man eine verhüllte Frauengestalt, die bezeichnet ist durch die Inschrift vor ihrer Stirn: *hinthia turmucas*.

hinthia ist hier offenbar mit *hinthial*, ψυχή, gleichbedeutend, und *turmuca* scheint also der Name einer Begleiterin der Penthesileia. Die bisherigen Erklärungen dieses Namens scheinen mir wenig befriedigend.

Da Penthesileia die Königin der Amazonen war, muss man in *turmuca* einen einer Amazone geeigneten Namen suchen. Ich vermuthe *Δορμάχη. Die Amazonen wurden ja von den Künstlern mit Speer dargestellt. *Δορμάχη ist wie Δορίμαχος und Ἀνδρομάχη gebildet. Das α ist in der etruskischen Namensform zu *u* verdumpft; vgl. *cluthumustha* Κλυταιμνήστρα, *urusthe* Ὀρέστης, *priumne* Πρίαμος, *artumes* Ἄρτεμις, *euturpa* Εὐτέρπη,

[1]) Vgl. [illegible] F. Spl. I. 149. Dieser Beiname einer Frau ist von griechischem Stamme durch das etr. Suffix *-una* gebildet.

zimuϑe = *Διομήδης*. Dass der Göttername *turmus* bei der Umwandelung von **Λογμάχη*, in *turmuca* mitwirkte, ist mir wahrscheinlich.

evan.

Eine bei Gerh. T. CCXXXII (— F. 2506) herausgegebene Spiegelzeichnung liesse nach Gerhard III, 217 »ohne die Schwierigkeit der Beischriften unbedenklich auf Eos und Memnon, Thetis und Achill sich beziehen.«

In der Mitte des Spiegels sehen wir eine oben nackte, an Hals und Armen reich geschmückte Frau, die einen Jüngling zärtlich umfasst. Ihren Namen werde ich im folgenden besprechen. Der Name des Jünglings ist von Corssen (I. 260 u. 820) und Friederichs *tinϑn*[1]) gelesen. Hr. Dr. Furtwängler, der mir über die jetzt stark oxydierten Inschriften dieses Spiegels gütigst Mittheilungen gegeben hat, liest *itinϑų*, bemerkt aber: »der erste Strich kann allerdings auch zu der Randeinfassung der Inschrift gehört haben.« Deecke liest *tinϑn*. *tinϑu* oder *tinϑn* muss wie *tinϑun* Gerh. T. CCXC = F. 2513 bis = *Τιθωνός* sein. Die Beischrift *ϑeϑis* ist sicher.

Der Thetis gegenüber »steht mit umgeworfener Chlamys, einen Speer mit seiner Rechten aufstützend, ein Jüngling, den man . . . für Achill zu halten geneigt ist, obwohl seine Namensinschrift . . . . dieser Vermuthung nicht zu Hülfe kommt« (Gerhard). Gerhard liest *tfami* (d. h. *trami*) oder *tsami*; allein in seiner Zeichnung ist der zweite Buchstabe weder einem *r* noch einem *s* gleich. Fabretti, dessen einzige Quelle Gerhard ist, liest *tiami*. Nach der Tafel Gerhards ist statt *-mi* vielmehr *-s'ii* zu

[1]) Andere lasen *itinϑni*. Die Beischrift kann nicht, wie Helbig Bull. dell' Inst. 1878 p. 85 andeutet, *atunis* gelesen werden.

lesen. Darf man *tias'ii* lesen? Dies wäre = *φθιώσιος, ein von Φθιώτης regelrecht abgeleitetes Adjectiv. Achilleus wird öfter Φθιώτης genannt. Für das doppelte *i* vgl. *aipii* F. 2554 T. XLIV, *is'iminθii* F. Spl. III, 388. Das *a* verträte hier die Stelle des griech. ω wie in *aχlae* = Ἀχελῶος, *rutapis* = Ῥοδῶπις, *aeras* = Ἀϝῶος. Jedoch muss dies unsicher bleiben, denn die Beischrift ist jetzt nach Dr. Furtwängler »völlig unkenntlich; über den zweiten Buchstaben kann gar nichts gesagt werden.« Auch erweckt die Endung *-ii* Bedenken.

Den Namen der in der Mitte stehenden Frau liest Corssen I. 260 »nach mikroskopischer Untersuchung und Zeichnung der stark beschädigten Inschrift« [*θ*]*esan*; ihm stimmt Deecke Müll. I. 481 bei. Man ist um so mehr versucht, diese Lesung für die richtige zu halten, als *θesan* auf mehreren anderen Spiegeln sicher die griechische Eos wiedergiebt.

Jedoch scheint mir diese Lesung keineswegs sicher. Corssen sagt selbst, dass das *θ* von *θesan* »ganz verschwunden« ist: »auch der dritte und fünfte Buchstabe sind beschädigt, aber noch mit Sicherheit erkennbar«. Friederichs las *eran*; die Zeichnung Gerhards zeigt *epan* und hat für ein *θ* nicht Raum. Dr. Furtwängler bemerkt: »Ein *θ* schien mir nicht vor dem *e* gestanden zu haben; der 2. Buchst. *p* oder *r* ist überhaupt jetzt ganz unkenntlich; die vorhandnen Abschriften haben nur den Werth von Conjecturen.« Hiernach scheint es ziemlich sicher, dass hier ein *θ* nicht stand, also nicht *θesan*. Corssen, der allein das *s* gelesen hat, scheint hier dadurch beeinflusst zu sein, dass er aus anderen Spiegelinschriften *θesan* als den etruskischen Namen der Eos kannte. Mir scheint mit Helbig Bull. dell' Inst. 1878 p. 85 die Lesung von Friederichs *eran* die richtige. Hiefür spricht erstens, dass der Name nach allen Zeugnissen mit *e* anfängt. Zweitens streitet gegen diese Lesung nicht, wie gegen die Lesung

Corssens, *epan* auf der Tafel Gerhards: hier ist nur der untere Querstrich des *r* übersehen. Namentlich spricht aber für die Lesung *eran* sehr stark der folgende Umstand. Als Friederichs so las, war eine etruskische Göttin *eran* aus anderen Denkmälern gar nicht bekannt: allein später ist dieser Name auf drei verschiedenen Spiegeln gelesen. Auf einem Spiegel aus Corneto G. App. 770 (vgl. Helbig Bull. dell' Inst. 1878 p. 84) sieht man einen weichlichen Jüngling *atunis* mit einem Zweig in der Hand vor einer jungen Frau *eran*, die mit beiden Händen einen Kranz hält. Ein Vogel schwingt sich über ihr in die Luft. Eine andere Frau *mean* zeigt dem Adonis die *eran*. Am Handgriff eines Spiegels aus Orvieto G. App. 643 ist ein weiblicher Genius *eran* dargestellt. Ein Spiegel aus Sovana G. App. 762 hat an der Verbindung mit dem Handgriffe einen beflügelten Genius in langer Tunica mit der Beischrift *eran*.

Ueber die sprachliche Deutung des Namens bin ich ungewiss. Da die *eran* des Spiegels Gerh. T. CCXXXII den *tinθu* umfasst, erklärt Gerhard sie als Eos und vergleicht den Namen *eran* (von ihm *efan* geschrieben) mit der etruskischen Bezeichnung Memnons *eras* Gerh. T. CCXXXVI, 1 = F. 2499, auch F. Spl. III, 315, mit welchem Namen *aeras* Gerh. T. CLXXXI — F. 2500 identisch ist. *Eras* ist Ἀῷος: *eran* liesse sich mit gr. ἠώς wol nur so vermitteln, dass es aus einer griechischen durch Analogie entstandenen Accusativform *ἀϝῶν = ἠῶ umgestaltet wäre; vgl. *tevcrun* Τεῦκρος, *zetun* Ζήτης oder Ζῆθος, in denen griechische Accusativformen wiedergegeben sind.

Allein gegen diese Deutung sprechen viele Gründe. Erstens ist das *ae*, *e* von *aeras*, *eras* durch den Einfluss des *ι* von Ἀῷος aus *a* entstanden. In dem Stammworte ἀώς findet sich dagegen dies *ι* nicht; daher spricht das *e* von *eran* gegen die Combination mit ἀώς. Zweitens ist die Annahme einer Accusativform *ἀϝῶr immerhin bedenklich. Drittens sprechen die Namen *alpan*, *mean*, *turan*, *θesan* dafür, dass *ecan* ein echt etruskischer Name, nicht ein Lehnwort, ist. Viertens hat die auf den Spiegeln G. App. 643. 762. 770 auftretende *ecan* nichts, das speziell an die Göttin des Frühlichts erinnert.

Wenn demnach *ecan* ein echt etruskisches Wort ist, so müssen wir dafür etruskische Verwandte suchen. Formell nahe liegt der Stamm der folgenden Wörter: *ecitinras* Magliano B 4, *iecetus* F. 485. Diese bedeuten nach meiner Vermuthung, die ich im folgenden begründen werde, *aeternorum* (der Unsterblichen, der Seligen, eig. der Ewigen), Gen. pl., *aeterni* Gen. sg. In Uebereinstimmung hiermit vermuthe ich in *ecan* die mythische Personification der persönlichen Ewigkeit, der Unsterblichkeit.

Die Vorstellungen der Etrusker beschäftigten sich überaus viel mit dem Tode und dem Zustande der Todten. In den von Labeo übersetzten Tagetischen Büchern war die Meinung ausgesprochen, dass die Seelen durch gewisse Opfer göttlich und den Gesetzen der Sterblichkeit entzogen würden. Auch Martianus Capella deutet an, dass die Seelen nach etruskischer Lehre, nachdem sie von der Unterwelt losgekauft waren, unsterblich wurden. Es ist daher nicht auffallend, bei den Etruskern eine mythische Personification der (persönlichen) Ewigkeit, der Unsterblichkeit zu finden.

Dass zwei etruskische Spiegel *ecan*, den Genius der Unsterblichkeit, am Handgriff zeigen, hat tiefe Bedeutung, denn diese Spiegel sind, wie Inschriften ausdrücklich bezeugen, den Verstorbenen in das Grab als *s'uθina* mitgegeben. Am Handgriff anderer Spiegel finden wir die *recial* und die *lasa racuneta*, worin ich den Genius der Verjungung sehe.

Dass *ecan*, der Genius der Unsterblichkeit, in einer

Spiegelzeichnung den Tithonos zärtlich umfasst, erklärt sich aus der griechischen Sage, dass Eos für den Tithonos Unsterblichkeit erlangte. In der Spiegelzeichnung von Corneto winkt *mean*, d. h. der Genius der Jugendblüthe, dass *eran*, der Genius der Unsterblichkeit, den Adonis bekränze. Begrifflich scheint somit die gegebene Deutung zutreffend.

Formell ist *eran* mit dem gr. *αἰών* masc., poet. auch fem., Lebenszeit, Ewigkeit, verwandt. Man vergleiche die Wiedergabe des gr. *Αἴας*, *Αἴϝας* durch *eivas* F. 2097 ter. Wegen des *a* vor *n* ist entweder *puplana* neben *pupluna*, *mulvannice* neben *mulvunice* zu vergleichen, oder dies *a* ist wie das *a* von *aleϑans* F. Spl. III, 333 (statt *aleϑnas*) zu erklären. Bei der einen wie der anderen Auffassung stimmt *eran* in Betreff des *n* mit dem Griechischen im Gegensatz zu den übrigen indogermanischen Sprachen überein.

ϑcerais'i.

Die Inschrift eines cäretanischen thönernen Bechers (F. 2404 T. XLII, Corssen I. T. XV, 2) giebt den Namen einer Göttin. Den Schluss dieser Inschrift hat Deecke (Liter. Centralbl. 20. Aug. 1881; Annali 1881 S. 163) so gelesen: - - *miniϑunas'tavhelequ*.

Er deutet *min iϑuna* als *hoc poculum*, *s'ta* als *sistit* (i. e. *dedicat*) und *v. hele qu.* als *Velus Helius Quinti f.*

Dass *s'ta* zu dem indogerm. *sta* gehört, wird namentlich durch das von Deecke (Bursians Jahresbericht 1881, III, S. 235) verglichene *med — statod* in der altlat. Duenos-Inschrift auf einem thönernen Gefässe bestätigt, denn hier ist *statod* transitiv angewendet.

Die ganze Inschrift F. 2404 lese ich nach Mommsen (Unterit. Dial. S. 17) u. a. folgendermassen:

miniceϑumaminaϑumaruṃlis'ịạiϑipurenaieϑeerais'i-
ecpanaminiṭunas'lachelequ.

Vor *ecpana* zeigt sich die Kasusendung *-s'i*. Darf man *eerais'i* d. h. der Hera abtrennen? [1]) *eerai* würde dasselbe Suffix zeigen wie *elinai, elinei, helenaia* neben *relena, elina*, Ἑλένη, wie *φersipnai* neben *φersipnei*, Περσεφόνεια, Περσεφόνη, Φερσεφόνα: vgl. Deecke in Bezz. Beitr. II, 181. Für die Behandlung des Anlauts vgl. *eras* G. App. 62 = ἥρως. Nun führt zwar die Göttin bei den Etruskern gewöhnlich den mit *Juno* zusammengehörigen Namen *uni*; allein, wie ich bei *alpan* nachgewiesen habe, kommt es öfter vor, dass derselben Gottheit von den Etruskern bald ein griechischer, bald ein ungriechischer Name gegeben wird [2]).

In *mlis'iai ϑipurenai* finde ich Beinamen der Hera. *mlis'iai* deute ich als Lehnwort, Femin. von μειλίχιος. Das griechische Adjectiv kommt als Epitheton vieler Götter (Zeus, Artemis, Aphrodite u. a.) vor. Eine oskische Inschrift aus Pompeji (Zvetaieff 62) nennt *iovcis meilikiieis*. Für den Ausfall des unbetonten Vokales der ersten Silbe vgl. *mliϑuns* F. 2033 bis A b, Genetiv zu Μελίτων. Für die Assibilation *mlis'iai* für *mliciai* vgl. Corssen II, 147 f.; Deecke Müll. II, 429, Gött. g. Anz. 1880 S. 1432. *Mlis'iai* zeigt dasselbe feminine *-ai* wie *eerais'i*. Ferner *ϑipurenai*, das man längst als eigenes Wort abgetheilt hat, deute ich *Tiburna* [3]). Nach mehreren Zeugnissen wurde Juno speziell in Tibur verehrt.

[1]) Anders Deecke Forsch. III, 283.

[2]) Mit Unrecht haben Welcker (vgl. Fabretti Gloss. 27) und Lattes (Osservazioni intorno ad alcune voci etrusche p. 2 n. 5) auf dem Spiegel Gerh. T. CLXXXIII — F. 2033 a *ere* gelesen und dies als Ἥρα gedeutet. Hier ist vielmehr mit Klügmann *ecna* zu lesen.

[3]) Cuno hat in Fleckeisens Jahrb. 1873 S. 658 *ϑipurenai* als Genetiv eines weiblichen Namens *ϑipurena* = *Tiburina* gedeutet. Deecke Forsch. III, 167 vermuthet, dass *ϑipurenai* als ein mit *ϑefri* verwandter Name auszusondern ist.

Ovid. Fast. VI, 61: *Est illic mensis Junonius: Inspice Tibur | Et Praenestinae moenia sacra deae;* Pseudo-Serv. in Verg. Aen. I, 17: *habere enim Junonem currus certum est; sic autem esse etiam in sacris Tiburtibus constat, ubi sic precantur: Juno Curitis tuo curru clipeoque tuere meos curiae vernulas.* Das Femin. *θipurenai* setzt ein Masculinum **θipurena, -ena-s* voraus; siehe Deecke Müll. II, 475 f. Diesem stehen am nächsten das lat. Adjectiv *Tiburnus*, welches bei augusteischen Dichtern und bei Plinius vorkommt, und der Name der Einwohner bei Polybius *Τιβουρῖνοι*. *Mlis'iai* und *θipurenai* zeugen dafür, dass das Etruskische die Motion kannte; gr. *μειλιχία* und lat. *Tiburna* zeigen eine andere Femininendung.

Allein gegen die vorgeschlagene Theilung spricht *eθ*, das in dieser Stellung kaum »hier« sein kann. Daher ist vielleicht *θipurenaie θecrais'i* zu theilen: *θipurenaie* Dativ wie *etre* u. s. w. F. 1915, mit der syntactisch gleichbedeutenden Form auf *-s'i* verbunden. Ist *θecrais'i* »der Hera«? Ist das *θ* hier proklitisches Pronomen (Artikel), vom Stamme *ta*? Ich werde die analoge Anwendung anderer Pronomina im folgenden besprechen.

Nur das Substantiv *θecrais'i* zeigt die Casusendung *-s i*, die dazu gehörigen Adjective *mlis'iai θipurenaie* dagegen nicht. Es ist im Etruskischen überhaupt nicht selten, dass die grammatischen Beziehungen zweier zusammengehörigen Wörter – Adjectiv und Substantiv etc. – bloss an dem einen bezeichnet werden. So zeigt in den Verbindungen *tute arnθals* und *hasθials racnθn* F. Spl. I, 387 nur das eine der zusammengestellten Wörter die Genetivendung *-s*, die freilich auch sonst fehlen kann. In dem Ausdruck *eti macnra* F. Spl. I, 436 a »in dieser Gruft« zeigt nur das erste Wort die Casusendung *-ti*; *macnra* braucht nicht, wie Pauli Fo. u. St. III, 69 annimmt, ein Locativsuffix *-a* zu enthalten (*a* statt *ai* ist in Endsilben nicht nachgewiesen). Mehrere Beispiele werde ich im folgenden anführen. Analoges hat Zimmer (Kuhns Zeitschr. XXIV. 224 f.) aus mehreren indogerman. Sprachen nachgewiesen.

Eepana verbinde ich mit *min θuna*. Es liegt am nächsten, hierin ein wie *spurana* u. a. gebildetes Adjectiv zu vermuthen: *eepana* erinnert an *ipa* F. 1914 A 5, B 3—4, F. 1915, F. 2279, G. App. 799, das Corssen mit *ἴβη* = *σορός* Hesych. verbindet; vgl. *ἴβανον· κάδον, σταμνίον, χαλκίον* Hes.; *ἴβηνον· σορόν, θῆκαι ὀστοφάκιναι κιβωτοί* Hes.; *ἰβάνη· κάδος ἀντλητήριον* Hes. Corssen deutet *ipa* als »Aschentopf«. Der Becher scheint also durch *eepana* als »dem ossuarium gehörig« bezeichnet zu sein, und hat also wohl zur Ausstattung eines Grabes gehört.

Meine Vermuthungen über den Anfang der Inschrift halte ich hier zurück.

uθurl.

larce: lecn[e]: turce fleres'uθurlan neiθi F. 255, Florenz, Bronzestatue einer Frau mit einer Schale: vgl. Corssen I, 627; Deecke Fo. III, 184; Pauli St. III, 69. Der Anfang ist klar: »Larce Lecne schenkte die Bildsäule . . .«

Ich trenne dann *uθurl* als eigenes Wort ab und erkläre dies als Gen. sg. fem. = *Juturnae*. Anlautendes *j* ist hier geschwunden, wie in *uni* — *Juno*, *ani* — *Janus*, s. Deecke Fo. IV, 24; *unei* — *Junieius (Juncius)* Deecke Annali 1881 S. 166. *Uθurl* steht für **uθurnl* wie *larθ* für *larnθ*, *arθ* zuweilen für *arnθ*, *rarθas* für *rarnθas*, *cas'tra* — *cas'ntra* *Κασσάνδρα*; *uθurl* ist eine Genetivbildung wie *lasl* von *lasa* Deecke Fo. IV, 43 f., *larθl* für *larθal* u. s. w., s. Deecke Müll. II, 333 f., Fo. III, 190. Der Name der Göttin *Juturna*, älter *Diuturna* (Bull. dell' Inst. 1871 p. 137) ist italischen Ursprungs.

Wenn man *ut* hier als vollständiges Wort fassen

wollte, wüsste ich *eiθi* nicht zu deuten. Die Zeichnung Fabrettis zeigt freilich nach *θaurlan* offenen Raum. Gleichwohl darf dieser vielleicht als bedeutungslos gelten, da Corssen I, 627, der eine Zeichnung Gamurrinis benutzt hat, ohne Bemerkung *θaur lanu eiθi* theilt. Mit Pauli Fo. u. St. III, 67 deute ich *eiθi* als Locativ, von dem demonstrativen Pronominalstamm *ei* durch das locative Suffix -*θi* gebildet, welches auch in *larχualθi* F. Spl. III, 322 u. a. vorkommt, und anderswo -*ti*, -*θ*, -*t* geschrieben ist. *Eiθi* ist die ältere Form von *eθ*. Formen wie *elati*, *ati*, *uti* (siehe im folgenden) u. a. zeigen, dass die vollständige Form des Suffixes nicht, wie Pauli vermuthet, -*eθi* ist. Vielmehr ist, wie Deecke bereits erkannt hat, das etruskische Locativsuffix -*θi*, -*ti* mit dem gr. -*θι* (in *οἴκοθι*, *πόθι* u. s. w.), dem osk. -*f* (in *puf*) identisch. Für das *θ* vgl. etr. *θezle* — lat. *Faesulae*. Dies Suffix zeugt also dafür, dass das etruskische eine indogermanische Sprache ist. In Betreff der Anwendung desselben steht das Etruskische dem Griechischen näher als dem Italischen, indem das etruskische Suffix auch bei substantivischen und adjectivischen Wörtern, nicht nur in Adverbialbildungen, vorkommt. Der diphthongisierte Pronominalstamm *ei* erscheint in mehreren indogerm. Sprachen: altlat. *eis*, *eiei*, *eieis* u. s. w.: gr. *εἶτα*, *εἶτεν*: skr. *ay-am*, *ébhis*, *ebhyas*, *eshu*, *eshām*. Allein das locative Adverbium lat. *ibi*, umbr. *ife*, osk. *ip* zeigt im Gegensatz zum etr. *eiθi* den schwachen Stamm *i*. Das Pronomen bedeutet im Etruskischen wie im Indischen »dieser«, nicht wie im Lateinischen »der«. Während das Griechische diesen Stamm nur in einigen Adverbialbildungen erhalten hat, wird *ei* im Etruskischen, wie im Lat., als substantivisches und adjectivisches Pronomen angewendet. Das Etruskische erweist sich also als ein eigener Zweig des indogermanischen Stammes, welcher bald dem Italischen, bald dem Griechischen näher steht.

Noch ist *anu* unerklärt. Für die Deutung dieses Wortes habe ich zwei verschiedene Wege versucht.

Da Juturna die Gattin des Janus heisst (Arnob. III, 9), läge es nahe, *anu* mit *ani* Janus zu verbinden und etwa so zu übersetzen: »Larce Lecne schenkte die Bildsäule der Juturna dem Janus hier«. Dies scheint mir jedoch nicht richtig. Nach der Analogie anderer Inschriften ist der Genetiv *uθurl* bei *turce fleres'* der Casus der Widmung. Pauli (Fo. u. St. III, 67) hat *(uθur-)lanu eiθi* mit *eiθ fanu* F. 2279, *eθ fanu* F. 1915, *eθ fanu* F. 2292, *eθ mianu* F. 2297 zusammengestellt und demnach in *uθur-lanu* einen Locativ vermuthet. Ich vermuthe ebenfalls, dass *eiθi* attributivisch zu dem Substantivum *anu* steht. In *anu* aber vermuthe ich eine Nebenform zu *fanu*, so dass *anu* zunächst für **hanu* steht. Dies stütze ich dadurch, dass die Namenformen *astia* F. Spl. III, 239, *asti* F. Spl. III, 238 neben *fastia, fasti, hastia, hasti* vorkommen, ebenso *erina* neben *herina, ferina*, s. Deecke Müll. II, 422, 424 und Gött. g. Anz. 1880 S. 1431, und dadurch, dass F. 2279 *anti* (für **fanu-ti*) neben *fanu* vorkommt: siehe darüber meine Begründung im folgenden; vgl. zugleich spätlat. *ordeum* — *hordeum*, altlat. *fordeum*; lat. *ariolus, hariolus* — altlat. *fariolus*; altlat. *hanula* — *fanula*, u. s. w.

Das etruskische *fanu* nun bezeichnet einen geweihten Grabraum; ich werde die Bedeutung des Wortes, wie die Endung *-u*, im folgenden näher besprechen. Die Wortstellung *anu eiθi*, so dass das Pronomen nachgestellt ist, findet ihre Analogie in mehreren Inschriften: siehe z. B. *kep eka* in einer nordetruskischen Inschrift, die ich später besprechen werde. Ebenso kommt im Oskischen *trííbum ekak* neben der umgekehrten Reihenfolge vor.

Ich übersetze also: »Larce Lecne schenkte die Bildsäule der Juturna in diesem geweihten Grabraume« d. h. L. L. schenkte der Juturna diese Bildsäule hier in dem geweihten Grabraume.

munθuχ.

Auf etruskischen Spiegeln erscheint die *munθuχ* Gerh. CCXIII = F. 2475, CCCXIV — F. 2054 ter, *munθχ* Gerh. CCCXXII = F. 2494 bis, *munθu* Gerh. CLXV = F. 2487 als dienende schmückende Jungfrau, zuweilen mit *turan* verbunden, oder als tanzende Bacchantin, nackt oder reich gekleidet, mit kunstvoll aufgebundenem Haar, Kranz oder Diadem, auch geflügelt, mit Schmuckapparat, Salbenbüchse, Tänien, auch mit einer Taube. Corssen I, 338 f. erklärt den Namen nach de Witte als »Schmückerin« von *mundus*; Deecke Müll. II, 100 Anm. 65 a) bemerkt: »Sie könnte zu den guten Genien (Manen) aus dem *Mundus* gehören«. Eine andere Erklärung scheint in der etruskischen Sprache bessere Stütze zu haben. Ich stelle *munθuχ* zu *munθ* F. 2335. Die Wörter:

munθ zivas murs'l XX

übersetze ich *dedit virus ollas XX*, was ich im folgenden begründen werde. *Munθuχ* ist also wohl die »Schenkende«, vgl. *Ἀφροδίτη Δωρῖτις*: kaum: »diejenige, welche durch Weihgeschenke verehrt wird«; *munθuχ* zeigt dasselbe Suffix wie *mlacuχ*.

panθsil.

pulθna : rite : clanicianisa : s'ḥsṛute : clunsiaz ⁝ panθsil

F. 803, Chiusi, Schale von schwarzem Thon; T. XXXII nach Micali. Die bisher unerklärte Inschrift, welche im Texte bei Fabretti unvollständig mitgetheilt ist, geht rings um den Rand der Schale, welche in der Mitte ein Gorgonenhaupt mit ausgereckter Zunge zeigt. Ich sehe nicht hinreichenden Grund, die Echtheit der Inschrift mit Deecke Fo. III, 241 zu bezweifeln.

Die Structur der Inschrift scheint mir wesentlich dieselbe, wie die von F. Spl. III. 356:

itun turuce venel atelinas tinas cliniiaras.

In *patϑna* suche ich hiernach das Object. Die Zeichnung zeigt in diesem Worte die von Pauli St. II, 61 bezweifelte Buchstabenverbindung *tϑ*, die im Griechischen und Messapischen vorkommt. Auch inlautendes *cχ* erscheint im Etruskischen. *Patϑna* steht formell dem lat. *patinam* nah. Ich übersetze „*pateram*".

rite kommt auch in F. 802 (Chiusi »piattello nero«): *s'euuli | rite* vor: *rite* scheint Verbum 3 Sing. mit derselben Endung *-e* wie *cauϑe*, *ture*, *leine* u. s. w. Ja das *-te* von *rite* scheint mit dem *-ϑe* von *cauϑe*, *ceriχunϑe* identisch. F. 2596, T. XLIV, giebt die Inschrift eines Aschentopfes, deren erste Zeile so gelesen ist: *miriϑceasyt* |.

Corssen I. 719 hat hier *riϑce* als Präteritum gefasst; vgl. Pauli Fo. u. St. III. 70. Wenn dies richtig ist, verhält sich *riϑce* zu *rite*, wie *cauϑce* zu *cauϑe*; F. 2596 hat in der zweiten Zeile das Verbum *tece*. Anders wird jedoch die erste Zeile von Deecke Fo. III, 272 f. gedeutet. Die Inschrift eines Grabes von Corneto, welche nur in der Abschrift Piranesis (F. 2346, T. XLII) vorliegt, ist in dieser etwa so zu lesen:

kas'usiaϑrihtenχerpi

Ich trenne *ka s'usi aϑ*. Darnach vermuthe ich *riϑte*. Der dritte Buchstabe ist in der Abschrift einem *h* oder einem *q* ähnlicher. Allein dass hier *ϑ* zu lesen ist, wird dadurch bestätigt, dass der dritte Buchstabe in *neϑuni* F. 2345 fast dieselbe Form hat. In *riϑte* vermuthe ich eine Nebenform zu *rite*. Ich weiss nicht, ob F. 2593 (fragmentum lapidis): . . . *ritarsum* . . . hieher gehört. Allein, dass ein Wort mit *rit* abgeschlossen ist, scheint wahrscheinlich, weil ein Wort *ars* sonst vorkommt. Für *rite* scheint die Bedeutung »dedit« zu passen.

Die etruskische Verbalwurzel *ri* »schenken« scheint mit skr. *ra* (Präs. *rati*) geben, spenden, zend. *ra* identisch zu sein. Das indische Verbum wird oft von dem Frommen, der einem Gotte eine Opfergabe spendet, angewendet. Die Combination des etr. *rite* mit dem ind. *ra* wird durch das lat. *rēs* gestützt. Denn dies ist gewiss mit skr. Nom. *rās* masc. und (selten) fem. (Acc. sg. *rām*, auch *rájam*, Dat. sg. *rājé*, Acc. pl. *ras*) identisch [1]). Das indische Wort bezeichnet »Besitz, Habe, Gut«. Diese Bedeutung hat lat. *res* häufig schon bei den alten Komikern. Skr. *rā-s* (Stamm *rai*) ist von *rā* spenden abgeleitet. Das lat. *res* beweist also, dass *rā* spenden, geben, ursprünglich *rē* lautete. Das lange *ē* geht im Oskischen in einen Laut über, der auf der tabula Bantina durch *í* bezeichnet ist, wie wir auf einer Iguvischen Tafel *ri* lat. *re* lesen. Im Celtischen geht langes *e* in langes *i* über. Denselben Uebergang nehme ich im etr. *rite* an: vgl. *rianisą* neben *reune*, lat.-etr. *Veianius* von *Veji*.

Das hier besprochene Verbum für »schenken« vermuthe ich auch in der lateinischen Inschrift eines Pränestinischen Spiegels (Ephem. Epigr. I, p. 153 n. 168 b):

veisia· loucilia· ϝata· ret· iunia· setia· atos· ret·

Andere lesen *fata* statt *vata*. Nach meiner Vermuthung ist *ret* »schenkt« skr. *rati*; ich sehe darin das Stammwort des lat. *res* und ein dem etr. *ri-te* entsprechendes Verbum.

Gegen die Deutung von *ret* als »dedit« führt Jordan (Krit. Beiträge S. 76) »den wol entscheidenden Gegengrund« an: »wenn zwei oder mehr Personen gemeinsam

[1]) Mit Unrecht, wie mir scheint, trennen Corssen Aussprache I, 477–479 und Fröhde Kuhns Zeitschr. XXII, 251 f. *res* vom ind. *rās*.

schenken, pflegen sie *dedere* zu sagen.« Allein, wenn die bisher nicht erklärten Wörter *ϝata* und *atos*, wie ich dies vermuthe, das Verbum *ret* näher bestimmen, dann ist die zweimalige Singularform berechtigt. In *ϝata* finde ich den Dativ sg. fem. eines Götternamens; vgl. altlat. *feronia, matuta, loucina* in Inschriften von Pesaro und anderswo, falisk. *menerva*. Vielleicht ist *ϝata* statt **ranta* mit der etrusk. Todesgöttin *ranϑ* identisch. Für die Schreibung *rata* statt **ranta* vergleiche man *acila* = *ancilla* auf demselben Spiegel, *ateleta* auf einer pränestinischen Cista C.I.L. I. 1501 doch wohl = Ἀταλάντη, *dedrot* in einer Inschrift von Pesaro C.I.L. I. 173; auch etrusk. *aratia* = *arantia* u. ähnl. So wird wohl auch *setio* als der bekannte Familienname *Sentius* zu deuten sein; anders Jordan S. 74. Vielleicht lässt sich auch *atos* (der zweite Buchstabe kann nach Helbig auch als *i* gelesen werden) als Göttername deuten. Ich möchte *atos* als Gen. Ἄιδος deuten, wie der Genetiv im Etruskischen oft gleichbedeutend mit dem Dativ angewendet wird. Für diese Deutung berufe ich mich auf *atoierpattia* in der altlat. Inschrift vom Fucinersee, das ein Recensent im Liter. Centralbl. 4. Nov. 1882 »dem Hades (und) der Persephone (Pherephattia)« deutet. Freilich erweckt die Endung *-os* von *atos* Bedenken gegen meine Deutung. Da Spiegel den Todten ins Grab mitgegeben wurden, scheint die Weihung an die Götter der Unterwelt natürlich.

Diese pränestinische Inschrift zeigt, obgleich sie lateinisch, nicht etruskisch, ist, nach meiner Ansicht starken Einfluss des Etruskischen, wie dieser auch sonst in pränestinischen Inschriften unverkennbar ist. So in den Formen *alixente[r]*, *creisita*, *casenter(a)* mit *t* statt *d*; ferner in der Vokalunterdrückung (*diesptr* auf einer Cista, häufiger in den Grabschriften): *amnces* mit *c* (jedoch auch *amucos*) wie im etr. *amucr*, Ἄμυκος. Die Behandlung des *i* in *pain.cos* oder *painiscos* (d. h. Παρίσκος) findet im

Etruskischen Analogie. In *iacor* oder *iaror* (siehe Jordan Krit. Beitr. S. 61), dem Namen des Memnon, kann ich jedenfalls nicht eine griech. Dialectform *Ἴακχος* sehen. Ich vermuthe, dass diese Beischrift nach einer älteren Cista fehlerhaft copiert ist und dass *iacor* oder *iaror* aus **iarois* (ß aus u) entstellt ist: **iarois* scheint durch Epenthese aus **arois* Ἀϝῶος (wovon etr. *aeras*) entstanden: ähnlich wird im Etruskischen *apatruis* zu *apiatrus*. *Crisida* und *creisita* zeigen in der Wurzelsilbe denselben Vokal wie etr. *crisiϑa* [1]).

Ich kehre zu F. 803 zurück.

Clani ist Nom. sing. m. eines in Clusinm häufigen Familiennamens; *cianis* scheint derselbe Familienname im Genetiv; vgl. *ciantinei* F. Spl. I, 198 (Chiusi) neben *clantinei* G. App. 259 (Chiusi), s. Deecke Gött. g. Anz. 1880 S. 1428, Müll. II, 389. Der Familienname scheint hier bei der Benennung des Vaters wiederholl, wie F. 2071: *larϑ : χurχles : arnϑal* |:| *χurχles* : — — *clan*, F. 2104: *larϑi· ceisi· ceises· celus·* — — *seχ*, und öfter (Pauli St. I, 9 und 76). Jedoch scheint die Stellung der Vornamen in F. 803 eigenthŭmlich. Das *ϑ* nach *cianis* ist vielleicht der nachgestellte Vorname des Vaters im Genetiv, — *ϑepris'*, vgl. Deecke Fo. III, 166. Auch in der verwandten Inschrift F. 802 scheint *li* nachgestellter Vorname (Deecke Fo. III, 351). Das *s'* ist in F. 803 vielleicht *s'eϑre*, mit *clani* zu verbinden; *s'eϑre* wird auch sonst *s'* geschrieben, s. Deecke Fo. III, 320—322, 372. In G. App. 533 kommt ein *seϑre clani* vor.

In *hsrate* suche ich einen Beinamen im Nominativ. Der erste Buchstabe ist von dem dreimal in der Inschrift vorkommenden *ϑ* verschieden und scheint sicher *h* [2]). Den

[1]) Aehnlich urtheilt über die Pränestinischen Inschriften Corssen I, 317. Anders Jordan Kritische Beiträge.

[2]) Lattes (Osserv. intorno ad alcune voci etrusche Nr. 57 Anm. 39) vermuthet *a* statt des *h* in *hsrate*, allein, wie mir scheint, ohne hinlänglichen Grund.

dritten Buchstaben weiss ich nur als *r* zu lesen, obgleich er anders als in *rite* gestaltet ist. Für die Consonantenhäufung in *hsrate* vergleiche man *psθi* G. App. 704 u. ähnl., s. Deecke Gött. g. Anz. 1880 S. 1417. *Hsrate* ist durch dasselbe Suffix wie die Cognomina *calati*, *terpraθe* u. m. gebildet (Deecke Müll. I, 501).

Hsrate ist also eigentlich ein Ethnikon, nach meiner Vermuthung statt **hatriate*, vom Stadtnamen *Hatria*, *Hadria*. Für die Assibilation vgl. *aχrizr* neben *aχuritr*, *pezrnai* neben *petrnai*, *sasrs* F. 2408 nach meiner Lesung und Deutung = *satres*.

In *clausiaz panθsil* suche ich endlich Genetive, welche die Person, der der Gegenstand gewidmet ist, bezeichnen. Die Deutung Deeckes (Bezz. Beitr. II, 172) von *panθsil* als *Πενθεσίλεια* scheint mir zu den anderen Wörtern der Inschrift nicht zu passen. *panθsil* ist nach meiner Ansicht Gen. sg. fem. Es kann für **panθsial* **panθial* stehn, vgl. *rufil* neben *rufial*, *petruil* neben *petrunial*, *titil* neben *titial* Deecke Müll. II, 376. Ich deute *panθsil* als *Pandae*; *θs* ist durch den Einfluss des folgenden *i* aus *θ* entstanden; vgl. *aruθsia* F. 2605 für *aruθia* (anders Pauli St. III, 56 f.), *petsna* neben *peθna*, *veltsanei* neben *veltni* Deecke Müll. II, 427 f. Im Gegensatz zur lat. Namensform *Panda* zeigt der etr. Genetiv *panθsil* das Suffix *-ia*. Dasselbe Verhältniss zeigt sich oft im Etruskischen, sowohl bei Lehnwörtern als bei echt etruskischen Wörtern. Man vergleiche *ermania* 'Ερμάνης, *turia* Τερψί, *unia* Juno Deecke, Bezz. Beitr. II, 182, Fo. IV, 34; *fuis'cial* F. 2603 nach Pauli St. III, 79 Φαυνάκης (kann jedoch mit den etr. Namen, die mit *fau-* anfangen, verwandt sein); *fastia*, *fasti*, lat. *Fausta*; *calaina* G. App. 651 Γαλήνη (Γαλάνα) erklärt sich aus **calania*. Ebenso verhält sich *θuθiialz* G. App. 912 bis (Gen.) zum umbr. *tota*.

Evrgia F. 2346 bis d ist wohl Εὐεργέτη. Vielleicht fällt hier Licht auf das Wort *titinia* F. 1916 bis (Perugia

»iscrizione incisa intorno sopra un piombo: specchio con graffito che rappresenta Giove alato nell' atto di apparire a Semele, della quale il corpo già estinto dal fulmine«):

χuli tilimia ʒeruχ iteni mʒecrinia itaita quaθχei iia

Vielleicht bedeutet, wenn die Inschrift echt ist, *tilimia* s. v. a. lat. *Stimula*, die man mit *Semele* identificierte; siehe die Stellen Fabr. Gloss. 1705. Wenn diese Deutung richtig ist, muss *tilimia* aus **timilia* umgestellt sein: vgl. *velparun* Ἐλπήνωρ, *preϑnṣe* neben *presnϑe*; spätlat. *pamaricium* statt *paronychium*; altfranz. *tuleras* für *turelas*; franz. *omelette*, altfr. *amelette* nach Littré statt *alemette*. In Betreff des *t* ist *tilimia*, wenn meine Deutung richtig ist, analog mit gr. τέγος, lat. *tego*, altn. *thak*, gegen στέγος, skr. *sthágami*; skr. *tudámi*, lat. *tundo* gegen got. *stautan*; skr. *tigmá*, *tejámi* gegen στίζω, lat. *instigo*, got. *stiks*, u. s. w. Nach meiner Vermuthung verlor bereits in der Ursprache anlautendes *st* sein *s* vor einem Vokale, der den Hochton nicht trug.

Arnob. IV, 3 nennt *Dea Panda vel Pantica*. Auf der osk. Tafel von Agnone kommt *patanaí* d. h. *Pandae* vor. *Panda* steht für **Patna* wie *pando* für **patno* (osk. *patensins* = *panderent*): vgl. Thurneysen in Kuhns Zeitschr. XXVI, 301—303. Da in Rom die *porta Pandana*, welche immer offen stand, nach der *Dea Panda* benannt war, ist es vielleicht bedeutsam, dass der *panϑsi*, der Göttin des Oeffnens, eine »offene« Schale *patϑna* geweiht wird. Man vergleiche hiemit, dass man *liba* dem *Liber* darbrachte, offenbar wegen des Anklangs an seinen Namen.

Clunsiaz Gen. sg. fem. gehört attributivisch zu *panϑsil*. Auslautendes *z* tritt öfter statt *s'* ein, s. Deecke Müll. II, 432. Feminine Genetive auf *-ias'* sind bei Corssen I, 218 verzeichnet, vgl. Deecke Müll. II, 492. Eine dem *clunsiaz* entsprechende männliche Form scheint das Cognomen *clevsinas* F. Spl. II, 107 (Corneto) Genetiv, d. h. *Clusini*. In *clunsiaz* vermuthe ich Umstellung für *clusniaz*; vgl.

relnϑi für *relϑni*, *crelne* = *crenle*, *pertial* = *petrial* u. s. w. Deecke Müll. II. 436. Andere Beispiele der Metathesis werde ich im folgenden besprechen: *elss'i* = *es'ulzi*, *eslz*; *ϑens'i* = *hes'ni* u. m. Für die Femininbildung *clausiaz* (statt **clusnias'*) vgl. *reltia* F. 1608 (Genetiv) neben *reltas* Corss. I. 989; *releia* F. 1842. Gen. *releial* F. Spl. II. 62 neben *relea* F. 761 bis. u. m. Ich übersetze hiernach *clausiaz* durch *Clusinae*. Der Stadtname *Clusium* scheint von *claudere* abgeleitet. Nun heisst Janus *Patulcius Clusius*, und »die Göttin des Oeffnens ist nothwendig auch die des Schliessens« (Mommsen Unterit. Dial. S. 136). Wir dürfen also vielleicht eine Namensymbolik darin vermuthen, dass *panϑsi* »die Göttin des Oeffnens« zu *Clusium* »der verschlossenen Stadt« verehrt wurde und nach dieser den Beinamen *clausia* d. h. *Clusina* trug.

Die ganze Inschrift möchte ich etwa so übersetzen: »Sethre Clani Hsrate (Hatriate), der Sohn des Thepri Clani, schenkte die Schale der Panthsi (der Panda) von Clusium«.

Eine mit *clevsinas* F. Spl. II. 107 nahe verwandte Form findet sich vielleicht F. 2033 bis E a (Wandinschrift des Grabes der Leinie bei Orvieto), welche Deecke Fo. u. St. II. 42 u. 45 so liest:

> *rel leinies arnϑial· ϑura· larϑialisa* [:] *clan· velusum* |
> *nefts' : marun spurana cepϑne tenve· meχlum rasneas'* |
> *clevsinslϑ* [*z*]*ilaχnce·* u. s. w.

Die zwei letzten Wörter liest Fabretti: *clevsinslϑ ilaχnve*; Brunn (Bull. dell' Inst. 1863 S 48) *ϑlevsinsi .laχuve*; Conestabile (Pitt. Mur. p. 90 u. Tav. X) *clevsinsl ilaχuve*; Undset *ϑlevsins . . . . . . χu*[*ce*]. Hiernach scheint das richtige vielmehr *clevsinsl· zilaχnce*.

clevsinsl scheint Genetiv wie *fuflunsl*, *s'elans'l*; es gehört hier, wie es scheint, attributivisch zu dem Substantivum *ra sneas*, das von *meχlum* regiert ist. *Rasneas* scheint eine gewisse Abtheilung des Volkes zu bezeichnen.

Das Adjectiv *clevsinsl* (Gen.) scheint von einem dem lat. *Clusium* (wovon *Clusini*) entsprechenden Substantive abgeleitet. Der alte Name Clusiums war nach bekannten Zeugnissen *Camars*, welchen Namen Deecke Gött. g. Anz. 1880 S. 1445 in der Münzaufschrift *kamḁ* vermuthet. Jedoch war daneben, wie es scheint, auch der Name, den die Römer *Clusium* schrieben, bei den Etruskern bekannt: allein wir müssen voraussetzen, dass diese Namen ursprünglich nicht völlig gleichbedeutend waren. Nach F. 2033 bis E a bekleidete, wie es scheint, ein Mann, der in Volsinii vet. zu Hause war, eine Beamtenwürde im Clusinischen Gebiete. Dies ist nicht allzu auffallend, da mehrere Familien den Städten Volsinii vet. und Clusium gemeinsam waren, z. B. die Latini und Cumni oder Cominius.

Die Differenz in Betreff des Vokales der ersten Silbe zwischen *clevsinas*, *clevsinsl* einerseits und *clusinaz* andererseits beruht wohl auf einer ursprünglichen Differenz der Betonung: Masc. *clevsínas*, dagegen Fem. **clusinía*. Für das *ev* vergleiche man zugleich *reusti* G. App. 872 (lat.-etr.), *reustial* Deecke Gött. g. Anz. 1880 S. 1445 gegen lat. *Rustius*, das von *rus* (aus **rous*, **reus*) abgeleitet ist.

Die Genetivform *clevsinsl* setzt eine Nominativform **clevsins* voraus. Diese Bildung enthält wesentlich dasselbe Suffix wie **clevsinas*, **clevsina*, wovon der Gen. *clevsinas*. Im Etruskischen wird die Genetivendung *-l* oft an die Endung des Nom. sing. *-s* gehängt, welche Nominativendung somit als ein stammhaftes Element des Wortes behandelt wird. So z. B. *selvansl* vom Nom. sg. **selvans*, wie es scheint = lat. *Silvanus*; *vetisl* vom Nom. *vetis* = lat. *Vetius*; *marisl* vom Nom. *maris* = lat. *Mars* [1]).

[1]) So ist das Verhältniss von Deecke Gött. g. Anz. 1880 S. 1438 und Fo. IV, 58 u. 68 dargestellt. Seine abweichende Erklärung Fo. u. St. II. 19–25 ist mir nicht wahrscheinlich.

Analogien könnten aus mehreren modernen Sprachen angeführt werden. Ich nenne nur die folgenden. Im dän. *Tirsdag* (Dienstag) ist das Genetivsuffix *-s* an die Nominativendung *-r* gehängt. In einem neunorwegischen Dialekte (Sätersdal) ist von *snjor* Schnee, wo *-r* ursprünglich Endung des Nom. sing. war, der Dativ *snjore* und ein Adjectiv *snjorult* gebildet [1].

Wenn dagegen *θlerθnsl* die richtige Lesung sein sollte, wüsste ich über das Stammwort und die Bedeutung nichts zu sagen.

tarsu, tarsura.

Auf einem Spiegel (Gerh. T. CCCXXXII, F. 296 ter a) ist *tarsu* der Name der Gorgo Medusa. Deecke, Bezz. Beitr. II. 164 sieht darin ein Lehnwort aus dem gr. *Θρασώ*. Allein dies scheint begrifflich nicht zulässig. Denn *Θρασώ* ist der Beiname der Athene Schol. Il. 5, 2 (*Θρασώ* Lycophr. 936), und es scheint nicht glaubhaft, dass die Etrusker einen Namen von der Athene, die das Haupt der Gorgo an ihrer Brust trug, auf die Medusa sollten übertragen haben, um so weniger, als die Athene *Θρασώ* benannt wurde, weil sie „*δῶκε μένος καὶ θάρσος*". Ich will hier eine andere Erklärung begründen, die ich bereits in der Jen. Literaturzeit. 1875 Art. 259 angedeutet habe.

Tarsu entspricht nach meiner Vermuthung der umbr. Göttin *tursa*, die auf den iguvischen Tafeln genannt ist. Der Name *tursa* bezeichnet, wie Huschke zuerst erkannt hat, »die Verscheuchende«, »terrifica«. Sie wird angerufen, dass sie Feinde in die Flucht schlage. Der Name ist von dem Verbalstamme *tursi-* ganz wie lat. *Suada* von *suade-re* abgeleitet. Das umbr. Verbum *tursi-* be-

[1] Diejenige Bildungsweise, dass an ausgebildete Casusformen neue Suffixe gehängt werden, findet sich also auch in indogermanischen Sprachen, was Pauli Fo. u. St. III, 80 leugnet.

deutet: verscheuchen, jagen, in die Flucht schlagen. So kann auch das entsprechende lat. *terrere* angewendet werden: siehe Ovid. Met. I, 727: *profugam per totum terruit orbem* (von der in eine Kuh verwandelten Io). Es kommen im Umbr. die folgenden Formen vor: altumbr. *tusetu*, neuumbr. *tursitu* = terreto, a.-u. *tusetutu*, n.-u. *tursitutu* — terrento, n.-u. *tursiandu* — terreantur. Umbr. *tursi-* ist aus älterem *torse-* entstanden, vgl. z. B. umbr. *furo* — lat. *forum*. Umbr. *tursi-* hat in der ersten Silbe den lautgesetzlich entstandenen Vokal erhalten, während lat. *terrere* in Betreff des Vokales der ersten Silbe eine Analogiebildung ist. Dies erhellt, wenn man dies Verbum, das eigentlich ein Causativum ist, mit anderen lateinischen Causativen vergleicht: z. B. *nocere* — *nex, necare*; *monere* — *memini, mens*; *docere* — *discere* (statt **decscere*), u. m. Man hat auf lat. *terrere* den Vokal der ersten Silbe von anderen Wörtern desselben Stammes *(terror)* übertragen, um die lautliche Uebereinstimmung mit *torrere* dörren zu vermeiden.

Das umbr. *ŭr*, lat. *ŏr* entspricht sowohl germanischem *ŭr* als germ. *ăr*. Dass umbr. *tursi-* das erstgenannte *ur* enthält, wird sowohl durch *docere* als durch die Vergleichung des lat. *monere* mit ahd. *manên* bewiesen. Etr. *a* entspricht öfter sowohl in Wurzelsilben als in Ableitungssilben germanischem *a*, lat. und gr. *ŏ*. So kann das *ar* des etr. Namens *tarsu* dem *ur* der umbr. Form *tursa* entsprechen. Für das *u* von *tarsu* vgl. *rilenu* Ἑλένη, ϝελένα, fem. *alpnu* neben dem masc. *alpnas* u. m. Es war natürlich, dass die Etrusker eine einheimische Göttin, deren Name »terrifica« bedeutete, mit der Gorgo identificierten. *Tarsu* kann des *a* wegen nicht aus dem Umbrischen entlehnt sein. Wir gewinnen also hier für das Etruskische einen echt indogermanischen mythischen Namen.

Auf einem Spiegel, dessen Zeichnung die Entführung der Thetis durch Peleus darstellt, Gerh. T. CCXXVI =

F. 109 ist »eine zurückgescheuchte Frau«, die als Begleiterin der Thetis auftritt, *tarsura* genannt. Dies Wort scheint offenbar mit *tarsu* verwandt. Corssen I, 370 deutet *tarsura* (über das Suffix vgl. Deecke Müll. II, 450 f.) als »die erschreckte« und sieht darin ein mit lat. *terrere* verwandtes Wort. Diese Deutung wird durch meine Deutung, wonach *tarsu* »terrifica« bedeutet, gestützt [1]).

Ein verwandter Familienname scheint F. 2182 = 2131 (Toscanella) vorzukommen. Diese Inschrift ist von Kellermann so gelesen:

eca· s'uϑi· larϑal : tursalus· sacniu

Diesem entspricht, wie ich meine, das lat. Gentilicium *Turselius*, siehe Inscr. Regni Neap. Hiedurch wird meine Gleichsetzung der etr. *tarsu* mit der umbrischen *tursa*, wie mir scheint, zur Evidenz gebracht.

zivas, svalce.

Das Wort *zivas* findet sich zweimal in der folgenden Inschrift:

campnas : larϑ· larϑals' : atnalc· clan·an s'uϑi· lavtni :
zivas· cerixu | tes'amsa· s'uϑiϑ· atrs'rc· escuna·
alti· s'uϑiϑimnuϑzivasmurs'l XX

F. 2335, Corss. I, T. XVII, 1, Bull. 1860 p. 148: auf dem Deckel eines bei Corneto gefundenen Sarcophages. Der erste Satz *campnas* — *cerixu* ist mit Ausnahme von *zivas* schon von Anderen gedeutet worden: »Lars Campanus Lartis et Atniae filius hoc sepulcrum familiare . . . . exstruxit«. Für *cerixu* vgl. Deecke Liter. Centralbl. 20. Aug.

[1]) Deecke Fo. u. St. II, 54 liest F. 2108 *tursa*, das er mit dem Namen der umbr. Göttin identificiert. Ich lese hier anders; siehe meine Bemerkung zu dieser Inschrift.

1881; Pauli Fo. u. St. III, 71; für *cuupnas* Deecke Gött. g. Anz. 1880 S. 1418. Was ist nun *ziras*? Darüber geben uns lateinische und griechische Grabschriften Aufschluss. In diesen ist ja nichts häufiger als die Formel *vivus (vivens, se vivo) fecit, posuit, instituit, hoc sepulcrum comparavit; ζῶν ἐποίησεν, ἀνῆκεν, κατεσκεύασεν, ἔστησε* od. ähnl. Siehe die Beispiele bei Wilmanns Exempla II, p. 690—691, M. Schmidt in Kuhns und Schleichers Beiträgen V, 303 f. Hiernach deute ich *ziras* als *virus*. Diese Deutung passt ebenso trefflich an der zweiten Stelle. Ich übersetze *munϑ ziras murs'l XX* durch: *dedit virus ollas XX*. Man vergleiche in lateinischen Grabschriften *se vivo donavit* u. ähnl. Die Uebersetzung der anderen hier vorkommenden Wörter werde ich im folgenden rechtfertigen.

Ziras kommt noch am Ende der Sarcophaginschrift F. 2100 (Toscanella) vor:

arnϑ· larisal – *tamera· zelarvanu[s] [ϑ]ui*
ziras arils XXXVI lupu

Hier verbinde ich *ziras* mit dem vorausgehenden. Bei der Uebersetzung dieser Stelle und anderer, wo Zahlwörter vorkommen, werde ich die von Campanari, Deecke im zweiten Hefte der Forschungen und Studien u. a. angenommene Deutung beibehalten, aber dabei vorläufig Parenthesen anwenden, um hiedurch anzudeuten, dass die Richtigkeit dieser Deutung bisher nicht genügend erwiesen ist. F. 2100 deute ich: (drei) Kindern weihte er, als er noch lebte, hier (in diesem Grabe) Todtengaben. Die einzelnen Wörter werden im folgenden besprochen werden. Auch werde ich im folgenden die Vermuthung begründen, dass eine Inschrift von Corneto die Form *z[ir]a* Nom. sg. fem. *viva* enthält.

Wenn richtig, ist meine Deutung *ziras* — *virus* unleugbar von grösster Wichtigkeit. Einerseits beweist sie, dass das Etruskische eine indogermanische Sprache ist, anderseits erhellt aus ihr, dass das Etruskische nicht eine italische Sprache in demselben Sinne wie das Lateinische, Oskische, Umbrische, Sabellische ist, dass es vielmehr eine selbständige Stellung neben den italischen Sprachen einnimmt. Das hier besprochene Adjectiv findet sich fast in allen alten indogermanischen Sprachen: skr. *g'īva-s*, lat. *vivos*, osk. **bivs* (aus *bivus* Nom. pl. m. zu folgern), altir. *biu*, lit. *gývas*, kirchenslav. *živŭ*; vgl. gr. Subst. *βίος*. Der ursprünglich anlautende Guttural ist im Etrusk. ganz anders als im Italischen behandelt worden. Vor dem *i* ist in *zivas* Assibilation eingetreten. Etr. *zivas* verhält sich in Betreff des Anlauts zum osk. *bivo-* und dem gr. Subst. *βίος* wesentlich wie *ζέρεθρον* zu *βάραθρον*, *ζέλλω* zu *βάλλω* u. s. w. In *zimace* neben *cima* ist ein anlautender Guttural ebenfalls assibiliert: siehe darüber meine Bemerkungen im folg. *Zivas* darf nicht als ein adverbiell gebrauchter Genetiv eines Substantivs = *vitae* gedeutet werden, da *vitae* F. 2059 durch *svalasi*, F. 2057 durch *svalas* ausgedrückt ist, wie Pauli richtig gesehen hat. Auch werde ich im folgenden einen Nom. sg. fem. *z[iv]a* = *viva* nachzuweisen versuchen. Wenn die Deutung *zivas* = *vivus* richtig ist, zeugt sie auch mit der Form *alpnas* dafür, dass *-s* ein echtetruskisches Merkmal des Nom. sg. masc. war und nicht nur bei entlehnten Namen vorkam. Ob diese Deutung auch bei dem von Pauli St. III, 99 mit *zivas* zusammengestellten *ziu* F. 1914 A Z. 19 und *ziva* ibid. B Z. 11 zulässig ist, will ich nicht entscheiden.

Man wird mir vielleicht *svalce*, d. h., wie Fabretti, Gamurrini und Pauli gefunden haben, *vixit* und *svalas* = *vitae* vorhalten und meinen, es sei nicht wahrscheinlich, dass *vivus* durch das von diesen lautlich weit abliegende Wort *zivas* ausgedrückt sei. Allein gegen einen solchen Einwand führe ich erstens an, dass das Griechische *βίος* und *ζώω* neben einander hat, deren Verwandtschaft von griechischem Standpunkt aus schwer erkennbar ist, und dass das Altnordische sogar *lif* (vita), *lifa* (vivere) neben dem ganz verschiedenen *kvikr* (vivus) anwendet. Zweitens sind *svalce* (vixit) und *svalas* (vitae) nach meiner Vermuthung wirklich mit *ziras* (vivus) verwandt, wie schon Fabretti (Gloss.) *svalce* mit skr. *g'îv* combiniert hat.

Das *l* spielt ja in der etruskischen Wortbildung, wie in der Flexion, eine sehr grosse Rolle, wenn es auch nicht überall ursprüngliches *l* zu sein scheint. Ich nenne hier *truials* (d. h. Trojanus) von *truia*, *spural* neben *spurana* und *spureϑi*, *papalial* F. 332 neben *papa*. So scheint es nicht zu dreist, eine Ableitung **ziral* von *ziras* vorauszusetzen. Aus **ziral* entstand nach meiner Vermuthung **zral*. Diese Aenderung erkläre ich mir folgendermassen. In Lehnwörtern aus dem Griechischen ist der unbetonte Vocal der ersten Silbe oft ausgefallen, z. B. *mliϑuns* — Μελίτων, *mlis'iai* — μειλίχιος, *mnele* — Μενέλαος u. s. w. Ganz ebenso sind mehrere echt etruskische Wortformen zu erklären: *fuesi* F. 2335 d, *nuti* F. 2279 (statt **fnuti*), *tnucasi* in der Inschrift von Magliano B 3 u. a. Das Etruskische betonte wie die germanischen Sprachen die Anfangssilbe. Allein dies Betonungsprincip war so wenig, als in den germanischen Sprachen, ursprünglich: früher muss das Etruskische, wie das Indische und das Griechische, bewegliche Betonung gehabt haben. Davon zeugen u. a. die angeführten Wortformen. Aus **zirál* entstand also **zral*. Unmittelbar vor *r* ging *z* in *s* über, wie vor *l* in *eslz*, *eslem* neben *zal*. **Zral* wurde also *sral*, was in *sralce*, *sralϑas* u. s. w. vorliegt, hier als Verbalstamm fungierend.

Die hier vorgetragene Vermuthung über den Ursprung des etrusk. *svalce* kann ich durch Vergleichung eines indogerman. Wortes stützen. Im Atharva-Veda kommt *g'îvalá* lebensvoll, belebend vor; im Litauischen *gyvolus* masc. was Leben hat, Thier (Nesselm.), *gy'volis* dasselbe (Kurschat), *gyvuoju*, leben, noch leben (Nesselm.). Das etrusk. *sval-ce* entspricht also wesentlich dem lit. *gyvuoju*. Hier ist daran zu erinnern, dass das etr. *lautn* (familia) dem slav. *ljudinŭ* Mensch, wie Deecke erkannt hat, am nächsten steht.

svalasi, svalas, surasi.

Pauli hat im dritten Hefte der Fo. u. St. für *svalce* die Bedeutung »vixit« erwiesen. Dies führte ihn zu der Erkenntniss, dass *svalasi* oder *svalas* Gen. sing. »vitae« bedeutet. Allein die Anwendung dieses Wortes im Zusammenhange hat er nicht erkannt. F. 2059: — — *muleθ svalasi· zilaχnuce·* — — ist nach meiner Vermuthung *svalasi* (d. h. vitae) nicht von *muleθ* abhängig, sondern ein adverbialer, temporaler Genetiv. So wird der Genetiv oft in germanischen Sprachen angewendet, z. B. altn. *lífs* = in vita. *svalasi zilaχnuce* bedeutet »er war Zilath, als er noch lebte« (*dum vixit* nach dem Ausdrucke lateinischer Grabschriften).

F. 2057: — — *zilχ[nu] | spureθi· apasi· svalas·* — — giebt *apasi svalas* wesentlich dieselbe temporale Bestimmung zu *zilχ[nu]*. Pauli S. 57 hat in *apasi* einen mit *svalas* verbundenen Genetiv erkannt: ich sehe darin nicht mit ihm ein Adjectiv, sondern ein Substantiv, womit das synonyme *svalas* (d. h. in vita) asyndetisch zusammengestellt ist. Mehr hiervon im folgenden. In Verbindung mit *svalasi* muss auch F. 2058 besprochen werden.

Auf dem Sarge steht:

larθ· aleθnas· arnθal· ruvfial· clan avils· LX· lupuce
munisvleθ· calusurasi

Auf dem Deckel:

tamera· zelarvenas· luri· miace

Mit *manisclea cclu* d. h. nach meiner Deutung »in cella sepulcri sepultus (est)« ist ein Satz abgeschlossen, wie dies aus F. 2059 hervorgeht, wo derselbe Ausdruck vorkommt. Ich verbinde daher: *surasi tamera zelar renes*. In *surasi* sehe ich eine Nebenform zu *scalasi*. Den Uebergang eines inlautenden *l* zu *r* belege ich nach der Besprechung von *caru*. Das *u* in *surasi* steht neben *ca* in *scalasi* wie in *undune* F. 429 bis a neben *undrannice* F. Spl. III, 391, in *purtisura* G. App. 912 bis neben *purts'vareti* F. I, 388; vgl. Deecke Müll. II, 387, Gött. g. Anz. 1880 S. 1427.

surasi || *tamera zelar renes* übersetze ich: als er noch lebte, weihte er (drei) Kindern Todtengaben. Begrifflich mit diesem *surasi* ganz analog ist *ziras* F. 2100: *tamera zelar rana*[*s*] [*θ*]*ui ziras* und *z*[*ir*]*u* in einer Inschrift von Corneto Bull. dell' Inst. 1881 p. 95: *renas z*[*ir*]*u z*[*e*]*ral*, wo bei *zeral* das Wort *tamera* hinzuzudenken ist.

Dass die Inschrift eines Sarges, wie oben angenommen, sprachlich mit der Inschrift des Deckels zusammengehört, so dass jede für sich unvollständig ist, findet sich auch sonst, z. B. F. 2059, wo die Inschrift des Deckels eine Altersbestimmung für den verstorbenen Mann giebt, welcher nur in der Inschrift des Sarges genannt ist. G. App. 132 wird die Inschrift des Urnendeckels grammatisch durch die der Urne vervollständigt. Ebenso F. 731 — G. App. 356.

recua, resχuale, recial, rescial, racuneta.

Klugmann und Deecke haben erkannt, dass die Namen *recua*, *resχuale*, *recial*, *rescial* dieselbe Göttin bezeichnen.

Ein Spiegel aus Talamonaccio G. App. 63 zeigt uns die Medeia (*metvia*), die dem sitzenden Aison (*aezsun*) den verjüngenden Trunk giebt. Sein Haupt wird von Minerva gestützt, die in der linken Hand das Mischgefäss hält. Hinter ihr steht *resial*, eine junge, mit Lorbeerzweigen bekränzte Frau, die mit einer Flügelspitze einen kleinen Vogel berührt, und nach ihm hinschaut, während er fliegt.

Der bei Gerh. T. CLXXXIII herausgegebene Spiegel zeigt zwischen Medeia (*metvia*) und Aphrodite (*turan*) die *reeua*: sie ist eine kurz bekleidete jugendliche Frau, reich geschmückt an Stirn, Hals, Armen und Ohren, und scheint in ihrer rechten Hand eine runde kleine Frucht zu halten.

Auf dem Spiegel Gerh. T. CCXV = F. 2497 ist die Schmückung der *malavisχ* dargestellt. Neben der sitzenden Braut steht rechts *turan*, links, bekleidet und mit einem Stirnband geschmückt, die *resχuale*, welche in ihrer linken Hand eine Blume, in ihrer Rechten, wie es scheint, einen Kranz für Malavisch hält.

Endlich findet sich am Griffe eines Spiegels von Vulci Gerh. T. CLXVI = F. 480 das Obertheil einer weiblichen Figur, welche an Hals und Ohren geschmückt ihr Gewand hinterwärts über den nackten Körper zieht. Darüber steht die Inschrift *recial*. Das Hauptbild zeigt mehrere Götter mit den göttlichen Knaben *maris' halna* und *maris' husrnana*.

Die Bedeutung der Göttin geht namentlich aus demjenigen Spiegelbilde hervor, in welchem Aison, der von Medeia den verjüngenden Trunk erhält, dargestellt ist. Hier kann *resial*, wie mir scheint, nur die mythische Personification der Verjüngung sein. Ebenfalls bezeichnet *reeua* mythisch die verjüngende Zauberkraft der Medeia [1]. Auch für *resχuale* und *recial* passt die von mir ange-

[1] Wenn Medeia nach einer Sage in Elysion die Gattin des Achilleus wurde, drückt dies nach meiner Ansicht seine immer wiederkehrende Verjüngung, eine ewige Jugend aus, wie die unsterbliche Jugend des vergötterten Herakles durch seine Ehe mit Hebe mythisch ausgedrückt ist.

nommene mythische Bedeutung als Genius der Verjüngung trefflich[1]). Hiernach wage ich die Deutung der Namenformen.

Das *sc* in *rescial*, *sχ* in *resχuale* ist, wie Deecke erkannt hat, aus dem *c* in *recial*, *recua* entstanden. Vgl. *felscia* F. 1599 neben *felcial* und andere Beispiele bei Deecke Müll. II, 429. Allein diese Assibilation des *c* kann ursprünglich nicht vor *u*, wohl aber vor *i* entstanden sein. Folglich weisen die verschiedenen Formen auf eine Grundform **recuval*, **recival* hin. In *rescial*, *recial* ist ein *v* zwischen zwei Vokalen ausgefallen, wie in *mealχls* neben *muvalχls*, *meraχr*, in *cae* für *cavie*, *θlae* für **θlavie*, vgl. Deecke Gött. g. Anz. 1880 S. 1431. Nun habe ich die Auffassung begründet, dass *zivas* »vivus« bedeutet und aus **civas* entstanden ist, und dass der Stamm *sval* in *svalce* (vixit) u. m. aus **zivál-*, **civál-* entstanden ist. Daher deute ich *recial*, *rescial* als **re-cival* »die wieder auflebende«, vgl. lat. *revivisco* und angelsächs. *edcwic* wiederauflebend. In *recua* braucht das *l* nicht abgefallen zu sein; diese Form kann von dem Stamme **civa* ohne das Suffix *-l* gebildet sein.

Diese Deutung zeigt, wenn richtig, ein neues echt etruskisches Wort indogermanischer Herkunft, nämlich das Präfix *re-*. Ein anderes etr. Präfix erscheint in *prumts*.

In Verbindung mit *recua* und den verwandten Namenformen bespreche ich *racuneta*. Dieser Name kommt auf einem grossen vulcentischen Spiegel Gerh. T. CLXXXI = F. 2500 vor. Das Bild der oberen Hälfte des Spiegels spielt im Olymp und zeigt uns Herakles mit dem göttlichen Knaben *epeur* im Kreise der Götter, die untere Hälfte führt uns zu Leuke, der Insel der Seligen. In der Mitte thront Helena, prächtig geschmückt. Der alte Aga-

[1]) Ist es symbolisch, dass die *recial* ihr Gewand hinterwärts über den nackten Körper zieht?

memnon reicht ihr freundlich die Hand. In demselben Bilde erscheinen u. a. Menelaos und Alexandros, beide ganz jugendlich dargestellt. Die Göttin *mean* schickt sich zur Bekränzung des Paris an, wie ich vermuthe, mit dem Kranz der ewigen Jugend.

In der Mündung des Spiegelgriffs ist eine nackte geflügelte Frau mit Stirnband, Ohrgehängen, Halsband, mit Schminktopf und Schminkstäbchen oder Salbenbüchse und Scheitelstift, auf einem Blumenkelch ruhend, dargestellt. Ihr Name ist *lasa racuneta.* Diese Gestalt scheint mit der nackten, geschmückten, am Griff eines Spiegels angebrachten *vecial* verwandt, wie das Bild mit dem Götterknaben *epeur* zu demselben Mythenkreise gehört, wie das Bild mit den beiden Götterknaben *maris*. Wie die *resχuale* hat die *lasa racuneta* Blumenattribute. Und der Name *racuneta* scheint mir deutlich mit *recua* verwandt. Von **re-cira* »wieder auflebend« wurde nach meiner Vermuthung ein Verbalstamm *reciranĕ-* »zum Leben wieder erwecken« (vgl. lit. *atgaivinu*) abgeleitet: vgl. *mulune* neben *mulu*, *acilune* neben *acil*, *turune* neben *turce*, *turuce.* Dazu entweder ein Nominalstamm Masc. **reciranc*, Fem. *-ucta* durch dasselbe Suffix wie *lautniθa* gebildet oder **recirancta* wie lat. *Moneta*, *Genita*, osk. *geneto* abgeleitet. Aus **recirancta* ward durch rückwirkenden Einfluss des *a*: *racuneta*; vgl. *pakste* Πήγασος u. s. w. *Lasa racuneta* ist also »die zu neuem Leben erweckende Göttin«. *Racuneta* bestätigt, dass *recua* nicht ein *l* verloren hat.

Deecke Müll. II. 366. 429, Gött. g. Anz. 1880 S. 1432, Fo. u. St. II, 39 f. verbindet mit den hier besprochenen mythischen Namen die folgenden etruskischen Familiennamen und Zunamen: *recusa* G. App. 329 (Gen.), *rescimia* F. 886 (Cognomen), den dacischen, wahrscheinlich einer Etruskerin angehörigen, Namen *rescu* CIL. III, 1195, *recimna* F. Spl. I, 297, masc. (*recinia* G. App. 734, fem.), *reice* F. 1923, *reiia* und *reinal* F. 693, *reicna* F. 2569 ter, *reiçiθ* F. Spl. I, 438 bis c, *reisnei* G. App. 525. Obgleich diese Namen formell zugleich an *reχ* (rex) und *rekθi* (in regno) G. App. 912 bis erinnern, vermuthe ich doch, wie Deecke, dass sie mit *recua, recial, rescial, resχuale* verwandt sind: namentlich ist mir dies für die erstgenannten derselben wahrscheinlich. Dass meine Deutung »wiederauflebend« begrifflich auch für die Personennamen passt, wird durch lat. Cognomina wie *Renatus, Restitutus, Redemptus,* u. s. w. erwiesen.

Zahladverbia.

Deecke hat die von Zahlwörtern abgeleiteten Formen auf *-zi* und *-z*, die neben Beamtentiteln erscheinen, richtig als Zahladverbia erkannt. Er fasst sie als multiplicative Adverbia, den griechischen Formen auf *-άκις* in ihrer Bedeutung entsprechend. Dieser Auffassung stimmt Pauli bei. Hiebei ist jedoch zu bemerken, dass man im Lat. sowohl *consul iterum* als *consul bis* sagt; häufiger *consul tertium* als *ter consul*; *consul quintum* u. s. w. Nach dem Zusammenhange scheint es also möglich, dass die etr. Adverbia auf *-zi*, *-z* nicht »zweimal«, »dreimal« u. s. w., sondern »zum zweiten Male« u. s. w. bedeuten. Vorläufig lasse ich dies unentschieden und übersetze wie Deecke und Pauli »—mal«.

Mehrere Zahladverbia, die in den Inschriften vorkommen, sind als solche bisher nicht erkannt worden. Der Anfang einer Gefässinschrift G. App. 912 bis (Foiano bei Chiusi) lautet:

ekuθuθiial·eχura·eles'ulzipulθesura — — —

Helbig (Bull. dell' Inst. 1879, p. 247) giebt: — *es'ulzip-* (oder: *r?)uleϑes* —.

Hier trenne ich *es'ulzi* als eigenes Wort ab; *es'ulzi* ist die ältere Form von *eslz* F. 2057, 2335 a. Es zeigt die vollständigere Endung *-zi* wie *cizi* F. 2339. In Betreff des Vokales *u* verhält sich *es'ulzi* zu *eslz* wie *fufluns'ul* F. 2250, G. App. 30 zu *fufluns'l* F. Spl. III, 402; wie *muuisvleϑ* F. Spl. III, 332, *munisuleϑ* (so Deecke nach Autopsie) F. Spl. III, 330 zu *munsle* F. Spl. I, 398, u. s. w. Auch die Differenz zwischen *s'* in *es'ulzi* und *s* in *eslz* (bei Viterbo und Corneto), *esals* (Vulci), *eslem* (Bomarzo) findet sonst Analogie. Man vergleiche besonders den Wechsel von *s'l* und *sl: s'eθns'l* F. 1052 (Cortona), *muantrns'l* F. 1055 bis (Cortona) gegen *selvansl* F. 2334 (Corneto), 2582 bis (orig. incert.). Die Schreibung mit *s* scheint hier vorherrschend südetruskisch, wie in dem von Pauli Fo. u. St. III, 85 f. besprochenen Falle.

Das unmittelbar vor *es'ulzi* stehende Wort ist *zel;* denn dass mit *-ura* ein Wort abgeschlossen ist, wird dadurch bewiesen, dass diese Endung noch einmal in der Inschrift vorkommt. Die Adverbia auf *-zi, -z* erscheinen immer neben Beamtentiteln oder davon abgeleiteten Wörtern. Daher gehört *zel* mit *zil eterains* F. Spl. I, 436 a, *zilaϑ, zilc* u. s. w. zusammen.

Eine andere Form desselben Adverbs finde ich F. 2057 = Spl. III, 327 (Grab der *aleϑna* bei Viterbo):

> *aleϑnas· v· v· ϑelu: zilaϑ· parχis | zilaϑ· eterav· clenar· ci· acnanasa | elss'i· zilaχnu· celus'a· ril· XXVIIII* | — —

Deecke hat die Fo. I, 36 ausgesprochene Vermuthung, wonach *elss'i* Dat. von *eel* wäre, später (Fo. III, 113) mit Recht wieder zurückgenommen; diese Deutung scheint mir mit dem Zusammenhange absolut unvereinbar. Zu *zilaχnu* muss eine nähere Bestimmung gesucht werden, denn ohne eine solche scheint das Wort hier sinnlos, da die Beamtenwürde des Verstorbenen durch *zilaϑ parχis zilaϑ eterav* schon angegeben ist. Die Vergleichung von F. 2055 — — *eleṇar ci acnanasa* | *elss'i zilaχnu* — — mit F. 2056: — — *eleṇar zal arce* | *acnanasa zilc* — — lässt vermuthen, dass *elss'i* nicht zum vorhergehenden gehört. Eben dies *elss'i* muss daher eine nähere Bestimmung zu *zilaχnu* geben. Vergleichen wir nun *cizi zilaχnce* F. 2339, *.rφz zince* G. App. 26, *eslz zilaχnϑas* F. 2335 a, *zilχnu cezpz* F. Spl. I, 387 mit *elss'i zilaχnu*, so führt diese Vergleichung fast zwingend zu der Annahme, dass ein Zahladverbium in *elss'i* steckt. Nun giebt F. Spl. III, 327, T. IX statt *elss'i* nach einem Gipsabguss *el.s'i*. Nach Dr. Undsets Revision ist der erste Buchstabe *e*, nicht *c*; der dritte deutlich *s*. Demnach lese ich *elss'i zilaχnu* und fasse *elss'i* als Nebenform zu *eslz* F. 2057, 2335 a und *es'ulzi* G. App. 912 bis. Der Wechsel von *z* mit *s'* kann nach den Zusammenstellungen Deeckes Müll. II, 431—434 und Gött. g. Anz. 1880 S. 1432 nicht auffallen; vgl. z. B. *fels'nal* Poggi Contrib. Nr. 1 (= G. App. 900) neben *felznal* F. 668, *flznal* G. App. 516; *ntus'e* G. App. 650 neben *ntuze*, *uϑuze*; *caps'nas* neben *capznas'*. Metathesis kommt im Etruskischen auch sonst bei *l* vor: *crelne* neben *cecule*. Die Umstellung von **eslzi* in *elss'i* wurde dadurch begünstigt, dass zwei Zischlaute in dem Worte vorkamen. Im Altnordischen wird *sl* in *ls* umgestellt, z. B. *Adisl* — *Adils*. Ebenso im Niederdeutschen: *rendelsze* — ahd. *renuisal* (Kuhns Zeitschr. IV, 134).

Wie die Formen *eslz* und *elss'i* beide in demselben Grabe vorkommen, so zeigen die verschiedenen Inschriften des Alethna-Grabes unter einander verglichen auch andere sprachliche und graphische Differenzen. In einigen Inschriften dieses Grabes steht der Vorname vor dem Familiennamen, in anderen ist er nachgestellt; F. 2063 ist *aleϑna*, in anderen Inschriften *aleϑnas* geschrieben; F. 2058 hat *munisvleϑ*, F. 2059 *munisuleϑ*; *surasi* F. 2058 ist nach meiner Ansicht mit *svalasi* F. 2059 identisch.

Ein Zahladverbium finde ich ferner in F. 2335 b:

> — — *zilaϑ* [*meχl*] *rasnas· marunuχ·* | *cepen· zilc· ϑufi· tenϑas·* — —

Hier ist *ϑufi* ganz, wie sonst die Zahladverbia, neben Wörter gestellt, die eine Beamtenwürde bezeichnen, und *ϑufi* ist daher nach meiner Ansicht selbst ein Zahladverbium. *ϑufi* ist Nebenform zu *ϑunz* F. Spl. I, 387 und mit diesem aus derselben Grundform **ϑunzi* entstanden. Derselbe Lautübergang ist in mehreren altitalischen Sprachen nachgewiesen. So umbr. *ubrof* = *abrons*, umbr. *traf* = lat. *trans*, umbr. *mefa* nach Bréal und Bücheler = lat. *mensa*, osk. *fruktatiuf* statt **fruktatiuns* u. s. w.

Elss'i F. 2057 hat uns das Suffix der Zahladverbia in der Form *-s'i* gezeigt. Wie nun *-z* neben *-zi* vorkommt, so muss man neben *-s'i* auch die Form *-s'* erwarten. Diese finde ich F. 346, T. XXV (Volterra):

> *tites'i : cale s'i* | *cina : es' : mes tles'* | *huϑ : naper* || *lescan* | *letem : ϑui* || *arus'a : ϑen tma* | *selaei : tre* | *es'* | *ϑenst : me naϑu*

Hier deute ich *es'* = *eizi*. Es gehört das erste Mal zu *cina*, was ich im folgenden als die ältere Form von **zina*, **zila* erklären werde. Das zweite Mal zu *selaei tre*, d. h. nach meiner Ansicht Nom. pl. von **zil(a) etera* wovon der Genetiv sg. *zil eterais* F. Spl. I, 436 a.

Pluralformen auf r und l.

Taylor hat, wie es scheint, zuerst in *-r* ein Merkmal des Pluralis bei Nominibus gesehen; sodann ist dies von Deecke anerkannt und weiter ausgeführt worden. Neuerdings hat aber sowohl Deecke (Fo. u. St. II, 52 u. 199) als Pauli (Fo. u. St. III, 91) eine Pluralendung *-r*, *-ar* für nicht genügend gesichert erklärt. Dadurch ist eine erneute Behandlung der Frage nothwendig geworden.

Es ist die Form *clenar*, welche zur Annahme einer Pluralendung *-r* zuerst Anlass gegeben hat. Diese Form kommt in den folgenden Inschriften vor:

> *aleϑnas· r· r· ϑelu : zilaϑ· parχis | zilaϑ· eterav· clenar· ci· acnanasa | elss'i· zilaχnu· celus'a· ril· XXVIIII | papalser· acnanasa· VI· manim· arce· ril· LXVII*

F. 2055 = F. Spl. III, 327 (Viterbo).

> *arnϑ· aleϑn|as· ar· clan· ril | XXXIII· eitva· ta|mera· s'arvenas | clenar· zal· arce· | acnanasa· zilc· mar|unuχva· tenϑas· eϑḷ· | matu· manimẹri*

F. 2056 = F. Spl. III, 318 (Viterbo).

> *rumϑa· matulnei· seχ· marcẹs· matulnụ[s] . . . . | puiam· amce· seϑres ceis[in]ies· cisum· tame . . . . . u . . . . | luf[u]nusr· matulnasc· clalum· ce . . . . s· ci clenar· m· | a . . . . acnence· lupum· arils [·m]aχs· mealχlsc· eitva· pia· mẹnụ*

F. 2340 (Corneto). Die Buchstaben *nu* des letzten Wortes finden sich nur bei Forlivesi und sind darum unsicher.

Deecke fasst *clenar* als Plur. von *clan* »Sohn«. Pauli (Fo. u. St. III, 129 f.) meint, dies werde wegen *clen ceχa* F. 1055, 2613 hinfällig, und vermuthet in *clen* den Namen einer Münze. Er sieht in *clen* und *clenar* verschiedene Casus desselben Wortes; welche Casus, weiss er nicht anzugeben.

Deecke hat (Annali 1881 S. 167) für *arce* die Bedeutung *fecit* erwiesen. Ich verstehe aber nicht, welchen Sinn *arce* (fecit) neben dem Namen einer Münze haben sollte. In F. 2055 folgt die Angabe *clenar ci acnanasa* nach dem Beamtentitel des Verstorbenen, und nach dieser Angabe wird gesagt, wie oft er als Beamter fungiert hat. F. 2056 nennt zuerst das Alter des Verstorbenen, sagt dann: *tamera s'arvenas clenar zal arce acnanasa*, wonach die Angabe des Beamtentitels folgt. Hieraus erhellt, dass die Sätze, worin *clenar* vorkommt, gewisse Mittheilungen über die persönlichen Lebensverhältnisse des Verstorbenen geben. (Diese Mittheilungen können kein Amt betreffen, denn *ci clenar* findet sich F. 2340 in der Grabschrift einer Frau.) Wie kann hiernach *clenar* in diesen Inschriften der Name einer Münze sein? Das Vermögen des Verstorbenen kann dadurch nicht angegeben sein, denn dafür wäre die Zahl zu gering (*ci clenar* »6 clen«, wie Pauli übersetzen müsste, neben *trce clen ceχa* F. 2613, was Pauli so übersetzt: »schenkte 60 clen«). Die Deutung Paulis scheint mir somit unstatthaft.

Ich trete der Deutung Deeckes bei. *clenar zal arce* ist bei seiner Deutung einfach »filios (tres) fecit«. Eine römische Grabschrift (C.I.L. I, 1007), welche in iambischen Versen abgefasst ist und nach Bücheler (Anth. Lat. spec. epigr. I p. 8) etwa dem gracchischen Zeitalter angehört, sagt von einer verstorbenen Frau ganz analog: *gnatos duos creavit.* Ebenso heisst es in der Grabschrift eines Mannes Wilmanns Exempla 2591: *creavit filio(s). III. et filiam.*

Im Ausdruck *clenar zal arce acnanasa* F. 2056 ist das letzte Wort noch unerklärt. Dass es eine Verbalform ist, erhellt aus *clenar ci acnanasa* F. 2055, wie Pauli Fo. u. St. I, 21 bereits erkannt hat. Wenn aber Pauli für *acnanasa* die Bedeutung »erzeugte« vermuthet, ist dies wegen des Ausdruckes *clenar zal arce acnanasa* unwahrscheinlich, denn bereits *arce* bedeutet »fecit«, also »erzeugte«. Belehrend ist für uns hier der Ausdruck einer schon oben angeführten römischen Grabschrift C.I.L. I, 1007:

Gnatos duos creavit, horum alterum
In terra linquit, alium sub terra locat.

Das *arce* der etruskischen Inschrift entspricht dem *creavit* der lateinischen. Neben »filios (tres) fecit« scheint *acnanasa* nach dem Zusammenhange »liquit« oder ähnl. zu bedeuten, dem Ausdruck *in terra linquit* der lateinischen Inschrift entsprechend. Vgl. auch Wilmanns Exempla 2591 (Lyon): *creavit filio(s). III. et filiam, ex quibus his omnibus nepotes vidit et eos superstites sibi reliquit.*

Dies *acnanasa* kommt auch F. 2055 in der folgenden Verbindung vor:

aleθnas· v· — — clenar· ci· acnanasa | — — —
| *papalser· acnanasa· VI· manim· arce· ril· LXVII*

Deecke verbindet (Annali 1881 S. 167) *VI* mit *manim* und übersetzt »sex monumenta fecit«. Allein *manim* zeigt kein Merkmal des Pluralis. Ein plurales Nomen lässt sich nur in *papalser* finden: daher lese ich *papalser* mit Orioli und Fabretti und Undset, der *r* für sicher erklärt, nicht *papalsea* mit Corssen und Deecke (Bezz. Beitr. I, 261): *papalser* aber verbinde ich mit *VI*, und diese beiden Wörter fasse ich als Object zu *acnanasa*. Das Wort *papalser* scheint nach dem Zusammenhange »Nachkommen« zu bezeichnen und zwar, da *clenar* »Söhne« schon genannt sind, speziell »Enkel«. Vgl. Wilmanns Exempla 2591: *nepotes vidit et eos superstites sibi reliquit.* Dass *nefts* d. h. nepos im Etruskischen vorkommt, kann meine Deutung von *papalser* kaum widerlegen. Die Worte *pa-*

palser acnanasa VI verstehe ich hiernach so: »Er hinterliess 6 Enkel«.

Noch ist *clenar* F. 2340 zu betrachten. Hier kommt es in dem folgenden Satze vor:

— — *clalum· ce . . . . s· ci clenar· m· | a . . . .*
arence· — —

Das in *clal-um* enthaltene *clal* scheint mir Nebenform zu *clel* F. 1914 A Z. 17 und F. 2033 bis Ea, das nach meiner Ansicht die Grabzelle oder das mit Zellen versehene Grab bezeichnet [1]). Deecke Müll. II, 503 hat *cei[sinie]s* ergänzt. Diese Ergänzung giebt einen trefflichen Sinn. Freilich scheint dafür kaum Raum genug zu sein, um so weniger, als Forlivesi *ceus·* gelesen hat und Lanzi II, 466 nach Maffei *ce . . s* giebt. Allein auch das Metrum bestätigt diese Ergänzung: die Inschrift ist nämlich, wie ich dies später begründen werde, wahrscheinlich versificiert.

Corssen I. 704 hat, wie mir scheint, richtig *m· | a . . . .-arence* zu *m· | a[fun]a rence* ergänzt. Nach meiner Vermuthung, die ich im folgenden begründen werde, ist *m·* eine copulative Partikel, die den Familiennamen *a[fun]a* mit *ceisinies ci clenar* »die (fünf) Söhne des Ceisinie« verbindet. War *afuna* zweiter Familienname des *ceisinie*?

Das Verbum des Satzes ist *rence*. Dies ist von demselben Stamme mit *renas, renes* gebildet, und die Bedeutung von *rence* wird sich durch *renas, renes* erläutern lassen. Eine Thonschale von Pesaro F. 71 T. VII bis hatte eine Inschrift, die nur durch eine Abschrift von Passeri überliefert ist:

ankrenesankariatcresiae

[1]) Corssen, der I, 704 *clalum* durch *cellam, loculum* übersetzt, hat bereits das Wort zu *cella* gestellt. Deecke Müll. II, 503 hat für *clal um* die Uebersetzung »und die zog auf« versucht, welche mir verfehlt scheint.

Fabretti und Corssen I, 516 haben *renes* und *resiae* statt der überlieferten Wortformen *renes* und *reiiae* eingesetzt. Das Subject ist *unkariate resiae*. In *resiae* sah Deecke Gött. g. Anz. 1880 S. 1442 den Namen einer Göttin im Dativ, Fo. u. St. II, 50 dagegen den Nominativ eines Familiennamens. Dass das letztere richtig ist, scheint aus der Vergleichung der folgenden Inschriften hervorzugehen.

F. 70 (Pesaro, Thonschale mit dem Bilde einer auch F. 71 dargestellten Göttin):

unkar resiae;

F. 88 bis (Todi »urna fictilis«):

tite resiae;

F. 440 quat. a (bei Siena gefunden »arcula ex lapide calcario«):

title : pupae,

worin ich schon Jen. Literaturz. 1875 Art. 259 ein Deminutiv des Vornamens *tite* mit *pupae* = lat. *Poppaeus* erkannt habe.

F. 71 scheint mir *renes* Verbum und *unk* »dies« Object zu sein. Hiernach muss *renes*, wie es scheint, »schenkte«, »weihte« od. ähnl. bedeuten. Hierauf führt auch eine andere Combination. Man vergleiche die folgenden Ausdrücke.

F. 2058 (Viterbo, Sarcophag):

larϑ· aleϑnas· — — — surasi || tamera· zelarvenes·
luri· miace

So *(zelarvenes)* liest Deecke Fo. III, 102.

F. 2100 (Toscanella, Sarcophag):

arnϑ· larisal· — — tamera· zelarvana[s] .uzivas
avils XXXVI lupu

Zwischen *tamera·* und *uizivas* liest Fabretti *zelaravala..*, Sec. Campanari *zelaru...;* Kellermann, dessen Zeichnung Fabrettis Quelle ist, giebt: *zelarvaua.* Zwischen diesem Worte und *ui* sieht man bei Kellermann nur die Spuren eines Buchstabens, der einem *l* ähnlich ist. Vielleicht ist jedoch vor diesem Buchstaben der Raum für noch einen Buchstaben breit genug.

Die von Helbig Bull. dell' Inst. 1881 p. 94 herausgegebene Wandinschrift eines Grabes zu Corneto:

.arsui : ramϑa | *ils : . XX llin* | *. ic . . . : lu . renas*| *z . . uz.ral* | *z . . . . rce*

lese ich folgendermassen:

[l]arsui : ramϑa | *[ar]ils : [X]XX lupu* | *[ϑu]i c[esu] : lu[ϑ] venas* | *z[ir]u z[e]ral* | *z[al : a]rce*

Die letzten Wörter *z[al : a]rce* deute ich »tres (sc. liberos) creavit«. Für die Ergänzung dieser Wörter vgl. *clenar zal arce* F. 2056 nach *tamera s'arvenas.*

Endlich F. 314 T. XXV (Bleitafel von Volterra) A 12—14. Deecke Fo. III. 100 bemerkt, dass der Buchstabe *a*, den Fabretti vor *putace* Z. 11 liest, beträchtlich tiefer als die anderen Buchstaben der Zeile 11 steht und nicht in diese Zeile gehört. Ich lese dies *a* als den letzten Buchstaben der Z. 12. In der 12ten Zeile liest Fabretti:

larista· zeϑlrirapfu

Vor dem Puncte lese ich vielmehr *lariste.* Der siebente Buchstabe scheint mir ein verkehrtes *e*; den Familiennamen *lariste, larste* bespricht Pauli Fo. u. St. I, 80. Der dritte Buchstabe nach dem Puncte scheint mir nach der Zeichnung Fabrettis ein *r*, nicht ein *ϑ*. Hiernach muss das von Fabretti vor *putace* gelesene *a* folgen, da dies, wie Deecke gesehen hat, nicht in die 11te Zeile gehört.

Eine neue Zeile (13) fängt mit *l* an. Hiernach giebt Fabretti *cira*; Deecke liest nach brieflicher Mittheilung *ẓiraṣ*. Von dem *s* ist in der Zeichnung Fabrettis keine Spur; daher wage ich nur *zira* zu lesen. Sodann *p*, womit die 13te Zeile nach meiner Vermuthung endet. Dies *p* verbinde ich mit Z. 14, wo Deecke Fo. III, 100 u. 284 [*u*]*ḷṭace* liest. *fu* am Ende der Z. 13 ist mit *una* B 13, wie Deecke Fo. III, 169 f. zeigt, zu *fuḷuna* zu verbinden. Dies *fuḷuna* scheint vom Schreiber nachgetragen. Ich lese also:

ḷaṛisḷẹ zeraḷ zira p[*u*]*ḷṭace*

In *zelar* F. 2058 und F. 2100 sehe ich eine Nebenform zu *zeral* F. 314 und Bull. 1881 p. 94. *zira* F. 314 entspricht dem *ziras* F. 2100, *z*[*ir*]*u* Bull. 1881 p. 94; auch *surasi* F. 2058 ist synonym. Aus diesen Zusammenstellungen folgere ich, dass *renes* F. 2058, *rana*[*s*] F. 2100, *renas* Bull. 1881 p. 94 mit *pultace* F. 314 synonym sind. Nun bezeichnet *pultace* nach Deecke Fo. u. St. II, 22 u. 92 »sacrificavit«. Hiedurch wird die im vorhergehenden für *renes*, *ranas*, *renas* und *rence* durch eine andere Combination gewonnene Deutung »sacravit« gestützt. Den Satz *clal-um ce*[*isinie*]*s ci clenar m-a*[*fun*]*a rence* übersetze ich hiernach: »Die (fünf) Söhne Ceisinie's und Afuna weihten (oder: schenkten) die Grabzelle«. Die Verbalform zeigt kein Pluralsuffix.

Ich werde hiernach die nach dem Contexte der angeführten Stellen gedeuteten Formen und Wörter grammatisch und etymologisch erläutern.

Mit Deecke habe ich *clenar* als Pluralform von *clan* »Sohn« gedeutet. Dies *clenar* entspricht nach meiner Vermuthung in Betreff der Endung den umbrischen Nomin. plur. von *ŏ*-Stämmen: *çersnatur* (cenati), *totcor* (publici),

u. s. w.; altnordischen Formen auf *-ar* wie *dagar,* Nom. pl. von *dagr* masc. Tag (Stamm *daga*); altfries. Formen wie *degar,* Nom. pl. von *dei* Tag. Das *r* von *clenar* ist also aus tönendem *s* entstanden. Deecke meinte in seiner Abhandlung »Etruscan Language« in Encyclopaedia Britannica 9th Edition: »*s* never changes to *r*«. Allein Gött. g. Anz. 1880 S. 1433 sagt er: »Neu, aber sicher ist der Uebergang des aus *s* entstandenen *z* in *r* in *fremrnal* F. 504 neben *fremznei* G. App. 143, mit Verlust des anlautenden *f*: *remrnei* G. App. 295 neben *remznei* G. App. 144 und *remsnu* F. 697 bis d, G. App. 881«. Corssen II, 115 und Deecke Müll. II, 431 hatten bereits sichere Beispiele des Ueberganges eines inlautenden *s* in *r* gegeben: *naverial* F. 1425, 1426 neben *navesial* F. 1422, 1434, *navesi* F. 1428 in demselben Grabe. Wahrscheinlich ist dieser Uebergang auch in *calerial* F. 1497 (Perugia) neben *calisus'* F. 1960 (Perugia), *calisnas'* zu erkennen. Vielleicht in *heϑari* (Chiusi) neben *heϑesial* G. App. 848 (Pesaro); ferner in *helverial* F. 1756, *helvereal* F. 1757, 1906 neben *helvasi* oder *helvasii* F. 127.

Ein Beispiel des Ueberganges eines inlautenden *s* in *r* giebt nach meiner Vermuthung F. 1717 (Deckelinschrift von Perugia):

vel : plaute : velus' : caiaḷ : larnal : clan : velaral : tetals'

Caial schreibe ich nach der Vermuthung Deecke's Fo. III, 78 f. statt *caiai;* vgl. Fo. I, 70 f. Die Kiste trägt die Inschrift (F. 1624):

caialarẓnal : tetals' :

In *velaral* sehe ich den Genetivus Genetivi von *velia* und ich übersetze: »Vel Plaute der Sohn des Vel (und) der Caia Larnei, der Tochter der Velia Tetei«.

Deecke Fo. III, 114 belegt die Form *velu* — *velia.* Der Genetiv von *velia* ist *velias', veilias', velus* Fo. III,

116 f.: *velaral* ist nach meiner Vermuthung aus **velas'al* entstanden; an den Genetiv *velas'* ist ein zweites Genetivsuffix *-al* gehängt [1]).

Andere Beispiele des Ueberganges von *s* in *r* werde ich im folgenden besprechen. Meine Annahme, dass *r* in *clenar* aus *s* entstanden ist, wird nicht dadurch widerlegt, dass auslautendes *s* in anderen etruskischen Wortformen nicht in *r* übergeht [2]). Die Lautstellung kann ursprünglich verschieden gewesen sein. Galt im Etruskischen ursprünglich dieselbe Regel wie im Germanischen, dass *s* sich im Nachlaute betonter Silben erhielt, sonst aber inlautend und auslautend bei tönender Nachbarschaft in *z* (tönendes *s*) und weiter in *r* übergieng? Ich deute hier nur an, dass eine analoge Regel auch auf italische Sprachen anwendbar scheint.

Die umbrischen Formen auf *-ar*, *-or* (*gersnatur*, *totcor* u. s. w.) sind, wie die altnordischen Formen auf *-ar* (*dagar* u. s. w.), nur Nominative. Etrusk. *clenar* kommt dagegen zugleich im Verhältniss des Objects vor. Das Etruskische steht hier auf derselben Entwickelungsstufe wie das Neudänische, wo die masculinen Pluralformen auf *-er* wie *Sönner* (Söhne), *Konger* (Könige) u. s. w., welche ursprünglich nur Nominative waren, auch im Verhältniss des Objects angewendet werden.

Die Pluralform *clenar* ist aus **clenos* entstanden. Wenn *clenar* kurzes *a* hat, ist hier in der unbetonten Silbe *o* zu *ă* erleichtert, wie in *rutapis* = *Ῥοδῶπις*, *aχlae* = *Ἀχελῷος*. Der Stamm von *clan* scheint mir *clenă*. Das *a* von *clan* ist durch Nachwirkung des nach *n* ausgedrängten *ă* entstanden [3]); vgl. *pakste* *Πήγασος* u. ähnl. In der Plural-

[1]) Dagegen in F. 1914 ist *veiaral*, in F. 1802 T. XXXVII *veiaral* oder *velaral* (vgl. Deecke Fo. III, 362) Gen. eines femininen Familiennamens.

[2]) Die lateinisch geschriebenen iguvinischen Tafeln haben den Nom. pl. *pacrer* (mit *r* statt *s*) neben dem Abl. pl. *peracris*.

[3]) Anders Pauli Fo. u. St. III, 51.

form *clenar,* welche zweisilbig geblieben ist, war der Vokal der zweiten Silbe ursprünglich lang.

Eine Grabschrift von Corneto G. App. 802 scheint eine Spur einer ursprünglicheren Stammform dieses Wortes erhalten zu haben. Hier lesen wir am Ende der Z. 6:

— — *: clesnes : θurs : u . . θuce . s .* |

Hier ist *θurs,* wie Pauli Fo. u. St. III, 132 gesehen hat, Genetiv von *θur*, das Z. 4 in der Zusammensetzung *ceχasieθur* und sonst in mehreren zusammengesetzten Namen vorkommt; *θur* ist mit *θura* verwandt und wird von Pauli durch »Spross« übersetzt. *Clesnes*, das neben *θurs* steht, ist, wie dies, Genet. sg.; daher vermuthe ich, dass der Begriff von *clesnes* mit dem von *θurs* nahe verwandt ist. Da nun *θura* F. 2033 bis D c und E a mit *clan* coordiniert ist, liegt die Vermuthung nahe, dass *clesnes* eine ältere Form für *clens'* F. 1653, Gen. von *clan*, ist; vgl. *clens'i* F. 1914 A Z. 9, F. 1922, *clensi* F. 2183. In Betreff des *e* der zweiten Silbe verhält sich *clesnes* zu *clan*, wie *lautnes'* (nach *lautnes'cle* F. 1915 zu folgern) zu *lartu* F. 2279. Die Lesung *clesnes* scheint ziemlich sicher, denn auch Fabretti (Spl. I, 418) giebt — *clesn . . θurs;* in einer Abschrift Dr. Undsets lese ich: — — *: clesnes : θurs :*, wobei der 5te Buchstabe des ersteren Wortes eher ein *n* als ein *a* scheint.

Clan »Sohn« steht also für *clenă, clesnă*. Dies Wort kann dadurch, dass es von den Wörtern der bekannten indogerm. Sprachen für »Sohn« abweicht, nicht gegen die indogerm. Herkunft der etruskischen Sprache zeugen, denn die verschiedenen indogerm. Sprachen haben ja für »Sohn« zum Theil verschiedene Wörter geschaffen: gr. *παῖς* und *ἰνις* neben *υἱός*: lat. *filius*, vgl. lett. *dêls*, daneben lat. *gnatus;* altir. *macc;* im German. neben *sunus* altn. *burr* = ags. *byre*, altn. *mögr* = ags. *magu*, u. s. w. Ueber den Ursprung des etr. Wortes behaupte ich nichts.

Es ist nur eine unsichere Hypothese, die ich hier vorbringe und die ich gern gegen eine bessere Erklärung aufgeben werde. *Clan*, Gen. *clesnes*, setzt eine indogerm. Grundform *gnnesnó-s* voraus. Diese ist von **genos* = gr. *γένος*, lat. *genus*, skr. *g'anas* durch das Suffix *nó* gebildet: vgl. *ἐρεβεννός* von *ἔρεβος*, *φαεινός*, *φαεννός* von *φάος*, *κλεεινός*, dor. *κλεεννός* von *κλέος*. Die erste Silbe von **genos* wurde in **gnnes-nó-s* verkürzt, weil zweisilbige Stämme, wenn ein folgendes Stammbildungssuffix den Hochton trägt, ursprünglich beide vorhergehende Silben verkürzen (Joh. Schmidt in Kuhns Zeitschr. XXV S. 21 ff.). **Gnnesnó-s* war ursprünglich ein Adjectiv, welches »dem Geschlecht, der Nachkommenschaft gehörig« bedeutete; es gieng aber, wie z. B. lat. *sobrinus*, im Etruskischen in ein Substantiv über und bekam die Bedeutung »Sohn«. Für die Bedeutungsentwickelung vergleiche man einerseits, dass *γένος*, *genus* bei den Dichtern »Abkömmling, Sprössling« bedeuten kann, andrerseits das altnorw. poet. *konr*, eig. cognatus, dann speziell Sohn. **Gnnesnó(-s)* wurde im Etruskischen **cnesna*, dann **clesna*, *clan*, Gen. *clesnes*. Den Uebergang von *n* zu *l* werde ich später besprechen, hier nenne ich nur *mulsle* Magliano = *munsle* F. Spl. I, 398. Dieser Uebergang wurde in *clan* und in *mulsle* durch die Dissimilation begünstigt; vgl. umbr. *entelust* statt **entenust*, *apelust* statt **anpenust*; altportug. *lomear* (*nominare*), *Lormanos* (*Normanni*), franz. *Licorne* (*unicornis*), ital. *Bologna* (*Bononia*), *veleno* (*venenum*), span. *Antolin* (*Antoninus*), *Barcelona* (*Barcinon*), *calonge* (*canonicus*), franz. *orphelin* (*orphanus*), *Châteaulandon* (*Castellum Nantonis*) Diez Gr. d. Rom. Spr. [3]I, 217 f.

Die Pluralform *papalser* »Enkel« steht nach meiner Vermuthung statt **papasler*, wie *elss'i* in derselben Inschrift statt **esls'i*; *papalser*, **papasler* scheint wie der Name *carsusle* F. Spl. III, 272 gebildet. Das Wort bedeutet vielleicht eigentlich »Grossvaterkind« und verhält sich begrifflich zum gr. *πάππος* wie deutsch. *Enkel*, ahd. *eninchil* zu *Ahn*, ahd. *ano*. Verwandt sind die Namenformen *papa*, *papas'*, *papasa* u. m. Der etruskische Familienname *papasa*, dessen Genetiv *papasla* ist (Pauli Fo. u. St. I, 4), wird in zwei lateinischen Inschriften (F. Spl. II, 18 und 19) *papirius* geschrieben.

Die Endung *-as*, *-es* der Verbalformen *renas*, *renes*, *rana*[*s*] scheint mit der Endung *-as* von *svalϑas*, *zilaχnϑas*, *tenϑas*, *caϑas*, *canϑas* identisch. Es verhält sich *renas* zu dem synonymen *rence*, das bereits Corssen I, 704 als eigenes Wort abgetrennt hat, wie *svalϑas*, wenn ich von dem *ϑ* absehe, zu dem synonymen *svalce*. Es ist bemerkenswerth, dass *renas* sowohl bei femininem als bei masculinem Subjecte vorkommt.

Der Ursprung dieser Verbalformen wird durch eine von Deecke Fo. III, 410 herausgegebene Inschrift beleuchtet:

> . . . . *urunas· relϑur* . .
> . . *anu* . . . . *s* : *petrunials· spural· marcas·* . . .

Zuerst ist hier der Name des Verstorbenen mit Angabe der Eltern genannt. Ich ergänze:

> — — *urunas* (z. B. — — *curunas*, vgl. *curunial* F. 1828) *relϑur*[*us*] | [*ϑ*]*anu*[*χril*]*s* : *petrunials·*

Für [*ϑ*]*anu*[*χril*]*s* oder [*ϑ*]*anu*[*cril*]*s* vgl. *ϑanucril* F. 2033 für c und Gen. *rels'* für *relus* (Deecke Fo. III, 110), *relϑurs'* (III, 125). Dann heisst es in der von Deecke herausgegebenen Inschrift *spural· marcas·*. Dies *marcas* ist nach meiner Ansicht nicht Genetiv, wie Deecke vermuthet hat, sondern *spural marcas* bedeutet »er war *spural maru*« »er war *curator publicus*«. Hieraus folgere ich, dass *marcas* als Verbum fungiert, jedoch das Substantiv *maru*, zu dem das Adjectiv *spural* gehört, enthält. Nach meiner Vermuthung ist *marcas* aus **maru-as* »war *maru*« entstanden; **as* »war« steht vielleicht für **esa*, wie *clan* für **clenu*, *pakste* für **pekase*. Ich identificiere etrusk. **as* »war« statt **esa* mit lat. *erat*, wesentlich mit skr. *āsīt*, gr. *ἦεν*. Wie sich etrusk. **as* »war« in *marcas* tieftonig an das vorhergehende Wort anschliesst, so lat. *erat* in *poterat* statt *pote erat*, *potis erat*. In F. 270 *velia lutnal* | *lautnitas* ist *lautnitas* vielleicht ebenfalls aus *lautnita* **as* »war *l.*« zu erklären [1]).

Hiernach scheint *venas*, *venes*, *vana*|*s*| aus **venesa* entstanden. Ebenso sind, wie ich vermuthe, auch *svalθas*, *tenθas*, *zilaχnuθas* zu erklären: *svalθas* (vixit) aus **svalθesa*. In **svalθ* sieht Pauli einen Locativ. Vielleicht ist es jedoch eher durch das Suffix des Perf. Pcp. Pass. *-θ*, *-ta* = indogerm. *-to*, das wir auch z. B. in *tvt*, *itruta* finden werden, gebildet; vgl. das *t* indogermanischer Präterita: osk. *profatted*, altir. *as-bert* (dixit), got. *kuntha*, namentlich aber neupers. *berdem* (ich trug). Nach der obigen Auseinandersetzung sind die etruskischen Formen *svalθas*, *tenθas* u. s. w. ihrem Ursprung nach wohl Plusquamperfecta wie lat. *amaveram*, *videram*, gr. *ᾔδεα* (statt **ἠϝείδεα*). Sie haben die ursprüngliche Zeitstufe nicht behauptet, wie das lateinische Plusq. Conj. im Romanischen Imperf. Conj. geworden ist.

Die Endung *-asa* der Verbalform *acnanasa* ist vielleicht mit der Endung *-as* von *venas*, *tenθas* u. s. w. irgendwie verwandt, scheint aber mit dieser nicht identisch. Freilich kommt es im Etruskischen sonst vor, dass ein auslautendes *a*, das in einigen Inschriften erhalten ist, in anderen fehlt: *itun* neben *ituna*, *cel* F. 1900 neben *cela*, *alpan* neben *alpana* (?). Allein ich verstehe nicht, warum dieselbe Endung in derselben Inschrift bei *acnanasa* einerseits, *venas* und *tenθas* andrerseits verschiedentlich behandelt sein sollte. Ist *acnanasa* eine mediale

[1]) Anders Pauli Fo. u. St. III, 117.

Form? Entspricht das auslautende *a* dieser Verbalform dem auslautenden *a* griechischer Medialformen [1])?

Die Form lässt nun vermuthen, dass *acnanasa* mit *acnaine* F. 2172, *acnaire* F. 985, *acnina* F. 1914 A Z. 17, *aχnaz* F. 1934 verwandt ist. Die Bedeutungen dieser Wörter weiss ich nur durch eine gewagte und unsichere Combination zu verbinden. Ich traue dieser selbst nicht, führe sie jedoch hier aus, um vielleicht Andere dadurch auf die Spur zu bringen.

Das Nomen *acil* F. 1487, F. Spl. I, 440, F. Spl. III, 352, *akil* G. App. 104 bedeutet nach Pauli, dem Deecke beistimmt, »Eigenthum« »proprium«, *acilune* F. 1914 nach Pauli »machte zum eigen«. Das Stammwort dieses *acil* finde ich in *ace* in F. 2058: *huri miace* d. h. nach meiner Vermuthung »sarcophagum autem hunc suum fecit« »s. a. hunc comparavit«. Vom Verbalstamme *ac* »in seinen Besitz bringen« ist durch das Suffix *-na* (vgl. *alp-na-s*) *acna*, das, wie ich vermuthe, der Bedeutung nach dem deutschen »eigen« entspricht, abgeleitet. Dies Wort scheint im Masculinum vom Ehemanne, im Femininum vom Eheweibe angewendet zu sein, wie im Altnorwegischen *eiginn madr* (eig. »eigener Mann«) »Ehemann« und *eigin kona* (eig. »eigene Frau«) »Ehefrau« bedeutet. Das Masculinum findet sich F. 1934 (Perugia):

suθi· rutias· | *velimnas·* | *epesial· aχnaz·*

Ich wage die folgende Uebersetzung: »Das Grab der Ephesierin Rutia, (der Lautnitha) des Velimna, (und ihres) Ehemannes«. Freilich meint Pauli Fo. u. St. I, 16, dass eine solche Uebersetzung vielmehr *velimnasla* erfordern würde. Allein den Genetivus Genetivi auf *-asla* finde ich nie angewendet, wo vom Verhältniss des Herrn zum *lautni*

[1]) Mit *acnanasa* vgl. *celus'a* F. 2055, statt dessen Fabretti *θelus'a* vermuthet. Auch dies scheint eine Verbalform.

die Rede ist. Deecke Müll. II, 432 hat bereits in *aχnaz* einen Genetiv vermuthet; vgl. *s'minϑinaz* F. 1145 und andere Genetivformen auf -*z* in Inschriften aus Perugia. Dieser Genetiv *aχnaz* scheint asyndetisch mit dem vorhergehenden zusammengestellt zu sein. Der nach meiner Deutung unbenannte Gatte der Lautnitha Rutia Epesia war gewiss selbst ein Lautni.

Ein dem Mascul. **aχna*, Gen. *aχnaz* entsprechendes Femininum kommt vor F. 985 (Sargdeckel aus Pienza):

ane· cae· velus· acnaice

Ich übersetze: »Ane Cae (der Sohn) des Vetu und Gattin«. Deecke Fo. III, 25 und Pauli St. I, 47 sehen in *acnai* den Familiennamen der Gattin. Allein dieser Familienname kommt sonst nicht vor, und das Fem. *acnai* entspricht regelmässig dem Masc. **aχna*, Gen. *aχnaz*, das ein Appellativum ist. Auch F. 987 begünstigt meine Uebersetzung:

arnϑ· caes'· anes'· ca . . . . | clanpuiac

Der hier genannte *cae ane* ist gewiss dieselbe Person wie der in F. 985 und F. 986 genannte *ane cae*. In *ca . . . .* kann man nicht *ca[ial]* als Vornamen zu dem angeblichen Gentilicium *acnai* suchen, denn Pauli St. II, 20—27 hat erwiesen, dass man blosses praenomen matris zur Bezeichnung der Mutter im Etruskischen nicht verwandt hat. In *ca . . . .* muss also der Familienname der Gattin des *ane cai* im Genetiv stecken. Wenn man nun in *acnai* einen Familiennamen sieht, ist man genöthigt, zu der Annahme einer doppelten Ehe seine Zuflucht zu nehmen, was bei meiner Deutung von *acnaice* unnöthig ist. Ein Appellativum *acnai* kann im Etruskischen neben dem synonymen *puia*, wie im Lat. *conjux* neben *uxor*, bestehen.

Das Verbum *ace* vergleiche ich mit skr. *açnomi*, Perf.

aça »in den Besitz einer Sache kommen«. Das Nomen *acna* stimmt in Betreff des Suffixes mit skr. *aṁça* »Antheil« überein, wenn dies, wie Johannes Schmidt in Kuhns Zeitschr. XXIII, 269 meint, aus **açna* entstanden ist. Andere Combinationen bei Schmidt angef. St., Möller in Kuhns Zeitschr. XXIV, 447.

F. 1914 A 17 ist, wie es scheint, *acnina clel* zu verbinden; *clel* bedeutet »Grabzelle«, und *acnina* ist vielleicht ein zu *clel* gehöriges Adjectiv, welches von *acna* »eigen« durch das Suffix *-ina* = lat. *-inu-s* abgeleitet ist. Die Bedeutung von *acnina clel* scheint hiernach »Grabzelle für die Eigenen, für die nächsten Verwandten eines Mannes.«

F. 2172 ist die Inschrift eines vulcentischen Gefässes, welches von de Witte so beschrieben wird: »Une génie femelle, sans doute une Lasa ou Lara, ou plutôt encore une Niké, vêtue d'une tunique talaire, tient des deux mains une large bandelette, sur laquelle est écrit le mot étrusque«: *acnaine*. So hält in einer Spiegelzeichnung (Gerh. T. CCCXXII) der nackte geflügelte Jüngling *aχristr* eine lange Binde in beiden Händen ausgebreitet. In einer anderen Spiegelzeichnung (Gerh. T. CCCXIX) hat *aχrizr*, eine geflügelte Göttin in langem Gewande, über den Arm eine breite Binde gehängt. Hiernach bedeutet *acnaine* wohl nicht das Gefäss nach seiner Bestimmung, sondern den darauf dargestellten weiblichen Genius. Das Nomen *acnaine* scheint also mit *aχristr, aχrizr, aχuvitr* synonym; auch entfernte formelle Verwandtschaft ist möglich. Nach meiner Vermuthung steht *acnaine* für **acnanei*, **acnanai* und ist von einem Masculinum **acnana* durch Motion gebildet. Dies **acnana* ist wieder von *acna* »eigen« durch dasselbe Suffix wie *spurana* abgeleitet. Hiernach wird **acnana* wohl »einen Mann, der zueignet, widmet, schenkt« bezeichnen; *acnaine* als Name einer Göttin bezeichnet »die Zueignende, Widmende, Schenkende«. Die etymologische Bedeutung dieses Namens ist also fast dieselbe wie die von *munϑuχ*. Hiezu stimmt es trefflich, dass *munϑuχ* in Spiegelzeichnungen in ganz derselben Weise wie *aχrizr* auftritt. Wie die weibliche *aχrizr* auf einem cornetanischen Spiegel (Bull. dell' Inst. 1881 p. 45) in der Umgebung der Aphrodite und des Adonis mit Salbenbüchse und Scheitelstift auftritt, so *munϑχ* bei Gerh. T. CCCXXII. Wie die *aχrizr* Gerh. CCCXIX eine Binde über den Arm gehängt hat, so die *munϑu* Gerh. CLXV.

In Betreff der Endung *-e* des Femininum *acnaine* vgl. *caine* F. Spl. II, 61 = *cainei* 62, *ataine* F. 2554 quat., *ripine* F. Spl. II, 80, *peϑne* F. 671, *enie* F. Spl. III, 393 'Ενυώ u. m.[1]).

Das Femininum *acnaine* scheint, wie schon bemerkt, ein Masculinum **acnana* »ein Mann, der zueignet oder widmet« vorauszusetzen. Nun spricht Alles dafür, dass der Cultus der Manes der Verstorbenen bei den Etruskern sehr stark entwickelt war, dass man auf die den überlebenden Kindern und Enkeln obliegende Pflicht, den Verstorbenen Todtenopfer und Weihgeschenke darzubringen, übergrosses Gewicht legte. Daher scheint die Vermuthung natürlich, dass ein Wort, welches eigentlich allgemein »einen zueignenden, widmenden Mann« bezeichnete, speziell von den Kindern und Enkeln, die ihren verstorbenen Eltern und Vorvätern Todtengaben weihten, angewendet wurde. Von dem im obigen besprochenen **acnana* scheint mir nun die Verbalform *acnanasa* abgeleitet. Nach meiner Vermuthung bedeutet *clenar ci acnanasa* eigentlich »er gewann (fünf) Söhne zu *acnana*'s« d. h. »er bekam (fünf) Söhne, welche ihm (Todtengaben) widmeten« oder mit anderen Worten »(quinque) filios superstites sibi reliquit«[2]).

[1]) Die Femininendung *-e* für *-ei* wird von Deecke Müll. II, 475 f., Fo. u. St. II, 26 und Pauli St. II, 70 erkannt. Deecke Fo. III, 363 sagt dagegen: »Feminina auf *-e* statt *-ei* sind trotz Corssens Ausführungen I p. 390—91 nur mit grösster Vorsicht anzunehmen.«

[2]) Ich erinnere daran, dass die altisländischen Dichter oft »Rächer«

Eine Pluralform auf *-er* kommt vielleicht F. 1914 A 18—19 vor. Ich möchte hier die Wörter so trennen:

— — *lerzinia· in temamer· cnl· velϑina·*

Hier möchte ich *temamer* als Object fassen. Eine Vermuthung über die Bedeutung dieses Wortes halte ich zurück.

Nach einem Consonanten kommt nicht nur *-er*, sondern auch *-r* als die Endung des Nom. und des Accus. plur. vor. In der Magliano-Inschrift A 7—8 lesen wir:

— — *acilsχ· eca· cepen· tuϑiu· ϑuχ· iχuterr· hes'ni· mulveni· eϑ·* — —

Das Subject ist *tuϑiu;* dies werde ich im folgenden als »magistratus« deuten; *ϑuχ* scheint das Zahlwort *ϑu* mit dem copulativen *-χ* = *-c*, *-ce* = lat. *-que.* Die Form *-χ* ist von Deecke mehrfach nachgewiesen, z. B. *pumplialχ* F. Spl. 1, 388. Das Zahlwort *ϑu* ist wohl hier attributivisch mit dem unmittelbar folgenden *iχuterr* verbunden, wonach dies ein Substantiv sein muss. In *iχuterr* erkenne ich ein zusammengesetztes Wort. Das zweite Glied kommt in der Magliano-Inschr. B 5 als eigenes Wort in der Form *tec* vor; als erstes Glied in *tecuraϑ* G. App. 795 (d. h. *tec-uraϑ*), das zweimal neben dem Bild eines Priesters geschrieben steht. Da der Wortstamm *ter* ist, muss man in dem *-r* von *iχuterr* eine Pluralendung, wie in dem *-r* von *clenar, papalser* u. m., vermuthen. Folglich kann *ϑu* in der Verbindung *ϑu-χ iχuterr* nicht »eins« bedeuten.

Deecke hat in Bezz. Beitr. 1, 269 f. erwiesen, dass

tatt »Sohn« sagten, weil den Tod des Vaters zu rächen als die vorzüglichste Pflicht des Sohnes galt.

weder *zal* noch *ci* noch *s'a* »eins« bedeuten kann; für *s'a* werde ich dies Resultat durch die Form *s'ar* bestätigen. Dass *huθ* ebensowenig »eins« bedeuten kann, folgerte Deecke aus seiner Verbindung mit *naper;* auch die Verbindung *hut neluni* G. App. 802 Z. 1 macht dies wahrscheinlich. Da nun endlich auch *θu* nicht »eins« bedeuten kann, so ist *maχ* sicher »eins«. Sowohl *arilsχ ceu* als *θuχ iχuterr* scheinen Object der Verba *hes'ni mulreni* zu sein.

Jene Nomina bezeichnen also Gegenstände, die den Todten geweiht werden. Für das alleinstehende *ter* Magliano B 5 und für *ter-* in *ter-araθ* vermuthe ich die Bedeutung »Gabe«, »Weihgeschenk« [1]). Dies Substantiv ist vielleicht mit *θues'* F. 1915 »gab«, *θures'* G. App. 104 verwandt; vgl. altlat. *duint* und die damit bei Fick Wörterb. I, 99 zusammengestellten Wörter. Für das Verhältniss der Vokale vergleiche man *mealχls* (statt **meralχls*), *meraχr* neben *muralχls; clersinas* neben *clausiaz.*

Das erste Glied von *iχuterr* ist *iχu.* Ein hiemit verwandtes Wort erscheint F. 1009 T. XXXIV (bei Chiusi, grosser Sandstein), welche Inschrift Pauli St. III, 89 so liest:

mikihuχ iχuni. — | arle kaṿịṇi s'cχ —

Hier ist *kihuχ* wohl eher Verbum (statt **kihaχe*), als Substantiv. Wenn dies richtig ist, scheint es »exstruxit« oder ähnliches zu bedeuten. Es liegt nahe, Verwandtschaft mit gr. *κίων* »Säule, Leichenstein« zu vermuthen. Für *iχuni.* vermuthe ich die Bedeutung »Grabmal« od. ähnl; vielleicht ist *iχunim* zu lesen. Dies ist ungefähr wie *manim* gebildet und von *iχu* abgeleitet. Pauli hat bereits hiernach ein Stammwort *iχu* vermuthet [2]). Er

[1]) Von *ter* scheint der Name *teratnal* F. 106 (Siena) abgeleitet.

[2]) In *ceriχu* scheint mir *-iχ-* Suffix; das Wort ist gewiss nicht, wie Pauli meinte, mit *iχu* zusammengesetzt.

nimmt dafür die Bedeutung »Stein« an. Vielleicht bedeutet *iχu* vielmehr »Grabmal« oder »Grab«. Also *iχuterr* »Todtengaben«? *iχuui[m]* eig. »was zum Grabe gehört«?

In F. 2301 (Corneto, Wandinschrift eines Grabes) trenne ich das letzte Wort so ab: *iχvaχe;* Deecke Müll. II, 467 giebt nach Autopsie den letzten Buchstaben als *e*. Alle die von Fabr. benutzten Abschriften haben *a*; das ganze Wort ist jetzt verschwunden. Auch dies Wort scheint zu *iχu* zu gehören. Endlich erscheint *iχu* in einer von Piranesi mitgetheilten chiusinischen Inschrift (F. 849 Z. 1 am Ende), welche jedoch für unecht angesehen wird.

Vielleicht ist etrusk. *iχu* mit *eχo* identisch, das in euganeischen Inschriften häufig vorkommt; F. 27 = Mommsen Nordetrusk. Alphab. Nr. 21; F. 35 = Momms. 26; F. 36 = Momms. 28; F. 29 = Momms. 27; F. 58 = Momms. 29; F. Spl. III, 1 bis = G. App. 3. Mommsen S. 229 vermuthet darin eine sepulcrale Formel. Davon sind, wie es scheint, F. 36, 27 und 58 Personennamen im Genetiv abhängig. Fabretti (Gloss. p. 427) vergleicht das euganeische *eχo* mit etrusk. *eca*, umbr. *eko* = hoc. Allein hiegegen spricht der Umstand, dass *eku* (nach der Lesung Gamurrini's) neben *eχo* G. App. 3 = F. Spl. III, 1 bis erscheint.

Etrusk. *iχu*, eugan. *eχo* ist vielleicht mit gr. *χοϝς*, Schutt, Scholle, verwandt. Für die Bedeutung vergleiche man *χῶμα*, aufgeschüttete Erde, der Theil des Grabmals, welcher aus der aufgeschütteten Erde besteht. Wenn diese Vermuthung richtig ist, hat man in *iχu*, *eχo* Vocalvorschlag anzunehmen; vgl. hierüber meine Bemerkungen im folgenden.

Weiter unten werde ich noch mehrere Pluralformen auf *-r* besprechen. Die folgende Inschrift lehrt uns eine Pluralform auf *-l* kennen:

caυpnas : laro . — — — — *alti s'uϑitimunϑziras*
murs'l XX

F. 2335, bei Corneto — Sargdeckel. Hier ist *alti s'uϑiti* »in diesem Grabe« nach Pauli Fo. u. St. III, 69; *ziras* habe ich oben »vivus« gedeutet; *murs'l XX* deutete Corssen I, 561 ff., wie mir scheint, evident richtig als Accus. pl. »mortuales ollas viginti«, indem er darauf hinwies, dass die Zahl der Aschentöpfe in lat. Inschriften häufig durch *ollas* und eine Ziffer angegeben ist. Diese Deutung ist von Deecke Fo. u. St. II, 49, 94 (»ollas sepulcrales«) aufgenommen [1]).

Nach der Analogie lateinischer Inschriften, in denen Ausdrücke wie die folgenden vorkommen: *oll[as] VIII a solo ad fastigium mancipio dedit, decreverunt . . ollas V dari, dat ollam, dedit munus . . VI ollas*, u. s. w., muss man hier eine mit dem lat. *dedit* synonyme Verbalform vermuthen. Diese lässt sich nur in *munϑ* finden.

Munϑ ist gebildet wie die Verbalformen *haro* F. 807 und *cerixunϑe* F. 2600 aa. Auch *camϑi* F. Spl. I, 438 und *canϑe* F. 2033 bis F a sind wahrscheinlich Verbalformen; *rite* F. 802 und 803 zeigt dieselbe Endung mit *t* geschrieben; siehe meine Deutung S. 45 f.

Mit *munϑ* »schenkte« habe ich den Namen einer Göttin *munϑux*, *munϑx* d. h. wohl »die Schenkende« verbunden. Nach der Analogie von *cerixunϑe* neben *cerixu* F. 2335, *ceseϑce* F. Spl. I, 402 neben *cesu*, ist in *munϑ*, *munϑux* ein Stamm *mun* enthalten, der durch Anfügung des *ϑ* weitergebildet ist.

Dies *mun-* gehört offenbar mit lat. *munis*, *munia*, *munus*, altlat. *moenera* zusammen. Für das *u* vgl. *punial*

[1]) Pauli St. III, 62 fasst *murs'l* als Gen. sg.; dies verträgt sich aber nicht mit dem syntactischen Zusammenhange und mit dem Zahlzeichen.

F. 874, *punal* F. 910 neben *puina*, *puinei*, *puine* F. 314, lat. *Poenus*, *Punicus*.

Die Endung der Verbalformen *muniϑ*, *ceriχunϑe* fällt lautlich mit dem Locativsuffixe -*ϑ*, -*ϑi* zusammen. Allein daraus folgt nicht, dass *ceriχunϑe* (exstruxit) und analoge Formen eigentlich Locative seien, wie dies Pauli Fo. u. St. III meint. Gr. *ἴσθι*, *κλῦθι*, *γνῶθι* u. s. w. sind nicht Locative, obgleich sie durch ein Suffix gebildet sind, das mit dem Suffixe von *πόθι*, *ἠῶθι* u. s. w. lautlich identisch ist. Ableitungen wie *muniϑuχ* neben *muniϑ*; *harϑna*, *farϑana*, *farϑnaχe* neben *harϑ*, vielleicht der Name *canϑusa* F. 887 bis neben *canϑe*, *canϑce*, machen die Auffassung Paulis höchst bedenklich.

Ich deute also *alti s'uϑiti muniϑ zivas murs'l XX* als »in hoc (oder: eo) sepulcro dedit vivus ollas XX«. Wenn aber Corssen und Deecke das *l* von *murs'l* als Ableitungssuffix fassen, so dass dem Worte ein Pluralzeichen fehle, kann ich dem nicht beipflichten. Das Wort kommt auch anderswo vor. Der Anfang einer Urneninschrift aus Siena F. 429 bis a lautet nach der Herstellung Deeckes Fo. III, 215: *mi murs arnϑal* d. h. haec (est) urna Aruntis (Pauli St. III, 62 deutet *murs* als »Grab«, was mir nicht richtig scheint). In F. 1915, Grabinschrift von Torre di S. Manno bei Perugia, heisst es: — — *eϑ* : *fanu* : *lautn* : *precus'* : *ipa* : *murzua* : — —. Die letzten zwei Worte bezeichnen Gegenstände, die sich in dem Grabe befinden: *murzua* d. h. *murz* = *murs*, Urne, mit der enklitischen Partikel -*ua* (= -*va*, -*uva*) versehen, welche wohl eigentlich hervorhebende Kraft hat, davon aber zuweilen, wie an dieser Stelle, zur verbindenden Bedeutung überzugehen scheint. Neben der Singularform *murs* oder *murz* (urna, olla) findet sich also *murs'l* Acc. pl. (ollas). Hier ist -*l* offenbar Pluralendung. Diese ist nach meiner Ansicht aus der sonst vorkommenden Pluralendung -*r* durch Dissimilation entstanden, weil sich schon ein *r* im Worte fand. Man vergleiche *tular*, *hilar*, wo das Stammwort ein *l*, das Suffix ein *r* zeigt, mit *spural*, *rasnal*, wo das umgekehrte der Fall ist.

Corssen und nach ihm Deecke haben schon den Zusammenhang des etr. *murs*, *murz-na*, *murs'l* mit lat. *morior*, *mortuus* erkannt. Das Stammwort des etr. *murs* scheint mir ein indogerm. *mṛtó-s* = skr. *mṛtá-s* »gestorben, todt«, gr. *βροτός* »sterblich«. Der Stamm *mṛtó* »todt« wird im Etrusk. **murt-* oder **murϑ-* gelautet haben. Andere etruskische Wörter, die ich im folgenden besprechen werde, enthalten das Participalsuffix *-to*. Von **murϑ* »todt« = skr. *mṛtá* wurde durch das Suffix *-io*, welches im Etruskischen als *-ie* erscheint, **murϑie* abgeleitet. Etr. *-ie* wechselt in männlichen Namen mit *-e*; so wurde auch hier *i* ausgedrängt, nachdem es das vorhergehende *ϑ* assibiliert hatte. Es entstand also **murze*, endlich ohne das auslautende *e*: *murz*. Für die Assibilation vgl. *murzin* statt **murtin* u. s. w. Deecke Müll. II, 433. Durch dasselbe Suffix abgeleitet ist das Appellativ *reke* G. App. 912 bis, nach meiner Deutung = skr. *raǵ'ja*.

Murz, *murs* bezeichnet also seinem Ursprung nach einen Gegenstand, der dem Todten gehört, der dem Todten gegeben wird. Es ist, wenn wir vom Geschlecht absehen, in Betreff der Ableitung mit griechischen Wörtern wie *ξένιον*, *ἠρῷον* analog.

Murs'l scheint aber nicht die einzige Pluralform auf *-l*. Eine Sarginschrift des grossen Alethna-Grabes bei Viterbo, F. Spl. II, 98 = Spl. III, 322, T. VIII, 1 und IX, lautet:

[*ale*]*ϑnas* : *arnϑ* : *larisal* : *zilaϑ* : *tarχnalϑi* : *amce*

Nach der Uebersetzung Deeckes (Fo. u. St. II, 36): »Arnth Alethna, Sohn des Laris, war Zilath in Tarquinii«.

G. App. 799 Z. 3 giebt die Nebenform *tarχnalθ* »in Tarquinii«. Ich kann nicht mit Pauli Fo. u. St. III, 78 f. in *tarχnalθi* einen Locat. sg. sehen, der vom Gen. sg. **tarχnal* durch das Suffix *-θi* gebildet sei. Die von Pauli ebenso gedeuteten Formen *clθi* Deecke Bezz. Beitr. I, 260 Nr. 14 und *alti* F. 2335 werde ich im folgenden anders erklären. In F. 2330 ist die Lesung wenig zuverlässig. Möglich scheint mir dagegen die Auffassung Deeckes, wonach das *l* von *tarχnalθi* wie das *l* von *truial* F. Spl. III, 315 neben *truia* zu erklären ist. Lieber möchte ich jedoch eine andere Erklärung empfehlen.

Der etruskische Familienname *tarχnas* wird im Lateinischen durch *Tarquinius* wiedergegeben. Demnach muss man für den lateinischen Namen der Stadt *Tarquinii* [1]) im Etruskischen eine mit dem Nom. sg. *tarχnas* verwandte Pluralform erwarten. Diese Pluralform finde ich eben in *tarχnal*. Die Locativform *tarχnalθi* ist durch Anfügung des Locativsuffixes *-θi* an den Nom. pl. *tarχnal* gebildet.

Die Endung *-al* im Nom. pl. **tarχnal* = Tarquinii (wovon *tarχnalθi* = Tarquiniis) ist desselben Ursprungs wie *-ar* in *clenar*. Das *l* ist in **tarχnal* wie in *murs'l* des vorausgehenden *r* wegen statt *r* eingetreten.

Freilich kann man gegen diese Deutung anführen, dass Nomina auf *-a*, wie ich im folgenden nachweisen werde, ihren Nom. plur. auf *-e* bildeten. Warum lautete also der Stadtname nicht *tarχne*? War es, um den Stadtnamen vom Plur. des Familiennamens zu unterscheiden?

Einen Locativ plur. finde ich auch in den folgenden Inschriften:

[1]) Im Griech. werden sowohl singulare als plurale Formen des Stadtnamens angewendet, siehe Fabretti Gloss. 1762 f., Müll.-Deecke I, 67, Dennis Cities and Cemet.; jetzt bei den Umwohnern *Tarchina, Tarchuna*.

1) *fuflunsulpaχiesvelclθi*

G. App. 30, T. II, Trinkgefäss, jetzt in Florenz.

2) *fuflunsulpaχiiesvelclθi*

F. 2250, T. XLI, Trinkgefäss, aus Vulci.

3) *fuflunlpaχies | velclθi*

F. Spl. I, 453 (Corss. I, T. XX, 5), Trinkgefäss, orig. incert.

Ueber diese Inschriften vgl. Pauli St. III, 113 f., 141 f., Fo. u. St. III, 79; Deecke Fo. u. St. II, 24 und die dort angeführten Schriften. Deecke sagt: Die Gefässe »stammen offenbar aus einem und demselben volcentischen Grabe«. Deecke übersetzt die zwei ersten Worte »Libero (eig. Liberi) Pachius«; das dritte Wort übersetze ich abweichend „*Vulcis*"; *velclθi* ist ein mit *tarχnalθi* = *Tarquiniis* ganz analoger Locativ. pl., vom Nom. pl. **velcl* = *Vulci* gebildet. Dieser Stadtname verhält sich zu dem aus der Tomba dell' Orco in Corneto bekannten Familiennamen *velχas* wesentlich wie der Stadtname **tarχnal* zum Familiennamen *tarχnas*. *Velclθi* steht wohl für **velcalθi*; vgl. *semφalχls* u. s. w. neben *cezpalχals*, *larθl* neben *larθal*, u. s. w.

Das hier behandelte Wort kommt noch in einer anderen Inschrift vor:

is'iminθiipitinie s'uθitit' vlaθi | lclθi

Corss. I, 570 ff., T. XVII, 2 a u. b; F. Spl. III, 388, T. XI; auf einem bronzenen Candelaber aus Vulci, die erste Zeile auf dem Schaft, die zweite auf dem Fuss. In dieser Inschrift, die auch mir echt scheint, ist die erste Zeile mit Deecke Fo. u. St. II, 55 so zu übersetzen: »Sminthio Pitinio in sepulcro Titus Ulatius«. Die Inschrift der zweiten Zeile ist nach meiner Vermuthung vollständig [*ve*]*lclθi* d. h. *Vulcis* gewesen.

Ein Gen. pl. findet sich F. 1915 (bei Perugia):

— — — *aules' : larϑial : precuϑuras'i* : | *larϑialisrle : cestnal : clenaras'i* — —

Pauli St. III, 106 und Fo. u. St. III, 55 findet hier ein zusammengesetztes *clen-aras'i*, Gen. sg. von **clen-ara*, das er »Sohnesnachkommenschaft« übersetzt. Allein dies müsste wenigstens **clanaras'i* heissen. Ich sehe nicht ein, wie Pauli diese Deutung jetzt festhalten kann, da er (nach meiner Ansicht freilich mit Unrecht) *clenar* ganz von *clan* Sohn trennt und *clens'* aus einer Grundform **clans'i* erklärt. Denn dass das auslautende *i* in *clenaras'i* den Vokal der ersten Silbe umgelautet haben sollte, darf nicht angenommen werden und wird von Pauli, der einen Stamm **clen-ara* voraussetzt, nicht angenommen. Auch bedeutet *ara* nach meiner Ansicht wahrscheinlich nicht »Nachkommenschaft«.

Deecke hat längst *clenaras'i* richtig als Pluralform von *clan* erklärt, was einen weit einfacheren Ausdruck giebt. Nur scheint das Suffix *-s'i*, das im Sinne des lat. Datives angewendet wird, eigentlich, wie Pauli dies begründet hat, ein Genetivsuffix. *Cestnal clenaras'i* bedeutet »den Söhnen der Cestnei«.

Clenaras'i ist vom Nomin. pl. *clenar* durch das Suffix *-s'i* gebildet, also statt *clenars'i*. Für diesen Vokaleinschub vgl. die von Deecke Müll. II, 354—357 und Bezz. Beitr. II, 179 gesammelten Beispiele, z. B. *purunisa*, *puruhena*, *lareces'*, *aritimi* u. s. w.

Der Genetiv plur. wird also im Etruskischen so gebildet, dass man das Suffix des Gen. sing. an den Nominativ plur. hängt. Diese Bildung ist für den ganzen Charakter des Etruskischen sehr bezeichnend. In dieser Sprache ist, wie in mehrereren modernen indogermanischen Sprachen, das ursprüngliche System der Flexion zum grossen Theil zerrüttet; nur Bruchstücke desselben sind erhalten. Das Verlorene ist durch Neubildungen ersetzt, welche zum Theil den agglutinierenden Typus an sich tragen. Die Bildung des Genetiv. plur. im Etruskischen ist mit der Bildung desselben Casus im Neudänischen ganz analog. Von den Nominativen plur. *Sönner* (filii), *Konger* (reges) werden hier durch das Suffix -*s*, welches ursprünglich nur zur Bildung des Gen. sing. angewendet wurde, die Genetive plur. *Sönners* (filiorum), *Kongers* (regum) gebildet, während das Altnordische *synir* (filii) Nom. pl. — *sona* (filiorum) Gen. pl., *konungar* (reges) — *konunga* (regum) flectierte.

Ich werde die Bildung des Gen. pl. im Etruskischen durch mehrere Beispiele belegen.

nes's, nes', nesna, nes'l, neϑs'ras.

Der Anfang der ersten Zeile von F. 2059 = Spl. III, 330 (vgl. F. Spl. I p. 111; Deecke Fo. III, 310), einer Sarcophaginschrift aus dem Grabe der Alethna bei Viterbo, ist arg verstümmelt:

ϑị . . . . . . ạleϑnaṣṣ'eϑresa : nes's : — —

Bazzichelli, der die erste Abschrift nahm und *aleϑnas* noch sah, hat das *ϑ* vorne nicht. Pauli St. III, 22 liest:

c̣ẹ|hen : s'uϑi : | aleϑnas s'eϑresa : nes's :
»dies ist des Sethre Alethna Grab«.

Dies scheint mir nicht richtig. Keine Alethna-Grabschrift fängt mit *cehen s'uϑi* an. Sämmtliche haben am Anfang den Namen des Verstorbenen im Nominativ; siehe F. 2055, 2056, 2057, 2058, 2060, 2061, 2062, 2063, 2064, 2065, 2066, Spl. III, 322, III, 328, III, 331, 335, 336, 337, G. App. 740. Daher muss, wie Deecke annimmt, in

F. 2059 vor dem Nominativ *aleϑnas* ein Vorname im Nomin. gestanden haben. Nach Undset ist der erste Buchstabe der Inschrift weder *ϑ* noch *c*, sondern etwa *p* oder *m*; man sieht einen senkrechten Strich, von dessen Spitze ein schräger Strich links hinabgeht.

Wenn *aleϑnas* Nominativ ist, kann *nes's* kaum, wie Deecke und Pauli annehmen, »Grab« bedeuten; auch ein Ausdruck »Alethna sepulcrum habet« od. ähnl. würde in den Alethna-Inschriften keine Analogie haben. Ich übersetze *nes's* durch *nepos* und fasse es als Nebenform zu dem von Conestabile (Pitture Mur. p. 119) und Deecke richtig gedeuteten *nefts* G. 799 Z. 2 (so, nicht *nefis*, ist nach Undset sicher zu lesen), *nefṭs'* F. 2033 bis E b (die Abschriften *nefis'*), F. 2033 bis E a (überliefert *nefs'i*). *Nefts* wurde durch gewöhnlichen Lautwandel zu **neϑs*, woraus durch Assimilation *nes's* entstand; vgl. Deecke Müll. II, 426—428, Gött. g. Anz. 1880 S. 1432. *S'eϑresa* scheint mir nicht abhängig von *nes's* und dies nicht Apposition zu *aleϑnas*; vielmehr fasse ich *nes's* als Subject eines Satzes, der mit diesem Worte anfängt und dessen Sinn etwa der folgende gewesen ist: »ein Enkel schenkte dem Verstorbenen das Grabmal«. Mehr hiervon im folgenden.

Durch F. 2059 wird F. 2032 (Sovana) erläutert. Dennis las:

cele crel neṣ'

Nach der Zeichnung Ainsleys bei F. T. XXXIV vermuthet Deecke Fo. III, 165:

ṇeṣḷe rel nes'

indem er eine andere Grabschrift aus Sovana F. 2027 vergleicht:

ϑe tia : relϑurnas | nesna

Die Aenderungen Pauli's (St. III, 22) von F. 2027 *cesula : relϑurnas | nesna* »hier (ist) des Larth Velthurna Grab« und von F. 2032*: cesserelnes'* »hier (ist) des Sethre Velthurna Grab« sind mit der Deutung von *cesu* als »hier« hinfällig geworden. Ich lese F. 2032 wie Deecke, verstehe aber in Uebereinstimmung mit Pauli nach F. 2027 *rel* als *rel(ϑurnas)*. Also:

ϑeste rel nes'

Dies ist vielleicht so zu übersetzen: »Theste der Enkel des Velthurna«.

Wenn dies richtig ist, kann

ϑestia : relϑurnas | nesna

nichts anderes bedeuten als »Thestia Enkelin des Velthurna«.

Nesna bedeutet also *neptis*, ist Femininum zu *nes'*, *nes's*, *nefts*. Da inlautendes *-ϑn-* öfter mit *-sn-* wechselt, z. B. *alesnas* = *aleϑnas*, *pesna* = *peϑna* (Deecke Müll. II, 427 f.), wobei *-ϑin-* als die ursprünglichere Lautverbindung vorauszusetzen ist, kann *nesna* aus **neϑ(i)na*, **neftina* entstanden sein. Die Motion *nes'* (nepos) — *nesna* (neptis) hat bei diesem Wortstamme in den uns bekannten indogerm. Sprachen keine Analogie, und man hat daher kein Recht, die Motion hier aus Entlehnung zu erklären. Allein bei anderen indogermanischen Wörtern hat die Bildung *nesna* Analogie, nämlich in lat. *gallina*, *concubina*, *regina* nach der Erklärung Fröhde's in Bezz. Beitr. VII, 49, und in gr. *Ἀδρηστίνη*, *Εὐηνίνη*. Hiernach scheint **neptīna* die Grundform von *nesna*.

Es war die Verbindung *s'uϑi nes'l*, welche dazu geführt hatte, dass man *nes's*, *nes'* und *nesna* als »Grab« deutete. Da diese Wörter hier vielmehr als »nepos« und »neptis« gedeutet sind, wird man wohl auch *nes'l* anders fassen müssen. Der Zusatz *nes'l* bei *s'uϑi* ist, wie er gewöhnlich gedeutet wird, unnöthig, denn *s'uϑi* bezeichnet ja allein das Grab. Die Form *nes'l* findet sich in F. 2089 (vgl. Spl. I, p. 112), einer Frontinschrift eines Grabes in Viterbo, womit die Fragmente F. 2084—2088 nach Pauli St. III, 20 identisch sind:

ecas'uϑines'ltitnie

Andere lesen *tetnie*. Ich deute: »Dies [ist] das Tetnische (od. Titnische) Enkel-Grab« d. h. Dies Grab gehört den Enkeln des Tetna (od. Titna). *Nes'l* scheint mir ein von *nes'* (nepos) gebildetes Adjectivum. *s'uϑi nes'l* »Enkel-Grab« ist mit *s'uϑi lartui* F. 2335 »Familien-Grab« analog. Wie F. 2089 erklärt sich F. 2133 (Toscanella):

eca : suϑi : nes'l : pan

wo *pan* . . . zum Genetiv eines Gentilnamens (Pauli St. III, 21) oder zu einem von einem Gentilnamen abgeleiteten Adjective zu ergänzen ist. In anderen von Pauli St. III, 21 genannten Inschriften ist *nes'l* unsicher, in F. 1937 (Pauli St. III, 96) nicht anzunehmen.

Endlich hat die Inschrift von Magliano B 2 das zusammengesetzte Adjectiv *tuϑinesl* »den Enkeln eines *tuϑiu* (eines Magistrates) gehörig«, welches wohl mit dem unmittelbar danach folgenden *man* zu verbinden ist.

Noch gehört zu *nefts* nach meiner Vermuthung eine Form in G. App. 799 Z. 3:

anen· ziχ neϑs'ras· acasce· creals tarχnalϑ· — —

Ich deute *neϑs'ras* als Gen. pl. von *nefts, nes's, nes'*, also *nepotum*. Das Suffix *-s*, wodurch zugleich Genetive im Singular gebildet werden, ist hier an die Form des Nom. pl. **neϑs'r* = *nepotes* gehängt, um den Gen. pl. zu bilden, ganz wie *clenaras'i* F. 1915 vom Nom. pl. *clenar* durch das Suffix *-s'i* gebildet ist. In *neϑs'ras* ist *a* zwischen *r* und *s* eingeschoben, wie *a* in *clenarus'i* zwischen *r* und *s'* und wie ein Vokal in vielen von Deecke Müll. II, 354—357 und Bezz. Beitr. II, 179 genannten Wortformen.

Der von mir vorausgesetzte Nom. pl. **neϑs'r* (nepotes) ist durch Assibilation aus **neϑ(e)r* entstanden. Für *ϑ* vgl. *neϑunus*, *neϑuns* = lat. *Neptunus*. Für die Assibilation vgl. *aχrizr* neben *aχuritr*, *pezrumi* neben *petrumi* Deecke Müll. II, 433. Eine verwandte Pluralform vermuthe ich F. 2033 bis F a, wo ich Z. 5 so ergänzen möchte:

prumfte[r' ra]r' an[c]lar'ϑ :

prumfte[r] deute ich »pronepotes« und vermuthe darin das Subject des Verbs *canϑe* Z. 7. Dies *prumfte[r]* setzt **nefter (nepotes)* voraus.

Die syntactische Auffassung des Gen. pl. *neϑs'ras* ist von der Auffassung der umstehenden Wörter, namentlich *acasce*, bedingt. Deecke Fo. und St. II, 5 fasst *acasce* als Präteritum; anders Pauli Fo. u. St. III, 81. Für die Auffassung Deeckes spricht der Umstand, dass man zu dem Nominative *laris pulenas* hier ein Verbum erwarten muss. *acasce*, das Deecke »aedificavit« deutet, ist offenbar mit *acazr* in einer Inschrift der tomba degli scudi zu Corneto (Deecke Fo. u. St. II, 4 = F. Spl. I, 419—20) verwandt. *acazr* bedeutet nach Deecke »aedificator«. Ich vermuthe darin vielmehr einen Accus. pl. von einem Substantive **acas*. Dies scheint mit *ace* »brachte in seinen Besitz« F. 2058 und *acil* »Eigenthum« verwandt; vielleicht bedeutet daher *acazr* »Zueignungen«, »Weihgeschenke«. In *acasce* fungiert der Substantivstamm als Verbalstamm, wie in *lupuce* und in *turce* (vgl. gr. *δῶρον*) und z. B. im osk. *opsed*. Daraus, dass *acazr* eine Nominalform ist, folgt nicht, wie Pauli meint, dass *acasce* ebenfalls eine Nominalform sei, noch weniger, dass wir in *-ce* ein Casussuffix zu sehen haben.

Das Verbum *acasce* bedeutet nach meiner Vermuthung »hat zum Eigenthum (oder zum Weihgeschenk) erhalten«.

Das Object dieses Verbs scheint *auen ziχ*. Nach Deeckes Deutung von *zicu* — *Scribonius* F. Spl. III, 101 und *ziχuχe* F. 1914 B Z. 21—22 vermuthe ich, dass *auen ziχ* »diese Inschrift« bedeutet. Vgl. z. B. Wilmanns Exempla 508: titulum posuit L. Arellius Orentes sibi et uxori suae et suis omnibus. Von *auen ziχ* scheint *neθs'ras* »nepotum« abhängig; »diese Inschrift der Enkel« d. h. diese Inschrift, welche die Enkel ausführen liessen. So wird F. 2033 bis F a gesagt, dass die Urenkel *(prumfte[r])* Gegenstände des Grabes geschenkt haben; F. 2059 ist es der Enkel *(nes's)*, welcher dem Verstorbenen eine Todtengabe schenkt. Lateinische Inschriften erwähnen nicht selten, dass *nepotes* das Grabmal errichtet haben [1].

Man hat behauptet, *nefts* = lat. *nepos* sei ein Lehnwort. Dies wird durch die eigenthümlich etruskischen Ableitungen *nesna* und *nes'l* unwahrscheinlich. Die Form des Stammwortes spricht ebenfalls dagegen, was auch Deecke in einer brieflichen Mittheilung hervorhebt. Denn *nefts* setzt offenbar die schwache indogermanische Stammform *nept-* voraus, allein diese kommt im Lat. beim Masculinum nicht vor; *nefts* kann also aus dem Lateinischen nicht entlehnt sein. Ob die anderen altitalischen Sprachen die schwache Stammform bei dem Masculinum, welches *nepos* bedeutete, anwendeten, wissen wir nicht.

evitiuras, ievetus.

evitiuras Magliano B 4 zeigt dieselbe Endung wie *neθs'ras* und wesentlich dieselbe wie *clenaras'i*. Wie diese

[1] Ich habe an eine andere Deutung gedacht, nämlich *neθs'ras* Genetiv in der Bedeutung des Dativs und *acasce* »schenkte«. Allein »Lart. Pulenas schenkte seinen Enkeln diese Inschrift« scheint hier unpassend, da die Inschrift zunächst die Grabschrift des Laris Pulenas ist.

Genetive plur. sind, liegt schon nach der Endung die Vermuthung nahe, dass auch *erilinras* ein Gen. plur. ist. Dass diese Vermuthung richtig ist, wird durch das unmittelbar vor *eritinras* stehende *teis* bewiesen; denn dies bedeutet »duorum«, von Personen, was ich im folgenden ausführen werde.

Einen dem Gen. pl. *eritinras* entsprechenden Genet. sing. finde ich F. 485 (Carneol aus Chiusi, auf dem die Heilung des Philoktetes dargestellt scheint; siehe Bull. dell' Inst. 1859 p. 82). Hier ist geschrieben: *aχers* | *ieretus*, die erste Inschrift rechtsläufig, die zweite linksläufig.

Als eine ursprünglichere Form des Stammes setze ich **eretin* voraus. F. 485 deute ich »zum Opfer« (als Opfergabe) »dem Verklärten«; *aχers* werde ich im folgenden besprechen. *ieretus* ist Gen. sg., nach meiner Vermuthung statt **eretius*, dem der Gen. pl. *eritinras* entspricht. Der lautliche Uebergang von **eretius* in *ieretus* ist mit der Entstehung von *apaiatrus, apiatrus* F. Spl. I, 436 aus *apatruis* wesentlich analog; dazu werde ich im folgenden mehrere Analogien beibringen.

Das *i* von *eri-* scheint durch das *i* von *-tin* aus *e* umgelautet. Der Stamm *eritin, *eretin* scheint durch ein Suffix *-tin* gebildet: vgl. *muzutin* F. 314 B 1. Das *eri-*, **ere-* von *eritin, *eretin* ist, wie ich vermuthe, mit *eran* nahe verwandt und gehört wie dies mit gr. *αἰών* zusammen. *eritin* bedeutet nach meiner Vermuthung »ewig«, *ἀΐδιος*, daher »unsterblich«. Dieser Ausdruck wird von dem Verklärten, den *manes* angewendet. Vgl. Wilmanns Exempla 1225 c (Rom): *manes colamus namque opertis manibus divini ris est aeterni temporis.* Die Vorstellung, dass menschliche Seelen unsterblich wurden, war sicher etruskisch.

In der Inschr. von Magliano wird ein *mulsle* (eine Grabkammer) *teis eritinras* »zwei ewigen (verklärten)« geweiht. Vgl. I. R. Neap. 2519: *pater sedem aeternam karissimi fili dis manibus consecravit hoc sepulcrum.* Dasselbe Suffix *-tiu* finde ich Magliano A 5: *marni· tuϑi· tiu*, wo ich in *tuϑitiu* ein Adjectiv zu dem Dative *marni* (d. h. curatori) sehe. Dies Adjectiv hatte nach meiner Vermuthung die Bedeutung des osk. *tovtiks* in *meddís tovtiks*. Die Beziehung des Datives scheint in *tuϑi· tiu* nicht ausgedrückt.

Das *e* der zweiten Silbe im Stamme *ieretu*, **eretiu* ist vielleicht wie das *ε* der griechischen Dialectform *αἰέ* (Joh. Schmidt Kuhns Zeitschr. 25 S. 24) zu erklären.

marχars, ars.

Noch nicht richtig erklärt scheint die Inschrift einer Säule F. 2328 (Corneto):

ma : mi : marχarssentiesχestes

Deecke Fo. III, 245 zweifelt nicht, dass *marχnas* zu lesen ist und dass das durch die Säule bezeichnete Object drei Familien gemeinsam gehört hat [1]). Dies scheint mir nicht richtig und wird auch von Pauli St. III, 48 bezweifelt. *marχars* findet sich in drei von einander unabhängigen Abschriften, bei Kellermann, Vinc. Campanari und in einem cod. Marucell.; die Lesung scheint somit wohl verbürgt. Nur Lanzi, der die Inschrift nach Caylus giebt, hat an einer Stelle *marcaus*, an einer anderen *marχas*; beide Abschriften sind gewiss fehlerhaft. Sämmtliche Abschriften, auch diejenigen Lanzis, sind darin einig, dass der 5te Buchstabe *a* ist; Deeckes *n* ist ganz unverbürgt. Auch dass die Stelle drei Familien gemeinsam gehören soll, scheint mir auffallend.

Dafür, dass wir in *marχars* ein richtig gelesenes

[1]) Er erklärt dagegen jetzt Müll. II, 449, Fo. u. St. II, 63 und Rhein. Mu. N. F. 37 S. 379 *marχars* als den Genetiv eines durch das Nominalsuffix *-ar* gebildeten Namens.

Appellativ haben, spricht der Umstand, dass wir in der Inschrift von Magliano die anklingenden Wörter *marcalurcae* B 2 und *ars* A 9 finden, welche offenbar keine Namen sind.

Das Appellativ *marχars* scheint nach *mi* »dies« den Gegenstand, auf dem sich die Inschrift findet, bezeichnen zu müssen. Da der Gegenstand eine »stela marmorea« ist, vermuthe ich, dass die Bedeutung von *marχars* hierin gegeben ist. Nach *marcalurcae* und *ars* (Magliano) nehme ich ein zusammengesetztes *marχ-ars* an. *marχ*, ursprünglicher *marca* (in *marcalurcae*) bedeutet also wahrscheinlich »Marmor«. Das Wort muss, wenn meine Deutung richtig ist, mit *μάρμαρος* und dem wahrscheinlich entlehnten lat. *marmor* zusammengehören. Das angehängte *-χ*, *-ca* scheint hier die Bedeutung des Stammwortes nicht wesentlich geändert zu haben. Vgl. *resχuale* neben *recua*, *recial*, *rescial*; *mlacuχ* neben den Genetiven *mlakas*, *mlacas'*. Man darf vielleicht das Verhältniss des ital. *natica* zum lat. *natis* vergleichen. In *marχ*, *marca* gegen *μάρμαρος* fehlt die Reduplicationssilbe. Aehnlich ist das Verhältniss des lat. *Mars*. *Martis*, umbr. *Marte* (Dat.), etrusk. *maris* zum altlat. *Marmar*, *Marmor*, sabin. osk. *Mamers*. Vgl. auch etrusk. *marces*, *marcee* neben *mamerces*, *mamarces*, *mamurces*; *perna* G. App. 444 neben *perperna* G. App. 445.

ars scheint »Stein«, daher auch »steinerne Säule«, zu bedeuten. In der Inschrift von Magliano A 9 ist *ame ars* »diesen Stein« Object des Verbs *mulveni* »schenkte«.

Eine verwandte Wortform scheint *arsvie* F. 2233 bis F a Z. 8. Nach Conestabile Pitture Mur. p. 86 und T. IX fehlt nichts zwischen *canθe* am Ende der Z. 7 und *arsvie*; nach seiner Abschrift ist *arsvie* ein vollständiges Wort. Ueber die Bedeutung dieser Wortform wage ich eine unsichere Hypothese. *arsvi-e* ist vielleicht ein Locativ auf *i* (vgl. *θui* hier) mit einer Postposition *-e* aus *-en* = lat. *in*; vgl. umbr. *tafle e* (in tabula). Diese Postposition kommt nach meiner Vermuthung auch in anderen etrusk. Wortformen vor. *arsri-e* scheint ein von *ars* »Stein« abgeleitetes Substantiv; *r* kommt als suffixales Element in *eitra* und anderen Wörtern (Deecke Müll. II, 467 f.) vor. *arsrie* bedeutet vielleicht: »in der steinernen Kammer«, in der aus dem Gestein ausgehöhlten Grabkammer.

Es lässt sich schwerlich bestimmen, ob *ars* »Stein« in F. 2593 (fragm. lapidis): . . . *ritarsum* . . . enthalten ist.

Eine Stelle der Inschrift F. 2335 (Corneto) empfängt vielleicht durch *ars* Licht:

> *cuṇpnas : larϑ· larϑals' : atnale· clan an· s'uϑi lavtni : ziras· ceriχu | tes'amsa s'uϑiϑ atrs'rc· escunac· alti s'uϑitimunϑziιasmurs'l* XX

Deecke Müll. II, 392 hat bereits *atrs' rc* getheilt. In *escunac* sehe ich ein Substantiv *escuna* (= *scuna*) mit dem copulativen *-c*. Wenn dies richtig ist, muss ein Substantiv mit dem copulativen *-c* auch in *rc* stecken. Beide Substantive sind Objecte des nachfolgenden *muniϑ* d. h. schenkte. *rc* steht nach meiner Vermuthung für **arc* wie *lris* G. App. 608 für *laris*; *rc*, **arc* aber vielleicht für **ars-c*, vgl. *fuflunl* F. Spl. I, 458 = *fuflunsl* F. Spl. III, 402, *fuflunsul* F. 2250, G. App. 30. Vielleicht bedeutet daher *rc* (statt **ars-c*) »et lapidem«, »et stelam«.

Man ist versucht, mit diesem *ars*, Stein, den Namen eines etrusk. Waldes *Arsia silva* (Liv. II, 7, 2; Val. Max. I, 8, 5), Ἄρσιον ἄλσος (Plut. Popl. IX, 1) zu verbinden: so hiessen deutsche Wälder *Steinhurst*, *Steinhart*. Der Flussname *Arsia* in Istria entspricht, wenn er von *ars* Stein abgeleitet ist, seiner Bedeutung nach den deutschen Namen *Steinach*, *Steinbach*.

Etrusk. *ars*, Stein, steinerne Grabsäule, erinnert an altir. *art*, Stein, besonders Grabstein, womit Stokes (Kuhns und Schleichers Beitr. III, 73) *artuas'* in der Inschrift von Todi und gallische Namen verbindet. Wenn Zusammenhang zwischen dem etrusk. und dem celt. Worte wirklich besteht, was ich nicht behaupten will, hat *ars* wohl ein durch Assibilation aus *t* entstandenes *s*; vgl. das im vorhergehenden besprochene *murs* und lat. *Nursia* neben *Nortia*. *Artena*, der Name einer Stadt zwischen Caere und Veji und einer Stadt im Lande der Volscer (Liv. IV, 61), zeigt einen Stamm *art-*; allein dieser kann anders gedeutet werden, siehe Deecke Rhein. Mus. N. F. 37 S. 373 f.

Wenn meine Deutung von *marχars* richtig ist, wird durch F. 2338 die Deutung Paulis (St. III, 48—50. 138 f.) von *ma* als »est« gestützt.

In *senties χestes* scheint eine einzige Person durch doppelten Familiennamen, mit Auslassung des Vornamens, bezeichnet.

lu und suplu.

Mit *marχars* F. 2338 habe ich *marcalurcac* Magliano verglichen, und hierin *marca* als »Marmor« gedeutet. Unmittelbar vor *marcalurcac* steht *mimenicac* mit demselben *-cac*. Wenn wir dies ablösen, erhalten wir den Stamm *lur*. Dies wird durch das in der Magliano-Inschrift zweimal vorkommende *lursϑ* bestätigt. *lursϑ* ist statt **lurϑi* Locativ von *lur*; *sϑ* ist hier durch den Einfluss des folgenden *i* aus *ϑ* entstanden. So hat die Magliano-Inschrift *χimϑm casϑialϑ* neben *χimϑm caϑialϑi*. Das Wort kann nach diesen Stellen nur ein Substantiv sein. Es scheint etwas zu bezeichnen, das zum Grabe gehört, wie dies nach dem ganzen Inhalt der Magliano-Inschrift zu vermuthen ist. Die Zusammensetzung *marcalurcac* lehrt uns, dass *lur* »marmorn« sein kann.

Allein auch Formen dieses Wortes ohne *r* kommen vor. Im vorhergehenden ist bereits eine in Bull. dell'

Inst. 1881 p. 95 herausgegebene Inschrift von Corneto erwähnt. Ich lese die Inschrift so:

[l]arsui : ramϑa | *[ar]ils* : [X]XX *lupu* | *[ϑu]i c[esu]:*
lu[ϑ] venas | *z[ir]u z[e]ral* | *z[al] [a]rce*

Mit *[l]arsui* vgl. *larϑuia* F. 314 B 2, *larui* und des *s* wegen *larsinal* [1]). Es verhält sich wohl zu *laris* wie *larui* zu *lar*, *larϑuia* zu *larϑ*. Die Formel *arils* — *lupu* kommt sonst mehrmals in Tarquinii vor, siehe Pauli Fo. u. St. III, 92; ebenso die Formel *ϑui cesu*, siehe Pauli St. III, 118. Hier kann nicht *lu[r]* ergänzt werden. Denn *lur* bezeichnet ja etwas, das zum Grabe gehört und von Marmor gearbeitet sein kann. Allein ein Substantiv von dieser Bedeutung passt neben *ϑui cesu* d. h. *hic sita est* nur, wenn es im Locativ steht. Da nun zwischen *lu* und *venas* nur für einen Buchstaben Raum ist und folglich nicht *lu[rϑ]* ergänzt werden kann, ergänze ich *lu[ϑ]* und fasse *r* in *lur* als Merkmal des Pluralis. Nach *ϑui cesu* folgt F. Spl. I, 436 (Corneto) eine Angabe des Raumes, in dem der Verstorbene bestattet ist (*ati nacuca*): ebenso steht vor *cesu* G. App. 789 (Corneto) *celati* d. h. *in cella*. Hiedurch wird meine Ergänzung *[ϑu]i c[esu] : lu[ϑ]* bestätigt. Da aus *marcalurcac* erhellt, dass der durch *luϑ* (Loc. sg.) und *lur* (Nom. Acc. Plur.) bezeichnete Gegenstand von Marmor sein kann, deute ich *luϑ* als »im steinernen Sarcophage«.

Die neben einander stehenden Formen der Magliano-Inschrift *mimeni-ca-c marcalur-ca-c* sind beide mit dem enklitischen *-c* »und« versehen. *-ca* scheint demonstrativ »diese«; auch sonst scheint bei einem pluralen Nomen die unflectierte Pronominalform *ca* zu stehen. In der Magliano-Inschrift scheint *ca* mit *mimeni* und *marcalur*

[1]) *lar ne* G. App. 189 (im Register *lars'ne*) ist Fehler statt *larste* F. 867 ter s.

zu einem Worte verbunden. *marcalurcae* bedeutet also »und diese marmornen Sarcophage«. *lur θ* »auf (oder: bei) den Sarcophagen«.

Den Locativ des hier besprochenen Substantivs finde ich auch G. App. 799 (Corneto) Z. 5:

— — ·*luθera· caθas· paχanac· alumnaθe· hermu* |

luθera ist hier sicher, wie Undset bezeugt und wie ich aus einem Papierabdruck ersehe, während andrerseits *ruθera* Z. 4 sicher ist. In *luθera* finde ich den Locativ *luθ* mit der enklitischen Doppelpartikel *-cra* (dem copulativen *-c* mit dem eigentlich hervorhebenden *-ra*). Es ist hier von einem Opfer, das auf oder an dem Sarcophage des Verstorbenen dargebracht wird, die Rede.

Dasselbe Wort haben wir gewiss auch F. 2058 = F. Spl. III, 332 am Ende derjenigen Inschrift, welche sich auf dem Deckel des Sarcophages findet:

— -- *luri· miace*

luri scheint *lu* »Sarcophag« mit dem enklitischen *-ri*, worin ich eine Partikel von ursprünglich hervorhebender, dann auch verbindender Bedeutung vermuthe. In *miace* ist *mi* wohl das Pronomen. Für die Nachstellung des *mi* gebe ich im folgenden mehrere Beispiele. *ace* scheint Verbum mit derselben Endung wie *lure*. Es ist wahrscheinlich mit *acil* »Eigenthum« verwandt. *lu-ri mi ace* bedeutet vielleicht »sarcophagum autem hunc comparavit« [1]).

Hieher gehört ferner das letzte Wort in F. 2033 bis E a (Orvieto). Fabretti liest: — -- ·*clelu*, Conestabile

[1]) Bei G. App. 802 Z. 6 findet sich *ace* in dem Ausdruck

ecce : fis'e : ace

Allein die Lesung ist hier unsicher. Statt *ace* hat Undset *acta* (*t* mit einem schrägen Strich, der von der Spitze des Stabes rechts niederwärts geht) gelesen.

Pitture Mur. p. 90 und T. X richtiger mit Interpunction: — — *'elel' lu* oder: — — *'slel'* (so die Zeichnung) *lu*, Brunn Bull. dell' Inst. 1863 p. 48: — — *'elel' lur*

Undset liest *elel*. Der erste Buchstabe hat nach ihm unten einen weit kleineren Haken als die sicheren s der Inschrift: das Häkchen scheint daher zufällig. Nach *elel* liest Undset einen Punct: dann *lur*. Das *r* meint er bestimmt zu sehen. Ob nach dem *r* noch ein Buchstabe vorhanden gewesen ist, lässt sich nach Undset nicht entscheiden. Hieraus folgt, dass *ellu*, worin Pauli Fo. u. St. III, 72 einen Locativ findet, falsch ist. *elel* ist hier ein Wort für sich. Es kommt auch F. 1914 A 17 vor[1]; ich deute es »Grabkammer«. Wenn *lur* hier das richtige ist, muss dies als die mit *elel* asyndetisch zusammengestellte Pluralform von *lu* verstanden werden. Allein die Pluralform ist hier auffallend, da, wie es scheint, von dem einen Sarcophage des verstorbenen Vel die Rede ist. Auch wäre es bedenklich, die Anwendung des Pluralis daraus zu erklären, dass der mit einem Deckel versehene Sarcophag aus mehreren Steinplatten gearbeitet war. Ich vermuthe daher, dass ursprünglich *lur[i]* hier stand. Mit *elel* »Grabkammer« ist nach meiner Vermuthung *lu* »Sarcophag« durch *-r[i]* verbunden. Vgl. *zilχ ceχaneri* F. Spl. III, 367.

elel und *lu* sind nach meiner Ansicht Objecte des Verbs *mulce*. Dies bedeutet, wie ich vermuthe, »schenkte (oder schenkten) dem Verstorbenen«. *mulce* ist vielleicht statt **munce* (vgl. *zilace — zinace*, *mulsle = munsle*, *mulu*, *muleϑ* statt **munu*, **munuϑ* zu *munϑ*) und mit *munince* F. 347 verwandt. *mulce* ist nach allen Abschriften mit verkehrtem *l* geschrieben. Dies *l* scheint nicht ein Rest eines *n* zu sein; denn das *n* ist nach den Mittheilungen

[1] Wenn F. 2033 bis E a *slel* geschrieben wäre, musste hierin das *l* wie in *lelθ* F. 1914 A 3 erklärt werden.

Undsets in der Inschrift sonst anders gestaltet. Das Subject des Verbs *mutce* ist zwischen *pulum* und *mulce* zu suchen.'

Es scheint natürlich, dass der Ausdruck für einen steinernen Sarcophag ursprünglich allgemein »Stein« bedeutete; so wird der steinerne Sarcophag in der poetischen Grabschrift des einen Scipio als *hoc saxsum* bezeichnet. Darum vergleiche ich *lu*, Loc. sg. *luϑ*, Nom. Acc. pl. *lur*, Loc. pl. *lursϑ* mit dem gr. λᾶας Stein, auch vom Grabsteine; daneben erscheint eine Stammform λευ in λεύω steinige [1]). Wenn dies richtig ist, wird man es von vorn herein möglich finden, dass das etruskische Wort nicht nur einen steinernen Sarcophag, sondern auch andere steinerne Gegenstände bezeichnet.

Hier bespreche ich F. 1044, T. XXXV (Cortona):

scurna | l· ϑa· l | u· ril· LX

Die zwei ersten Wörter bedeuten: »der Thana Scurnei« (Deecke Fo III, 150; Pauli Fo. u. St III, 98 f.). In *lu·* sehen Deecke und Pauli eine Abkürzung von *lupu*. Diese Deutung scheint mir nicht sicher. Die Formel *lupu ril* findet sich sonst nirgends, und *lupu* erscheint sonst nur im südlichen Etrurien, nicht in Cortona. Dagegen *ril* (ohne *lupu*) mit folgender Zahl kommt sowohl in Cortona und Volterra als in Südetrurien vor. Vielleicht haben wir hier das von mir nachgewiesene Substantiv *lu*, also: »der Stein der Thana Scurnei«. Der Gegenstand, auf dem sich die Inschrift findet, wird von Deecke ein »cippus« genannt. Janssen sagt: »monumentum, cuius fronti inscriptio insculpta est, lapis calcarius est quadratus . . .; ex quo medio columella exsurgit . . . formam coni referens«. »Nostrum saltem monumentum, quamvis arae formam

[1]) Conestabile Pitture Mur. p. 201 verbindet *lu* F. 2033 bis E a mit *lupuce*, was kaum haltbar ist.

omnino referat, operculum ossuarii fuisse videtur; ossuario certe impositum«. Ich lasse hiernach unentschieden, ob *lu* in dieser Inschrift einen steinernen Sarcophag oder einen steinernen Cippus bezeichnet.

Nur als eine Hypothese nenne ich die Vermuthung, dass *lu* sich in der Bedeutung »Stein« in der Inschrift G. App. 88 (Arezzo) erhalten hat:

tins' | lut

»In un quadrello di travertino trovato ... entro il perimetro delle etrusche mura«. Für *tins'* vergleicht Gamurrini *tins'cril* d. h. Weihgeschenk, *ἀνάθημα*, das in Votivinschriften aus Arezzo und Cortona (Pauli St. III, 114 f.) vorkommt; ausserdem findet sich *tinia* | *tinscril* auf einer »colonnetta conica« aus Orvieto (Bull. dell' Inst. 1880 p. 133—135). Für *lut* vermuthet Gamurrini die Bedeutung »Stein«. *lut* scheint *lu* mit einem nachgehängten *t*. Dies *-t* ist vielleicht mit dem *-te* von *canzate* F. 2582 bis identisch. *tins'* | *lut* scheint also *lu* in der allgemeineren Bedeutung »Stein« vorauszusetzen.

Ein Beispiel des Substantives *lu* finde ich endlich G. App. 804 Z. 2:

.enlumiϑniạmetnaχceχamarce

Nach Undset lässt es sich nicht bestimmen, wie viel am Anfang der Zeile fehlt. Die Inschrift hat nach ihm nicht: *-net-*, sondern *-neet-*, auch nicht *-marce*, sondern wahrscheinlich: *-miarce*. Ich theile:

[*ceh*]*en*(?)*lu miϑ ṇịạme et naχ ceχa mi arce*. Das Verbum ist *arce* d. h. hier »fecerunt«, »haben geopfert«; die Subjecte dieses Verbs sind in der ersten Zeile genannt. Das Object scheint zuerst durch [*ceh*]*en* »dies« angedeutet, dann durch *naχ ceχa mi* näher bestimmt. Diese Worte scheinen eine Art Todtenopfer zu bezeichnen.

In *lu miϑ ṇịạme* vermuthe ich zusammengehörige

Locative. *miϑ* Locativ von *mi*. Bei *lu* scheint die locative Beziehung formell nicht ausgedrückt, oder aber *lu* steht für **luu*, wie eine Casusform auf *-u* sonst mit einem Locative auf *-ϑi*, *-ϑ* grammatisch unmittelbar verbunden ist. Für *ṇịạụṇẹ* führe ich nur als Frage die folgende Deutung an: *niaune* für **naunie*, **naunie*, vgl. meine Bemerkungen zu *apaiatrus* und *pertiul* neben *petriul*; *ṇịạụṇẹ* statt **naunie* ein Adjectiv von *nana*, *naeua*, *nacnra* Grab (Pauli St. III, 123 f.) abgeleitet. *et* bedeutet wohl »hier« und scheint Nebenform zu *eϑ*. Das Pron. demonstr. (*miϑ*, *mi*) ist nachgestellt, wie in *kep eka* (Pozzale), *unu eiϑi* F. 255 u. s. w. Zeile 2 wird also nach meiner Vermuthung etwa so zu übersetzen sein: »opferten dies Todtenopfer hier auf (oder an) diesem Grab-Sarcophage«.

Dafür, dass *lu miϑ* hier richtig gedeutet ist, spricht namentlich die Magliano-Inschrift, wo es am Ende heisst: — — *lursϑ sal* | *efrs' nac*. Hier wird also der Locativ plur. von *lu* (*lursϑ*) neben *nac* wie in G. App. 804 der Loc. sg. von *lu* neben *naχ* genannt. Ferner nennt G. App. 799 Z. 5 ein Todtenopfer, welches *luϑera* dargebracht wird. Endlich stützen sich meine Deutungen von *lu miϑ* G. App. 804 und *lu-ri mi* F. 2058 gegenseitig.

G. 802 Z. 2 giebt Gamurrini: — — *nụaluç* : *es* — —. Undset liest: — — *nualuϑ* (eher als *nualuc*) : *fes* — —. Vielleicht ist hier [*na*]*nualuϑ* zu ergänzen. Dies scheint Locativ von **nanua-lu* (Compositum von **nanua* = *nacnra*, *nana* und *lu*) »Grabsarcophag«.

In Verbindung mit *lu* bespreche ich *suplu*. F. 658 scheint *s'uplu* als Name vorzukommen, auch andere Namen scheinen davon abgeleitet; siehe Deecke Fo. III, 242, Pauli Fo. u. St. I, 14 f. In F. 2033 bis F a (Orvieto, in dem Grabe der Leinie) lautet Z. 6:

usilmlul'l' suplu

Hier scheint *suplu* kein Name zu sein. Die vorausgehenden Wörter *susi* | *asilutul*[*a*]*l* bezeichnen gewiss das Grab und Räume oder Gegenstände des Grabes. Es ist wahrscheinlich, dass *suplu* hier zu derselben Kategorie wie *tul*[*a*]*l* d. h. *tular* gehört. Die Inschrift eines Tufcippus in Volterra (F. 351) lautet: *mi ma* | *laris* | *s'uplu*. Pauli St. III, 48 übersetzt »dies ist Laris Suplu«. Sollten wir hier nicht vielmehr dasselbe Appellativ wie F. 2033 bis Fa haben? Von diesem wäre denn *laris* im Gen. regiert. Für den Genetiv *laris* von *lari* vgl. F. 2424, F. Spl. I, 308, F. 2072 (Deecke Fo. III, 178, 181 f.), G. App. 46. Der Vorname *lari*, Gen. *laris* wird von Pauli St. III, 59 bezweifelt. Allein dieser Zweifel berührt nicht die Deutung von *s'uplu* F. 351, denn Pauli St. III, 134 sieht in *laris* G. App. 46 graphische Abkürzung vom Genetiv *larisal*. In F. 351 muss *s'uplu* eine Art Cippus bezeichnen, wenn ich dies Wort hier als Appellativ und *laris* als Genetiv richtig gefasst habe. Nach Deecke F. III, 242 kommt *suplu* noch in einer von ihm 1875 zuerst copierten Inschrift des Grabes der Leinie vor. Da er aber die Verbindung, in der das Wort hier auftritt, nicht angiebt, kann ich über seine Bedeutung in dieser Inschrift nichts sagen.

In *suplu*, *s'uplu* (eine Art Cippus) vermuthe ich ein Compositum von *lu* (Stein, steinerner Sarcophag, steinerner Cippus). Das erste Glied des Wortes ist vielleicht *s'usi* G. App. 804 Z. 4 und F. 2346, *susi* F. 2033 bis Fa Z. 5 (vgl. *sus'*[*i*]*na* F. 2279 Z. 4), das wohl das Grab oder einen Grabraum bezeichnet (wahrscheinlich mit *s'uθi*, *suθi* identisch). *suplu* ist nach meiner Vermuthung statt **suflu*, **suχlu*; diesen Lautübergang werde ich im folgenden bei *efes* besprechen. Wenn diese Vermuthung richtig ist, bedeutet *suplu* geradezu »Grabstein«.

Eine Ableitung von *lu* »Stein« »steinerner Sarcophag« vermuthe ich F. 1933 (Perugia, Grabstein):

— — — *θui ces'u* | *luscer : etca : ca* | [*θ*]*urane : cares* | *caraθsleis*

Das Subject scheint mir [*θ*]*urane* »die dem Geschlechte angehörigen«, das Prädicat *θui ces'u* »liegen hier«. *luscer* scheint mir eine mit dem Prädicate verbundene Apposition zum Subjecte »in steinernen Sarcophagen bestattet«. *luscer* ist Nom. plur.; der Nom. sing. lautete wohl **lusu*. Das Wort scheint mir von *lu* abgeleitet. Analoge Bildungen finde ich in *ces'u*, vielleicht *masu* F. 1914 A 14, 17, *clesras* (Gen.) F. 2301. Wie F. 1933 *luscer* »in Sarcophagen bestattet« nach *θui ces'u* »hier liegen« folgt, so nach meiner Ergänzung in der cornetanischen Inschrift Bull. 1881 p. 95 *lu*[*θ*] »im Sarcophage« nach [*θu*]*i c*[*esu*] »hier liegt«.

Eine Ableitung vom etrusk. *lu* ist vielleicht auch der Stadtname *Luna*. Die Römer deuteten diesen Namen als mit dem lateinischen Namen des Mondes identisch, siehe Rutil. Itin. II, 64; ein Mond war das Zeichen des Käses von Luna (Martial. XIII, 30), und griechische Schriftsteller übersetzten den Stadtnamen durch Σελήνη. Müller [2]I, 278 meint, dass der Hafen, der durch das sich mondförmig einbiegende Felsenufer gebildet war, der Stadt den ohne Zweifel etwas latinisierten Namen *Luna* gegeben habe.

Diese Deutung des Namens ist kaum richtig. Der Mond hiess etrusk. *tiv* (Gen.), wie das Templum von Piacenza beweist, und *lala* war der Name der Mondgöttin, wie man aus der Spiegelzeichnung F. 2473 ersieht. Dennis Cities [2]II, 83 sagt: »the harbour . . . cannot be likened to a moon, whether full, half, or crescent«.

Die Analogie anderer etrusk. Stadtnamen *pupluna*, *vetluna*, lat.-etr. *Cortona* (etrusk. *curtun-*), *Vettona*, spricht vielmehr dafür, dass *Luna* von einem Stamme *lu* durch das Suff. *na* gebildet ist.

Ich vermuthe, dass *Luna* ein echt etruskischer, von *lu* Stein abgeleiteter Name ist, und dass die Stadt diesen

Namen von ihrem Marmor bekam. *marcalurcac* (Magliano) zeigt, dass *lu* auch vom Marmor angewendet werden konnte. Im Griech. ist *λίθος* häufig Marmor, und Plin. XXXVI, 18 (29), 135 meint bei *Lunensem silicem* wahrscheinlich den Marmor.

efrs, afrs, aiseras, as'ira, esari.

Die drei letzten Worte der Magliano-Inschrift sind: — — *sal* | *efrs· nac*. Das Substantiv *nac* »Todtenopfer« ist uns aus mehreren Inschriften bekannt. *sal* ist Zahlwort, andere Schreibung für *zal* »(drei)«. Dies muss zu *efrs* gehören, da in derselben Inschrift A 6 *afrs ci* vorkommt, wo *afrs* (= *efrs*) ebenfalls mit einem Zahlworte verbunden ist. *efrs, afrs* ist also gewiss ein Substantiv und zeigt die Endung des Gen. plur. Die genetive Beziehung ist hier nur bei dem Substantive, nicht bei dem damit verbundenen Zahlworte ausgedrückt. Was bedeutet nun *efrs, afrs*?

Da *nac* »Todtenopfer« bezeichnet und da der Genetiv im Etrusk. regelmässig die Person angiebt, der etwas geschenkt, geweiht, geopfert wird, liegt die Vermuthung nahe, dass *efrs*, *afrs* gewisse heilige Wesen bezeichnet. Dies wird durch die folgenden Momente bestätigt und näher bestimmt: *sal efrs* folgt unmittelbar nach *lursϑ*; dies *lursϑ* kommt schon B 5 in der Inschrift vor, und dies Mal unmittelbar nach *tins*, Genet. von *tina* Jupiter. Hienach muss man vermuthen, dass der Pluralgenetiv *efrs* »Götter« oder gewisse göttliche Wesen bezeichnet. Der Genetiv *afrs ci* Magl. A 6 scheint mit den vorausgehenden Genetiven *aiseras* und *maris'l* syntactisch analog und bezeichnet also aller Wahrscheinlichkeit nach, wie diese, göttliche Wesen. Auch die Vergleichung von G. App. 804 spricht hiefür. Diese Inschrift nennt Z. 2 ein

Todtenopfer (*naχ*), das auf (oder bei) einem Sarcophage (*lu miϑ*) geopfert ist, wie das Todtenopfer (*nac*), welches die Magliano-Inschr. erwähnt, auf (oder bei) den Sarcophagen (*lursϑ*) geopfert wird. Nun nennt G. App. 804 Z. 3 die Göttin *ϑanr*, vielleicht auch andere Götter, freilich nicht im Gen., sondern im Dat., denen das Todtenopfer gebracht wird. Auch dies spricht dafür, dass *sal efrs* »(drei) Göttern« bedeutet.

Die somit durch den Zusammenhang gewonnene Bedeutung wird durch die Form des Wortes bestätigt. *efrs*, *afrs* ist nach meiner Ansicht Gen. pl. entweder von *aesar*, *aisar*, das nach dem Zeugniss römischer Grammatiker »Gott« bedeutete, oder von dem damit verwandten etr. Worte für »Götter«, das von Hesychius in der Form *αἰσοί* mitgetheilt ist. Im ersten Fall ist *efrs* statt **efrrs*; nach dem *r* des Stammes ist dann das Merkmal des Pluralis *r* ausgefallen, wie im osk. *censtur*, umbr. *frater*, altn. *fedr*, Väter; *efrs* ist statt **esrs*. Den Uebergang von *s* in *f* habe ich Kuhns Zeitschr. XXII, 418—436 im Italischen und in anderen indogermanischen Sprachen nachgewiesen. Bekannt ist anlautendes *fr* für *sr* im Britannischen, z. B. corn. *frod* alveus, cymr. *ffrwd* stream, torrent = ir. *sruth*. Im Lateinischen ist anlautendes und inlautendes *sr* zu *fr* und dies im Inlaut weiter zu *br* geworden, wie Brugman in Curt Stud. IX, 393 und Collitz in Bezz. Beitr. III, 322 f. erkannt haben. *frigus* für **srigos*, *sobrinus* für **sofrinos*, **sosrinos*, *tenebrae* für **tenefr-*, **tem(e)sr-*. Es ist um so mehr berechtigt im Etruskischen den Lautübergang von *sr* in *fr* anzunehmen, als diese Sprache den Uebergang eines *s* in *f* auch in anderen Lautstellungen kennt; siehe meine Deutung von *ϑufi*.

Auch der Uebergang von *sl* in *fl* scheint im Italischen vorzukommen. Hiefür lassen sich vielleicht u. a. die folgenden Wörter anführen. Lat. *flocces* (vini faecem) vgl. nhd. *Schlacke*, mnd. *slagge*, norweg. *slagg*; für das Verhältniss vgl. lat. *occa* gegen ahd. *egida*, nhd. *Egge*. Die Grundbedeutung von *Schlacke* ist wesentlich dieselbe wie von *σκωρία*: das Wort kommt nicht von *schlagen* d. h. schmieden, wie dies dadurch erwiesen wird, dass es auch schlackiges, regnerisches Wetter bezeichnet. Ferner: lat. *flecto* vgl. kslav. *slakŭ* krumm, ahd. *slingan*, nhd. *schlingen*; anders Curtius. Lat. *flagrum* (osk. *aflakus, aflukad*?) vielleicht vgl. got. *slahan*; gewöhnlich vergleicht man got. *bliggvan* (wo jedoch nach deutsch. *bläuen gr* aus *v* entstanden ist). Fick zugleich *φλέω*. Lat. *fligo* vgl. lit. *slė'gin* beschweren, niederdrücken, jedoch gr. *θλίβω, φλίβω*. Dieser Wechsel von *s* und *f* erklärt wohl die in alten lat. Inschriften vor *l, s, sp, c, m, r* statt *ab* vorkommende Form *af*: *af Lucretia* steht wohl für **as Lucretia* und dies für *aps Lucretia*, vgl. *asporto, suscipio, ostendo*, u. s. w.

Hiernach vermuthe ich, dass etr. *aifla* F. Spl. III. 417 (Capua), lat. *Aeflanius, Aefulanius* (Pauli St. III, 54) statt **aisla*, **Aeslanius* vom Stadtnamen *Aesula* oder *Aesulum* (bei Tibur), Adj. *Aesulanus*, gebildet ist. Vgl. im vorhergehenden (S. 110 f.) meine Deutung von *suplu*.

Ich wende zu *efrs* zurück. Die Nebenform *afrs* zeigt, dass *ai* nicht nur zu *e*, sondern auch zu *a* werden kann, wie *au* ähnlich sowohl in *a* als in *u* übergeht. Derselbe Uebergang scheint in mehreren Wortformen vorzukommen: *caχnei* F. 366, lat.-etr. *cacina* Deecke Müll. II, 368 neben *kaiknas'*, *ceicna*, *cecna*, lat.-etr. *caecina*, doch wohl von *caecus*; vgl. in der röm. Inschrift C.I.L. I, 833 *ca ilia* 2mal, wahrscheinlich = *Caecilia*. Auch *caceis'*, *caceinei*, lat. *Cacius* werden sich von *caecus* kaum trennen lassen. Der mythische *Cacus* wird wie *Caeculus* der Sohn Vulcans genannt und ist daher gewiss desselben Ursprungs: vgl. Preller Röm. Myth. [2]647. Allein durch sein *a* verräth *Cacus* etruskische Sprachform. Lat.-etr. *cuaus* F. Spl. I, 162 kommt neben *cuaeus*, *cuacre* in demselben Grabe vor. In *acus* (?) F. 305 *Αἴγισθος* scheint ebenfalls *a* aus *ai* entstanden, allein die Endung ist wohl entstellt. Ist *acas* (das *a* der zweiten Silbe durch vorwirkende Assimilation entstanden) zu lesen?

Verwandt mit dem etr. *aesar, aisar*, das nach Sueton. Aug. 97 und Dion. LVI, 29 »Gott« bedeutete, ist ein in den folgenden Inschriften vorkommender Genetiv, F. 2603 bis (Bronzestatuette):

tite : alpnas | turce : aise|ras : ϑuflϑic|la : trutvecie

und F. 274, T. XXIII (Bronzestatuette, Florenz), welche Inschrift so überliefert ist:

eiceras ϑufiϑi | creic'a

wo wahrscheinlich *eiseras* zu lesen ist. In F. Spl. I, 433:

ecn' ture | latinana | es' alpan' a

scheint mir, wesentlich in Uebereinstimmung mit Deecke Fo. III, 29, Fo. IV, 65, *es'* graphische Abkürzung von *eseras*. Die abweichende Deutung Paulis St. III, 68, 144 ist mir unwahrscheinlich.

Dass der Genetiv *aiseras, eiseras* nicht appellativisch »deae« »der Göttin« bezeichnet, wird durch *aiseras* Magliano A 4 erwiesen; denn dies, zu dem kein Name steht, muss wie der Genetiv *maris'l* Magliano A 6 eine bestimmte Gottheit bezeichnen. Pauli Fo. u. St. III, 114 meint, dass *aiseras* nicht nothwendig weiblich sei. Dass *aiseras* weiblich ist, wird jedoch nach meiner Ansicht durch die Spiegelinschrift Gerh. T. CCCLX = Corssen I, 368, T. XI, F. Spl. III, 395 erwiesen. Hier bezeichnet *as'ira* eine Frau mit wallendem Haar, halbnacktem Oberleib und fliegendem Chiton, welche die Doppelaxt hinter Amphiaraos, Polyneikes und Eteokles schwingt. *as'ira* ist also eine Furie oder Todesgöttin. *as'ira* ist nur eine Nebenform von *aisera*. Dass *a* aus *ai* entstehen kann, habe ich schon bei *afrs* erwiesen. Für den Wechsel des *e* (in *aiseras*) und *i* (in *as'ira*) vgl. Deecke Müll. II, 357—363, dazu *aperu* F. 1933 neben *apir*. Das Wort *as'er* G. App. 816 (Corneto) auf einem Gefässe ist vielleicht aus *as'er(as)* graphisch abgekürzt. In *aisaru* F. 2345 (unmittelbar nach *neϑuni*) vermuthe ich einen Dativ, jedoch nicht vom Namen der Göttin, sondern von einem entsprechenden Masculinum.

Wie *as'ira*, Gen. *aiseras*, der Name einer bestimmten Todesgöttin, formell Femininum von *aisar* Gott ist, so wurde die römische *Angerona* unter dem Namen *Dira* schlechthin verehrt (Preller Röm. Myth. ²431).

Der Name *as'ira* Gen. *aiseras* neben *aisar* Gott giebt uns ein Beispiel der von Pauli für das Etruskische bezweifelten Motion.

Mit *aisar* Gott steht ferner *esari*, wie bereits Corssen I, 337 u. a. gesehen haben, in Verbindung. F. 2033 bis E b (Orvieto) [1]:

arnϑ leinies· larϑial· clan· velusum | nefts' ailf marunχ
tef : esari· ru . . | l . . . . amce

Vor *esari* stehen Beamtentitel, daher vermuthe ich, dass *esari* »Priester« bedeutet; vgl. F. 2100 *eisnevc ·eprϑnevc· macstrevc·*, wo Deecke Gött. g. Anz. 1880 S. 1442 f. so übersetzt: »et fuit sacerdos et Porsena et magister«. Das Substantiv *esari* ist von *aisar* Gott durch das Suffix *-i*, *-ie* = lat. *-iu-s* abgeleitet; vgl. die Familiennamen *veli* von *vel*, *veti* von *vetu* u. m. Von dem mit etr. *aisar* gleichbedeutenden gr. *ϑεός* wird durch das Suffix *-ιο-ς* *ϑεῖος* abgeleitet. Im Gotischen ist die Bezeichnung des Priesters *gudja* von *guth* Gott gebildet.

Ein Wortstamm *aisu* erscheint in dem marsischen *esos* d. h. *dis*, *aisos*, vgl. osk. *aisusis*, siehe meine altital. Stud. S. 41, Bücheler Lex. Ital. p. IV. Ein nahe verwandter Stamm erscheint im Etruskischen: vgl. *aisni*. Am Handgriff eines Bronzespiegels (F. 2488) steht geschrieben:

[1] Diese Inschrift ist nach Undset jetzt ganz unleserlich.

miasuχ (mit verkehrtem *s*). In dieser Inschrift, welche von Pauli St. III unter *mi* nicht genannt ist, steht *asuχ* wohl für **aisuχ* wie *afrs* für **aifrs*, *as'ira* für **ais'ira*. Es bedeutet nach meiner Vermuthung »sacrum«. Dieselbe Bedeutung hat wahrscheinlich *asu*, was auf zwei Amphorae F. 2661 und 2662 geschrieben steht. In *asuχ* scheint -χ sicher Suffix; die Bedeutung wird, wie es scheint, durch die Anfügung dieses Suffixes nicht wesentlich geändert. Vgl. *malaris* neben *malarisχ*, *munϑu* neben *munϑuχ*, *resχuale* neben *resrial*.

Eine hiehergehörige Form findet sich vielleicht auch F. 2596 T. XLIV = Corss. I, 719 (Aschentopf von gebranntem Thon) Z. 1: *miriϑceusul*, das ich *mi riϑce usul* abtheile. Vielleicht ist *-l* hier nicht Endung des Locatives, sondern mit dem *-l* von *lul* G. App. 88 identisch.

Abgeleitet von *asu* scheint *asil* F. 2033 bis F a Z. 6; vgl. für das Suffix *acil*, *usil*, *tins'cvil*. Das Nomen *asil*, das mit *tul'l* (= *tular*) copuliert ist, scheint einen Raum des Grabes zu bezeichnen; es ist vielleicht ein Raum, wo die heiligen *(asu)* Gefässe gesetzt werden. Die fünfte Zeile endet mit *susi*.

G. App. 802 Z. 4 giebt Gamurrini so:

.rχrszesusiqsirϑunaruma

Hier sondere ich *s'usi* (so hat die Zeichnung) *asir* aus; *asir* verhält sich nach meiner Vermuthung zu *asil*, wie *tular* zu *tul'l*. Jedoch zeichnet Undset *-s'lsi-* statt *-s'usi-*, und statt des *a* in *-asir-* hat er nur den unteren Theil eines senkrechten Striches sehen können, weil das Plättchen hier verkrümmt ist.

Deecke Gött. g. Anz. 1880 S. 1423 vergleicht den Namen *aisinal* F. 2283 und *aisiu* G. App. 61 mit *Αἰσοί*.

Von dem Wortstamme *ais-* »Gott« werden auch Wörter durch ein *u*-Suffix abgeleitet. Deecke hat Gött. g. Anz. 1880 S. 1442 *eisnere* F. 2100 gewiss richtig »el fuit sacerdos« gedeutet und mit *αἰσοί* u. s. w. verglichen. Hieher gehören wahrscheinlich mehrere Familiennamen *ezna* (in und um Chiusi), Fem. *ezunei* (Chiusi), *eizene* Fem. *eizeni* (Corneto), vielleicht auch *aisiṇal* F. 2283 (Corneto) Gen. fem., das Fabretti zu dem umbr. Fluss- und Stadtnamen *Aesis* stellt. Vgl. meine Bemerkungen zu *esuinuṇe* G. App. 804 im folgenden. Ein hiehergehöriges Wort findet sich vielleicht G. App. 822, T. IX (Cervetri): *r . . . . . . ezinekeka . e . . . . . . ini . . .* (wo freilich die Zeichnung: — — *kea* — — hat). »Grandi lettere tagliate nel tufo sopra la porta di un ipogeo«. Ich vermuthe hier *keka[s]e* oder *keka[si]e;* vgl. *ceχasieϑur* G. App. 802 (Corneto), *ceχase* F. 2280 (Corneto), *cek:* F. 2281 (Corneto). Deecke hat für *ceχasie* die Bedeutung »flamen« gefunden. Das vor *keka[s]e* stehende *ezine* ist wohl hier eher Familienname = *eizene* als Appellativ. Endlich erinnert Deecke brieflich an *Ezinius* C.I.L. V, 8116, 23.

Etrusk. *eisne-ce* und umbr. *esonom* (sacrum), die durch *n*-Suffixe abgeleitet sind, stehen neben den durch *r*-Suffixe abgeleiteten etr. *aesar, aiseras, esari,* volsk. *esaristrom* (sacrum, rem divinam), lat.-osk. *Aesernia,* wie z. B. lat. *feminis* neben *femur, femoris;* got. *watô* Dat. pl. *watnam* neben deutsch. *Wasser* u. s. w.

avils, tivrs.

In einer gründlichen Untersuchung im dritten Hefte der Forschungen und Studien hat Pauli endgültig bewiesen, dass die bereits von Gamurrini vorgeschlagene Deutung *avil* = *annos* und *svalce* = *vixit* richtig ist. Ebenso hat Pauli für *ril* die Bedeutung *aetatis* erwiesen. In den folgenden hiemit zusammengehörigen Punkten kann ich dagegen seinen Deutungen nicht beitreten. Er deutet *avils* als *anni* (Gen. sg.), *tivrs* als *mensis* (Gen. sg.) und fasst die bei *avils* und *tivrs* stehenden Genetive von

Zahlwörtern als Ordinalzahlen. Ich deute *arils* in den vorliegenden Beispielen als *annorum, tivrs* mit Deecke als *mensium* und fasse die dabei stehenden Zahlwörter als Cardinalzahlen. Jedoch läugne ich nicht die Möglichkeit davon, dass *arils* im Etrusk. auch »anni« (sing.) bedeutete.

Dass *arils* im Singular stehe, findet Pauli S. 121 durch die zweimal in Volterra (G. App. 914 und F. 309) begegnende Schreibung *arils'* bewiesen, indem er bemerkt: »Das Gemeinetruskische schreibt ... den Genetiv Singularis mit *-s'*, das Südetruskische mit *-s*. Da die gleiche Scheidung also auch bei *arils* sich zeigt, so ist auch dies für einen Genetiv Singularis zu halten.« Allein die Schreibung *arils'* in Volterra neben südetruskischem *arils* beweist nur, dass das *-s'* oder *-s* hier dasselbe Genetiv-Suffix ist wie im Gen. sing., beweist aber gar nicht, dass *arils'*, *arils* eine Singularform ist. Vielmehr habe ich durch die Formen *denarus'i*, *neϑs'ras, eritiurus, afrs, efrs* erwiesen, dass der Gen. Plur. so gebildet wurde, dass *-s'i*, *-s*, das Suffix des Gen. sing., an die Form des Nom. pl. gehängt wurde, wie das Suffix *-ϑi* sowohl im Locat. plur. als im Locat. sing. angewendet wurde. Pauli bemerkt ferner: »Und auf einen singularen Genetiv weist weiter auch die völlige Gleichheit der Bildung von *arils* mit dem s i c h e r singularen Genetiv *usils* »solis« des Placentiner Templums«. Auch diese Gleichheit entscheidet nichts, so lange der singulare Nominativ von *arils* nicht bekannt ist. Um davon zu überzeugen, stelle ich *sans'l, s'elans'l, murs'l*, alle mit derselben Endung *-s'l*, zusammen: *sans'l* ist Nomin. sing., *s'elans'l* Gen. sing., *murs'l* Accus. plur.

Pauli meint, »dass die Kardinalien an sich unflectierbar waren, durch die Flexion aber ordinale Bedeutung annehmen konnten« (S. 126). Hiegegen streitet aber *cisum* (d. h. *cis-um*) *tame*.. F. 2340, was wohl *tame*[*rs*] zu ergänzen ist. *tame*.. gehört offenbar mit *tameru* F.

2056. 2058. 2100 zusammen. Da nun bei *tamera* überall Formen der Zahlwörter stehen, die nach ihrer Form wie nach dem Zusammenhange nicht Ordinalia sein können, darf auch das bei *tame*.. F. 2340 stehende *cis* nicht als Ordinalzahl verstanden werden [1]. Dagegen streitet auch der von mir vermuthete reelle Zusammenhang zwischen *cisum tame*.. und *ci clenar* in derselben Inschrift. Allein dass *cis* sowohl Ordinalzahl als Cardinalzahl sein könne, ist höchst unwahrscheinlich. Ebenso wenig kann ich in den beiden *m* von *ciemzaϑrms* und analogen Formen mit Pauli S. 124 f. ein Ordinalsuffix sehen.

Gegen Pauli wende ich ferner ein: Wenn man z. B. F. 2073 *pepnar ruife : arϑal | avils XVIII* »im 18ten Jahre« übersetzt, stimmt dies mit der gewöhnlichen Ausdrucksweise der lat. Inschriften nicht überein, was dagegen bei der Uebersetzung »annorum XVIII« der Fall ist.

Gegen die Deutung von *avils* als *anni* d. h. *anno* spricht wohl auch F. 2104, weil das Verbum des Satzes hier *amce* (d. h. *fuit*) ist. Diese Inschrift, welche Pauli selbst Fo. u. St. III, 7 anführt, hat er in seine Verzeichnung S. 93 nicht aufgenommen und bei seiner Untersuchung S. 121—126 nicht beachtet. Sie zeigt, dass bei dem blossen *avils* nicht nothwendig, wie Pauli S. 113 meint, das Verbum *lupuce (lupu)* zu ergänzen ist.

Ich glaube nachgewiesen zu haben, dass der Genetiv plur. im Etruskischen durch die Anfügung des Suffixes *-s*, *-s'* oder *-s'i* an die dem Nom. plur. und dem Accus. plur. gemeinsame Form gebildet wurde. Wenn nun *avil* sicher »annos« bedeutet, folgt hieraus, dass *avils* »annorum« bedeuten kann. Hiedurch scheint mir die formelle Berechtigung meiner Deutung hinlänglich gestützt.

[1] In *afrs ci* und *sal efrs* Magliano sind die Zahlwörter im Genetive unflectiert. Im Gotischen sind mehrere Cardinalia bald flectiert, bald unflectiert.

Wie lautete nun der singulare Stamm dieses Wortes? Um dies zu finden, bespreche ich zunächst das Vorkommen der Wortformen *aril* und *arils* in der Magliano-Inschrift. Die betreffenden Stellen machen bei der Deutung dieses Wortes grosse Schwierigkeit.

Nur A 1: *cauϑas· tuϑiu· arils· LXXX·* — — verträgt sich mit der gewöhnlichen Anwendung. Hier deute ich: »annorum LXXX« und finde darin eine Altersbestimmung zu *tuϑiu* (magistratus). Dagegen kann *aril*, wenn ich den Zusammenhang richtig auffasse, an den folgenden Stellen nicht, wie sonst, »annos« bedeuten:

|*aril· nesl· man : murinas'ie·* — — A 3;
— — *caluse· ecnia· aril· mimenicac· marcalurcac· eϑtuϑinnesl· man·* — — B 1.

Ebensowenig kann *arils* »annorum« bedeuten in Magl. A 7:

— — *arilsχ· eca· cepen· tuϑiu· ϑuχ· iχutevr· hes'ni· mulveni·*

Vielmehr muss *aril* an diesen Stellen etwas bezeichnen, das mit dem Grabe in Verbindung steht und das den Manen des Verstorbenen geweiht wird. In *arilsχ* finde ich denselben Wortstamm. *arilsχ* ist nach meiner Vermuthung kaum statt **aril-ce* (vgl. *casϑialϑ* = *caϑialϑi*, *lursϑ* statt **lurϑi*), sondern eher von *aril* durch das Suffix *-sχ* = *-sc* abgeleitet. Dies *arilsχ*, zu dem *eca* attributivisch gehört, scheint mir Object der Verba *hes'ni mulveni*. Es ist für die Bestimmung des Sinnes wichtig, dass zu *arilsχ eca* »dies« steht.

Lässt sich nun die in der Magliano-Inschrift vorkommende Anwendung von *aril* mit der sonstigen Bedeutung des Wortes »annos« irgendwie vermitteln?

Eine Deutung »anniversaria« ist in der Magliano-Inschrift durch das zu *arilsχ* gehörige *eca* ausgeschlossen.

Teza beschreibt die äussere Form der Inschrift folgendermassen:

»Nel diritto va a spire, come serpente che si raggomitoli, e, dove il margine fa seno, lo segue e si ristringe, comincia in alto a sinistra e, lungo l'orlo sinistro, scende ravvolgendosi in cinque giri, e chiude nel centro«. »Più dà a fare il rovescio. Nel quale si cammina pur sempre a spira ma il solco che ci guidi non c'è più«.

Hiernach wage ich die folgende Vermuthung. Das Substantiv *aril* »annos« bedeutete ursprünglich »Umgänge« »Umkreise«, und die ursprünglichere Bedeutung dieses Wortstammes ist in der Magliano-Inschrift erhalten, wo von der sich in Windungen schlängelnden Inschrift die Rede ist. Man kann zweifeln, ob *aril* hier Adjectiv oder Substantiv, und im letzteren Falle ob es Singular- oder Pluralform ist. Ich möchte *aril* A Z. 3 als Adjectiv zu *man* (etwa »ein Grabmal, das mit einer sich schlängelnden Inschrift versehen ist«), B Z. 1 als Adjectiv zu *cenia* (etwa »eine Bleiplatte, die mit einer sich schlängelnden Inschrift versehen ist«) fassen. Das von *aril* abgeleitete *arilsχ eca* A Z. 7 fasse ich als »dies mit einer sich schlängelnden Inschrift versehene Weihgeschenk« od. ähnl. Vgl. für die Ableitung *caluse, hel'se, eitvise-ri.*

Wenn diese Deutung richtig ist, haben wir also in der Magliano-Inschrift eine singulare Adjectiv-Form *aril*. Das Substantiv, welches »Jahr« bedeutet, scheint mir desselben Ursprungs; daher nehme ich auch für dies mit Pauli eine Singularform *aril* an; *aril* war also sowohl Nom.-Acc. sing. (annus, annum) als Nom.-Acc. plur. (anni, annos). Dies scheint nicht auffallender, als dass *censtur* im Osk., *frater* im Umbr. sowohl Plural- als Singularform war.

Pauli (Fo. u. St. III, 123) vermuthet, dass in *aril* (annos) ein auslautender Vocal früher als Endung vorhanden gewesen ist. Allein er hat nicht erwiesen, dass irgend ein consonantisch auslautendes Substantiv seine Pluralform durch Anfügung eines Vocales bilde. Nach meiner Vermuthung ist *aril* in der Bedeutung »annos« aus **aril-l, *aril-r* entstanden; vgl. *murs'l* Plur. von *murs*.

Lat. *annus* bedeutete, wie nach meiner Vermuthung das etruskische Wort für »Jahr«, ursprünglich »Umkreis«. Es findet sich im alten Latein in der Bedeutung »Ring«, wofür später das Deminutiv *anulus* sich erhielt. *annus* ist wahrscheinlich, wie Corssen und A. Barth angenommen haben, statt **amnus* von *am-, amb-, ἀμφί* abgeleitet; die ursprünglichere Form hat sich in *sollemnis* erhalten.

Vielleicht lässt sich auch etrusk. *aril* irgendwie mit lat. *am-*, gr. *ἀμφί* u. s. w. in Verbindung bringen. Ist *aril* eine Ableitung von einem **a(m)-ri* »umwinden«? Vgl. lat. *riere,* kslav. *riti* winden, drehen, lit. *ryti* winden (Garn), drehen (Strick). Für den Ausfall des *m* vgl. *ucusma* F. Spl. III, 152 — *uχumsna* 151, *laφe* neben *lamφe, lanφe*.

Da *ris* und folglich zugleich *s'as* die Bedeutung einer Cardinalzahl hat, muss *tirrs* in der Verbindung *tirrs s'as* F. 2119 »mensium« nicht »mensis« bedeuten, wie *arils* in der Verbindung *arils s'as* F. 2104 »annorum« bedeutet. *r* in *tirrs* = *mensium* gegen *tirs* = *lunae* ist also nach meiner Ansicht Merkmal des Pluralis, wie Deecke längst gesehen hat. Wie das Etruskische für »Monat« und »Mond« denselben Wortstamm *tir* anwendete, so wird auch in anderen Sprachen »Monat« und »Mond« durch ein und dasselbe Wort bezeichnet. Ich nenne hiervon nur wenige Beispiele. Skr. *mas* hat beide Bedeutungen, ebenso das entsprechende Wort im Zend. Auch das Litauische hat, wie einige slavische Sprachen, für beide Begriffe dasselbe Wort. In vielen norwegischen Gegenden ist *måne* (eig. *luna*) für *mensis* mehr gebräuchlich als das dem deutschen *Monat* entsprechende Wort *månu(d)*.

Dass etr. *tir* Mond zum indogerm. *dir* (wie Deecke

vermuthet) gehört, wird dadurch bestätigt, dass *Diana*, der lateinische Name der Mondgöttin, von dem Nomen *tir* oder einem nahe verwandten Worte abgeleitet ist.

Plurale Dative auf -r und -ra.

Die Ausdrücke *tamera· zelarvenạs* F. 2058, *tamera· zelarvanạ[s]* F. 2100 sind bereits im vorhergehenden besprochen worden. Pauli (Fo. u. St. III, 135) sondert F. 2058 *zelarve*, F. 2100 *zelarv* als eigenes Wort ab und vermuthet darin Locative auf *-ve*, *-v* von *zelar* F. 1915, das er mit **zel*, einer älteren Form des Zahlwortes *zal*, verbindet. Allein in beiden Inschriften ist vielmehr *zelar* als eigenes Wort abzutrennen. In F. 2056 *ta|mera· s'arvenas* | ist ebenso *s'ar venas* abzutrennen. Dies *s'ar* verhält sich offenbar zu dem Zahlworte *s'a*, wie *zelar* zu *zal*. Dass *ve-* hier mit *-nas* zu einem Worte zusammengehört und dass dies *venas* (*venes*, *vana[s]*) von *s'ar* und *zelar* zu trennen ist, erhellt erstens aus der Vergleichung der genannten drei Inschriften unter einander; zweitens aus einer schon angeführten Grabschrift von Corneto:

> *[l]arsni : ramϑa | [av]ils : [X]XX lupu | [ϑu]i e[esu] : lu[ϑ] venas | z[ir]u z[e]ral | z[al : a]rce*

Hier ist *venas* von *z[e]ral* geschieden, und in diesem *z[e]ral* sehe ich eine Nebenform zu *zelar*. Auch F. 314 A habe ich *zeral ziru pultace* gelesen (*ziru* nach Deeckes Anleitung). Bei *s'ar* F. 2056, *zelar* F. 2058 und 2100 steht *tamera*. Eine unvollständige Form desselben Wortes kommt auch F. 2340 Z. 2 vor:

> — *eisuns· tame . . . . u . . . .* | *laf . . . nuse· matulnase·* — —

Wie *zelar* und *s'ar*, die bei *tamera* stehen, Zahlwörter sind, so finde ich in *cisum*, das bei *tame* .... steht, *cis*, den Genetiv des Zahlwortes *ci*, mit der enklitischen Partikel *-um*. Der Genetiv *cis* ist F. 2108, F. 2335 d und in einer Inschrift von Corneto bei Deecke in Bezz. Beitr. I, 260 nachgewiesen. Meine Deutung von *cisum* wird dadurch gestützt, dass die enklitische Partikel *-um* sonst dreimal in derselben Inschrift vorkommt [1]).

Da in den Ausdrücken *tamera s'ar*, *tamera zelar*, *cisum tame* .... die Wörter *s'ar*, *zelar*, *cis-um* Zahlwörter sind, muss *tamera*, *tame* .... ein Substantiv sein, zu dem diese Zahlwörter attributivisch gehören. Nun ist *zal*, wovon *zelar* eine Casusform ist, sicher, wie von allen anerkannt, ein plurales Zahlwort. Nach aller Analogie kann aber die Substantivform *tamera* nicht ein Casus des Singularis und des Pluralis zugleich sein. Wir sind also genöthigt in *tamera* und in dem damit verbundenen *s'ar* Casus des Pluralis zu sehen. Folglich bedeutet *s'a*, wovon *s'ar* eine Casusform ist, nicht »eins«, was nach Pauli Fo. u. St. III. 142 f., 148 die grösste Wahrscheinlichkeit haben soll.

Welchen Casus des Pluralis haben wir nun in *tamera s'ar*, *tamera zelar* zu sehen? Die Formen *s'ar* und *zelar* sind verschieden sowohl von den Genetivformen *s'as* und *esals*, als von den Nominativformen *s'a* und *zal*. Dass der Accusativ wie der Nominativ lautete, ist für *zal* erwiesen und für *s'a* ohne Bedenken anzunehmen.

Eine positive Bestimmung der Casusformen *s'ar*, *zelar*, *zeral* ergiebt sich, wie es scheint, aus der Verbindung derselben mit *renas*, *renes*, *rana[s]*. Durch Vergleichung von *renes* F. 71 und *zeral pultace* F. 314 A habe ich für diese Verbalformen die Bedeutung »schenkte«, »weihte

[1]) Lorenz (Kuhns u. Schleichers Beitr. V, 205) hat bereits den Zusammenhang zwischen *cis* und *cisum* vermuthet.

Todtengaben« gewonnen. Bei Verbalformen von dieser Bedeutung erwartet man die Angabe derjenigen Person (oder Personen), der (oder denen) die Todtengabe geweiht wird. Da nun das Personenobject bei Verben, die »schenken«, »weihen« bezeichnen, nicht nur im Genetiv, sondern auch im Dativ (z. B. *aritimi, etre θaure lautnes'cle*) stehen kann, vermuthe ich in *s'ar, zelar, zeral* und zugleich in *tamera* plurale Dative.

Wie *s'ar* F. 2056 und *zelar* F. 2058 und F. 2100 attributivisch zu *tamera* gehören, so *cis-um* F. 2340 zu *tame-*. Da nun *cis-um* Genetiv ist, muss auch in *tame-* ein Genetiv stecken, während *tamera* nach meiner Deutung Dativ ist. Folglich ist nach *cisum* F. 2340 nicht *tame[ru]* mit Corssen I, 704, Deecke Fo. I, 31 und Pauli Fo. u. St. III, 7 zu ergänzen. Ich ergänze vielmehr *tame[rs]*, indem ich eine plurale Nominativform **tamer* voraussetze, von welcher der Gen. plur. *tame[rs]* durch die Anfügung des Genetivsuffixes *-s* gebildet ist.

Was bedeutet nun dies Substantiv *tamera* (Dat. plur.), *tame[rs]* (Gen. pl.)?

Einen Beitrag zur Beantwortung dieser Frage giebt die im Bull. dell' Inst. 1881 p. 95 herausgegebene cornetanische Inschrift, wenn ich in dieser richtig so ergänzt habe:

— — *renas* | *z[ir]u* *z[e]ral* | *z[al : a]rce.*

Hier folgt *z[ir]u*, d. h. viva, nach *renas* ganz wie *ziras* F. 1200 nach *rana[s]*; *z[ir]u* (viva) neben *ziras* (vivus) zeigt dieselbe, ganz indogermanische, Motion wie *alpnu* neben *alpnas* (libens). Der Ausdruck *z[al : a]rce* scheint nach *clenar zal arce* F. 2056 »(tres sc. liberos) creavit« zu bezeichnen, so dass bei *z[al]* ein Wort für »Kinder« hinzuzudenken ist. Nun habe ich in *z[e]ral* den Dativ von *zal* erkannt. Da auch bei *z[e]ral* kein Substantiv steht, muss hier dasselbe Substantiv wie bei *z[al]*, nur im Dativ, hinzugedacht werden. Hiernach deute ich *renas z[ir]u z[e]ral* »sie weihte, als sie noch lebte, drei (Kindern) Todtengaben«. Allein dieser Ausdruck entspricht offenbar den Ausdrücken *surasi tamera zelar renes* F. 2058, *tamera zelar rana[s] [ϑ]ui ziras* F. 2100, *tamera s'ar renas* (unmittelbar vor *clenar zal arce*) F. 2056. Da ich nun in *tamera* ein Substantiv im Dativ plur., wozu die Zahlen *zelar, s'ar* gehören, erkannt habe, scheint eben dies Substantiv »Kindern« zu bezeichnen.

Zu derselben Vermuthung führt uns die Inschrift F. 2340:

> *ramϑa· matulnei seχ· marces· matulna[s] .... | puiam· amce· s'eϑres· ceis[in]ies· cisum· tame[rs] ..u........| [af]u]nase· matulnase· clalum· c]eisinie]s· ci clenar· m· | a[fun]a rence — — —*

Da die zu *tame[rs]* und zu *clenar*, d. h. Söhne, gehörigen Zahlwörter *cis-um* und *ci* dieselben sind, liegt hier die Vermuthung sehr nahe, dass es dieselben Personen sind, welche zuerst als *tame[rs]*, dann als *clenar* »Söhne« bezeichnet sind. Auch dies führt also darauf, dass *tame[rs]* »Kinder« bezeichnet. Die Genetive *cis-um tame[rs]* d. h. »(quinque) autem liberorum« waren wohl von demjenigen Worte regiert, welches ursprünglich zwischen *tame[rs]* und *af[u]nase* stand. Von diesem ist nur *u........| l* erhalten. Davon waren auch die Wörter *afunas-c matulnas-c* abhängig. Den Sinn dieses regierenden Wortes (oder dieser Wörter) weiss ich nicht sicher zu bestimmen. Auch der Umstand, dass *afunas(-c)· matulnas-c*, wie es scheint, mit *cis(-um) tame[rs]* copuliert war, spricht dafür, dass *tame[rs]* Personen und zwar nahe Verwandten bezeichnet.

Wenn *tamera*[1]) richtig als »liberis«, *tame[rs]* als

[1]) Findet sich derselbe Wortstamm in *temamer* F. 1914 A 18—19 und in *itemi* F. 1916 bis?

»liberorum« gedeutet ist, scheint die folgende etymologische Combination nicht zu dreist. *tam-* steht vielleicht für **tacm-*, vgl. *frauni* = *frauсni* und lat. *lumen* statt **lucmen*, *examen* statt **exagmen*; es stammt dann von derselben Wurzel wie *τέκνον*. Es finden sich oft Ableitungen, die durch ein *m*-Suffix gebildet sind, neben synonymen Ableitungen, die durch ein *n*-Suffix gebildet sind; so z. B. lat. *spuma* f., ahd. *feim* m. neben altpreuss. *spoayno* f., kslav. *pěna* f., skr. *phēna* m.; gr. *πυθμήν*, ahd. *bodam* neben skr. *budhnás*, altn. *botn*; gr. *λικμός*, *λικμάω* neben *λίκνον*: gr. *πυγμή* neben lat. *pugnus*, u. s. w. Das mit gr. *τέκνον* verwandte skr. *tṓkman* n., später *tōkma* m. »junger grüner Halm, Kind«, zeigt ein *m*-Suffix; aus einer einzigen Quelle wird das gleichbedeutende skr. *takman* angeführt, worauf ich hier kein Gewicht lege.

Etruskisch *tamera* (liberis) setzt wohl einen Nom. pl. **tamer* voraus, der vor *r* einen anderen Vokal als *clenar* Nom.-Acc. pl. zeigt. Diese Differenz muss darauf beruhen, dass der Stammauslaut in diesen Wörtern verschieden war. Ueber den Ursprung des in den Verbalformen *renas*, *renes*, *rana*[*s*] und *rence* »schenkte«, »weihte« (von Weihgeschenken an die Verstorbenen) enthaltenen Stammes wage ich keine Vermuthung.

In *tamera* habe ich *(-e)ra* als die Endung des Dat. plur. erkannt. Einen Dativ plur. mit derselben Endung finde ich F. 1916 T. XXXVIII. Diese Inschrift eines Marmorcippus von Perugia, welche nur in einer alten Zeichnung vorliegt, möchte ich so lesen:

ạsarfnạte | antuḷạru | flerpenϑn | aanụratrụ spela |
ụr ⁝ ar : laϑ estakklae | χstr : curna |

Die Subjecte des Satzes finde ich in *ar ⁝ klae* »Aruth Klae«, *ar : χstr* »Avle Chvestes«, *laϑ curna* »Larth Cuevnas«.

Das Verbum ist *estak* »weihten« (eig. »aufstellten«). Die Objecte vermuthe ich in *fler penθna aure*, welche Gegenstände des Grabes bezeichnen. Die heiligen Räume des Grabes, in welchen diese Gegenstände sich befinden, sind durch *usar-fuute an tularu* und *spelθ* bezeichnet. Dies werde ich alles im folgenden besprechen. Endlich erwartet man diejenigen Wesen, denen die genannten Gegenstände geweiht sind, bezeichnet zu finden. Diese Wesen können nur verstorbene Menschen sein. Dies erhellt aus *aure*, das, wie ich im folgenden nachweisen werde, »ossuaria« bezeichnet; zugleich aus *penθna*, vgl. F. 1914 B 14—15 und F. 1937. Die verstorbenen Menschen, denen die genannten Gegenstände des Grabes geweiht sind, müssen durch *atra* bezeichnet sein. Von demselben Substantiv kommen sonst die folgenden Formen vor: *atrs'* F. 2335, F. 2167 und in einer Inschrift bei Deecke in Bezz. Beitr. I, 109, *aturs'* F. 2169, endlich das unvollständige *atr-* F. 103. Ich werde im folgenden die Vermuthung begründen, dass dies Wort im Pluralis »Brüder«, »sodales« bezeichnet; jedenfalls bezeichnet es Personen. Wenn *atra* F. 1916 die verstorbenen Personen angiebt, denen die in der Inschrift genannten Gegenstände des Grabes geweiht sind, muss es von *estak* abhangen und entweder Gen. pl. oder Dat. pl. sein. Nun ist aber das Suffix des Genetivs auch im Pluralis *-s*, *-s'*; folglich kann *atra* nur Dat. plur. sein. Ich deute es »sodalibus«.

Wie hier der Dativ *atra* von *estak*, das nach meiner Deutung Präteritum zu *s'ta* ist, abhängt, so sind die Wörter *ulis'iai θipurenaie θeerais'i* F. 2404 syntactisch ganz analog von *s'ta* abhängig.

Die Inschrift eines »sul monte Berico di Vicenza« (F. 21 T. II) gefundenen Steines liest Fabretti:

a··s't··s·kutas·iaiio·s·pona·s·to·a·tra·e··s·t·e·r·mo·r·io·s·
peiiro·s:

Ob in dieser nordetruskischen Inschrift dieselbe Wortform *atra* anzunehmen ist, wage ich nicht zu entscheiden.

Zwei Dative der Mehrzahl auf *-ra* finde ich endlich in der Inschrift einer zu Foiano bei Bettolle gefundenen Schale G. App. 912 bis:

ekuϑuϑiialzreχurazeles'ulzipulϑesurapurtisuraprueune-turareketi

Statt *-pul-* giebt Helbig Bull. dell' Inst. 1879 p. 247 *-pule-*, was mir das richtige scheint, während *-prueunetura-* vielleicht richtiger als *-pruelnetura-* bei Helbig ist. Ich deute diese Inschrift jetzt so: *ϑuϑiialz reχ-ura* »der König des Staates« (oder: »der Stadtgemeinde«) *zel es'ulzi* »der zum (dritten) Male Imperator ist« *ϑes-ura* »weiht« (eig. stellt auf) *eku* »diese« (nämlich »Schale«) *pule* »zum Trankopfer«. Das Adverbium *es'ulzi* ist schon im vorhergehenden gedeutet worden; die anderen Wörter werde ich im folgenden besprechen. Die letzten Wörter trenne ich so: *purtisura prueunetura reketi.* In *purtisura prueunetura* finde ich zwei Dative der Mehrzahl, welche diejenigen verstorbenen Personen angeben, denen die Schale geweiht wird. In *purtisura* erkenne ich denselben Wortstamm wie in *purts'ra-v-e-ti* F. Spl. I, 388 und *purts'ra-nu* F. Spl. I, 387, das Deecke Gött. g. Anz. 1880 S. 1443 »fuit Porsena« übersetzt. Das *i* von *purtisura* scheint mir eingeschoben wie das erste *i* von *aritimi* und das erste *u* von *kusutru* (Deecke in Bezz. Beitr. II. 179); vgl. Deecke Müll. II, 354—357, Gött. g. Anz. 1880 S. 1420 f. Das zweite *u* von *purtisura* scheint aus *ra* entstanden: vgl. *mulune* neben *mulrannice*, *surasi* neben *sralasi.*

In *prueunetura* erkenne ich das Präfix *pru* — lat. *pro-*, welches Deecke in *pruuts* — lat. *pronepos* und nach brieflicher Mittheilung in *prus'uϑne* F. 990 erkannt hat. Ueber das zweite Glied wage ich eine unsichere Vermuthung. In *pru-eunetura* scheint eine Ableitung von dem in *renas, renes, renee* nachgewiesenen Verbum vorzuliegen. Ich erkläre *-eunctura* neben *renas* wie *eslz* neben *zal*, *zelar*, wie *eprθni*, *epl* u. s. w. und wie gr. *εὐρύς*, statt *ἐ*-Ϝρύς, Ϝ(*ε*)ρύς, gr. *εὔχομαι* neben lat. *voveo* u. s. w. Das Suffix von *pru-eunctura* ist vielleicht dasselbe wie das der vedischen Bildungen *sánitva* »zu verehrender«, *váktva* »zu sagender«, u. s. w.; das letzte *u* von *prueunctura* scheint hiernach wie das letzte *u* von *purtisura* entstanden.

Das Verbum *renas*, *renee* bezeichnet »schenkte«, »weihte« (von Todtengaben). Durch das Epitheton *prueunctura* werden die *purtisura* also wohl als diejenigen bezeichnet, »denen vor allen Anderen Todtengaben geweiht werden sollen.«

Das letzte Wort schreibt Gamurrini im Texte *reketi*, allein im Kommentare und im Wortverzeichniss *seketi*; Helbig hat *reketi*, das somit sicher das richtige ist. In *reketi* sehe ich einen Locativ von **reke*. Dies identificiere ich mit altir. *ríge* n. (regnum), got. *reiki*, skr. *rāǵja*, denen das lateinische Adjectiv *regium* formell entspricht. Von *reχ* (rex), das in derselben Inschrift vorkommt, ist *reke* durch das Suffix *-e* statt *-ie* abgeleitet. Also *reketi* = in regno. Die ganze Inschrift möchte ich hiernach jetzt etwa so übersetzen: »Der König des Staates, der zum (dritten) Male Imperator ist, weiht diese (Schale) zum Trankopfer den (verstorbenen) Porsenna's, denen man, wenn man die königliche Gewalt hat, vor allen Anderen Todtengaben darbringen soll« [1]).

Im vorhergehenden habe ich einen Dativ *s'ar* vom Zahlworte *s'a* angenommen. Eine Nebenform findet sich vielleicht F. 1914 A 15:

[1]) In the Academy 6. Mai 1882 habe ich mehrere Wörter dieser Inschrift anders gedeutet.

napers'ranczlϑiifals'ti

Deecke Müll. II, 499 hat für diese Stelle zwei Abtheilungen vorgeschlagen, von denen die folgende mir die richtige scheint: *naper s'r anc zl.* Es verhält sich dies *s'r* zu *s'ar* wie *zl* zu *zal.* Hiernach vermuthe ich in *naper,* bei dem sonst eine unflectierte Zahlform steht, einen pluralen Dativ. Die Richtigkeit dieser Vermuthung kann ich jedoch nicht erweisen, da mir der Zusammenhang unklar ist.

Mit *zelar* steht *zelur* F. 1915 offenbar in Verbindung und ist darum ebenfalls als ein Zahlwort aufzufassen, wie dies auch Pauli (Fo. u. St. III, 81, 134) gesehen hat. Die betreffende Stelle lautet nach Fabretti:

— — *ipa : murzua : cerurum : ein : | heczri : tunur : clutiva : zelur . . . . r*

Tarquini hat nach *zelur* folgendes gelesen: [*us : celuce*]*r : apas'*, siehe Revue archéol. 1858 p. 715.

Die Wörter *cerur(-um), tunur* und *zelur* zeigen dieselbe Endung und müssen daher, wie auch Pauli gesehen hat, dieselbe grammatische Beziehung ausdrücken. Pauli hat ebenfalls erkannt, dass *tunur* mit dem Zahlworte *θu,* wie *zelur* mit *zal,* in Verbindung steht.

Das Verhältniss von *zelar* zu *zelur* macht sogleich den Eindruck einer Motion, und nach der Anleitung von *alpnas, ziras* Nom. sg. masc. neben *alpnu, z*[*ir*]*u* Nom. sg. fem. liegt die Vermuthung nahe, dass *zelar,* welches nach meiner Ansicht Dat. plur. ist, die masculine, *zelur* die entsprechende feminine Form sei. Diese Vermuthung findet in dem Substantivum, zu welchem sowohl *zelur* als *tunur* gehört, nämlich *cerur-um*, Bestätigung. Dies ist nach meiner Ansicht von *celu* Grabzelle abzuleiten; *l* ist hier in *r* übergegangen, wie in *caru* — *calu* und in *carcs, caraθzle, caraθzleis* neben *cal,* was ich im folgenden begründen werde. Wir dürfen für etrusk. *cela* das Geschlecht des lat. *cella* voraussetzen. Ich folgere also, dass sowohl *cerur* als *ϑunur* und *zelur* Dat. plur. fem. sind. Der Dat. plur. fem. *ϑunur* beweist, wie das im vorhergehenden besprochene *ϑuχ iχuterr* (Magliano), dass *ϑu* nicht »eins« bedeutet.

Die Dative *cerur-um* — *ϑunur* und *zelur* sind von den Verben *hecz-ri* und *eluti-ra* abhängig und geben an, für wie viele Grabzellen die Weihgeschenke bestimmt sind.

Ich habe also plurale Dative sowohl auf *-ra* als auf *-r* angenommen. Die Formen auf *-ra* finden sich vielleicht bei denjenigen Wörtern, die Nom. pl. auf *-r* haben, die Formen auf *-r* bei denjenigen, die den Nom. pl. anders bilden. Ich stelle hier die besprochenen Formen zusammen:

A) 1: *tamera* masc., woneben ich den Gen. pl. *tame[rs]* vermuthet habe.
   2: *atra* masc.: daneben finden sich die Formen *atrs'* Gen. sg. und pl., *aturs'* Gen. sg., vielleicht *atar* Nom. pl., welche ich im folgenden besprechen werde.
   3: *purtisura* masc. (vgl. *purts'raveti*).
   4: *pruenneturα* masc.

B) 1: *zelar* masc., *zelur* fem. (Nom.-Acc. *zal*, Gen. *esals*).
   2: *s'ar*, *s'r* masc. (Nom.-Acc. *s'a*, Gen. *s'as*).
   3: *ϑunur* fem. (Nom.-Acc. *ϑu*, *ϑun*, Gen. *ϑunς'i*).
   4: *cerur* fem. (Nom.-Acc. sg. *cela*).
   5: *naper* masc.?

Die Endung *-ra* des etruskischen Dat. plur. lässt sich kaum mit dem Suffixe des Loc. plur. im Iranischen combinieren. Dies ist im Zend. *-shva*, *-hva*, altpers. *-shuva*, *-uva*; die Grundform desselben scheint *-sva*, *-svā*.

Die Endung *-r* in *zelar*, *zelur* u. s. w. scheint nicht aus *-ra* in *tamera* u. m. abgekürzt; freilich findet sich *itun* neben *ituna*, *cel* F. 1900 neben *cela*. Eher steht

-ra (*tamera*) für *-rar* (*tamerar*); vgl. *seϑre* für **serϑre*. In *tamera*(*r*) scheint also *-ar* an den Nom. pl. **tamer* gehängt. Die Endung *-r* des etr. Dat. pl. ist vielleicht mit *-su*, der Endung des Loc. pl. im Indischen und Litauischen (kslv. *-chŭ*) zu combinieren. Das *u* vor *r* in *zelur*, *tunur*, *cerur* entspricht dem *ā* des indischen Loc. pl. *ạçvāsu*, dem *a* des kslav. *rạkachŭ*, dem *ō* des lit. *ránkōsu*. Dagegen weichen *zelar* und *s'ar* in Betreff des *a* von den Locativformen skr. *áçvēshu*, zend. *aspaēšu*, kslav. *raběchŭ* ab.

Im Indogermanischen fungieren Casusformen, die formell eigentlich Locative sind, mehrfach als Dative.

Pluralformen auf -e und -i.

Der Stadtname *Faesulae* ist auf einer etruskischen Münze *ϑezle* geschrieben (Deecke Fo. II, 101 f.). Hiernach scheint die Annahme natürlich, dass *-e* im Etruskischen die Endung des Nom. pl. von denjenigen Nominibus war, deren Nomin. sg. auf *-a* endete. Absolut zwingend ist freilich diese Folgerung nicht, denn es wäre ja möglich, dass die römische Form *Faesulae* durch Volksetymologie beeinflusst wäre und dass das auslautende *-e* in *ϑezle* eine andere grammatische Bedeutung als das auslautende *-ae* von *Faesulae* hätte. Allein die genannte Annahme scheint in mehreren etruskischen Wortformen Stütze zu finden.

In der Pfeilerinschrift einer Grabkammer zu Corneto F. 2279 Z. 4 liest man:

nutisus' . . nunutne : ipa : —   —

Hier werden mehrere Gegenstände aufgezählt, die sich in einem Grabraume (*nuti*) finden. *sus'*[*i*]*na* identificiere ich mit *s'uϑina* Grabgeräth; *ipa* bedeutet nach Corssen

»Aschentopf«. Diese Wörter stehen beide im Nom. sg., als Verbum ist »sind« hinzuzudenken. Zwischen *sus'[i]na* und *ipa* steht *mutne*. Dies ist offenbar eine Form von *mutna* F. 2130, F. Spl. II, 104, G. App. 664, *mutana* F. Spl. III, 358 (Corneto), worin Deecke »ossuarium« erkannt hat. Vgl. Pauli St. III, 44 f., 138. Syntactisch ist es nothwendig, in *mutne* denselben Casus wie in *sus'ina* und *ipa* zu sehen, denn *mutna* ist ja wie diese eben ein Gegenstand, der sich in den Grabräumen findet. Da nun der Nom. sg. *mutna* lautet, muss *mutne* Nom. plur. sein. Unsicher ist es dagegen, ob wir F. 2279 Z. 5 *flenzne* als Nom. pl. von *flenzna* Z. 2 zu verstehen haben.

Neben *-e* findet sich, wie es scheint, *-i* als Endung des Nom. pl. von einem Stamme auf *-a* in der Münzaufschrift *velaθri* = *Volaterrae*; vgl. Deecke Fo. II, 123 f. Die Endung der etruskischen Namensform hat nach meiner Vermuthung dieselbe grammatische Function wie die der lateinischen. Das doppelte *r* von *Volaterrae* verdankt dagegen der Volksetymologie seine Entstehung.

Eine andere Pluralform auf *-i* ist *velznani* auf einer Goldmünze nach der Lesung und Deutung Fabrettis (Atti d. R. Accad. d. Torino XV; 21. Dec. 1879), das einem lat. **Volsiniani* entspricht. Die Singularform wird **velznana* gelautet haben.

Einen mit *velznani* analogen Nom. plur. masc. auf *-ane* finde ich F. 1933:

> — — — *θui ces'u | lusver : etra : ca | .urane : cares | caraθsleis*

Pauli St. III, 97 hat [*θa*]*urane* ergänzt, indem er treffend an *etre θaure* F. 1915 erinnert. Allein da die Zeichnung Conestabiles vor *u* nur für einen Buchstaben Raum hat, ergänze ich vielmehr [*θ*]*urane*. Dies ist nach meiner Vermuthung Nom. pl. von **θurana*, das von dem mit *θaura* verwandten *θura* wie *sparana* gebildet ist.

In [*ϑ*]*urane* »die, welche zum Geschlecht (der Titi) gehören« suche ich das Subject zu *ϑui ces'u* »ruhen hier«; *tusrer* »in Sarcophagen bestattet« scheint mir zum Subjecte gehörig. Durch *relznani* und [*ϑ*]*urane* wird erwiesen, dass nicht nur Feminina, sondern auch Masculina auf *-a* die Pluralendung *-e* oder *-i* haben. Ein anderes Beispiel ist F. 1914 A Z. 19—20: — — *zias'atene* | *tesne* — —. In *s'atene* liegt eine andere Form von *s'atena* B Z. 1—2 vor. Dies *s'atena* deute ich als *s'uϑina*, Grabgeräth: *s'atena* wird unter den von *relϑina* für das Grab geschenkten Gegenständen genannt und ist wohl sicher Object. Das Subject ist *relϑina;* das Verbum finde ich in *es'tac* B Z. 7—8 »stellte auf«. Hiernach muss *s'atene* A Z. 19 ebenfalls Object sein, denn der Ausdruck ist auch hier activisch; *s'atene* kann also hier nur Accus. pl. sein.

Im folgenden werde ich andere Formen auf *-e (-ei)* als Pluralformen deuten.

Etruskische Feminina und Masculina auf *-a* bilden also ihre Pluralform auf *-e*, seltener auf *-i*. Diese Pluralbildung scheint mir einer indogermanischen, namentlich griechischen und lateinischen Pluralform zu entsprechen. Die gr. und lat. femininen und masculinen Stämme auf *a* bilden den Nom. pl. auf *-ai*: *χῶραι*, *ταμίαι*, *literai*, später *litterae*, *aurigae;* die Grundform scheint *-ai*. Stämme auf *-ŏ* bilden im Griech. den Nom. pl. auf *-oi*: *λόγοι*. Auf dieselbe Grundform geht altlat. *Fesceninoe* zurück; sonst im Lat. *-ei*, *-i*: *colonei*, *coloni*. Hiermit identificiere ich die etr. Pluralia auf *-e* und *-i* von singularen Nominativen auf *-a*. Das *e* ist hier, wie sonst oft (Deecke Müll. II, 367—369), aus *ai* entstanden.

Hiegegen streitet nicht die Nebenform auf *-i*, denn auslautendes *-ai* kann im Etruskischen auch zu *-i* werden: so z. B. *anini* F. 2358 (siehe Deecke Müll. II, 501 Anm. 289) *aninai*, *aneinei*, *anainei*, *anainai*. Den urspringlicheren Diphthong werden wir im folgenden in *tei* und *sclaei* erhalten finden.

Die Masculina auf *a*, welche den Plur. auf *-e* oder *-i* bilden, scheinen lat. und gr. Stämmen auf *ŏ* zu entsprechen. So sind *velznani* und *[ϑ]urane*, die Nominative sg. **velznana*, **ϑurana* voraussetzen, Bildungen wie lat. *insulanus*, *oppidanus*. Jedoch scheint im Etrusk. eine Verschmelzung masculiner *ā*-Stämme mit Stämmen auf *ŏ* vorzuliegen.

Die Endung *-e* war nach der hier gegebenen Erklärung ursprünglich auf den Nom. plur. beschränkt, wird aber im Etruskischen auch im Casus des Objects angewendet. Dieselbe Uebertragung fanden wir bei den Pluralformen auf *-r*. Das Etruskische stimmt in Betreff der Pluralformen auf *-e* und *-i* mehr mit dem Lateinischen und Griechischen, als mit den übrigen indogermanischen Sprachen überein. Denn bei den substantivischen *ā*-Stämmen findet sich die diphthongische Endung des Nom. pl. nur im Lateinischen und Griechischen, sonst nicht, auch nicht im Oskischen und Umbrischen. Bei den substantivischen *ŏ*-Stämmen findet sich die ursprünglich diphthongische Endung zugleich im Irischen, Litauischen und Slavischen, dagegen nicht im Umbrischen und Oskischen.

Die Formen *ϑezle*, *mutne* und *[ϑ]urane*, wie mehrere Formen, die ich im folgenden besprechen werde, widerlegen nach meiner Ansicht die unbegründete Behauptung Pauli's (Fo. u. St. I, 65), dass »*tesne rus'ne* eine Flexionsendung zeigt, welche bestimmt keine nominativische ist.« Jedoch will ich nicht behauptet haben, dass *-e* bei den Nominibus auf *-a* nur die Endung des Nom. und Acc. pl. sei; vielmehr vermuthe ich mit Deecke Fo. u. St. II, 59 in *etre ϑaure lautnes'cle* F. 1915 Dative des Singularis.

Das Zahlwort „zehn" im Etruskischen.

Im vorhergehenden bin ich zu dem Resultate gelangt, dass *s'atene* F. 1914 A 19 Accus. plur. ist. Folglich ist *tesne* A 20, das unmittelbar nach *s'atene* steht und dieselbe Endung *-e* zeigt, ebenfalls Accus. plur. Hieraus ist weiter zu folgern, dass *tesne* A 21 und zugleich das unmittelbar darnach folgende *ras'ne* entweder Accus. oder Nomin. plur. ist. Der Form wegen ist das eine wie das andere möglich: ich habe nämlich nachgewiesen, dass die Endung des Nomin. pl. und des Accus. pl. dieselbe war. Mit *tesne ras'ne* steht *tesns' teis' ras'nes'* A 4—5 und A 22 offenbar in Verbindung. Und zwar unterscheidet sich *ras'nes'* von *ras'ne* nur durch die Genetivendung *-s'*. Ich habe gezeigt, dass der Genetiv plur. so gebildet wurde, dass *-s* oder *-s'*, *-s'i* an die Form des Nom. pl. gehängt wurde. Folglich ist *ras'nes'* Gen. plur., und dasselbe muss von den mit *ras'nes'* zusammengehörigen Wörtern *tesns'* (Gen. von *tesne*) und *teis'* angenommen werden.

Dies wird bestätigt und näher bestimmt durch G. App. 804 Z. 1 (Corneto). Gamurrini liest:

..neteiesninuṇehutuchuniϑmueṛ

Der letzte Buchstabe ist nach Undset sicher *u*, nicht *r*, und dies ist durch eine erneute Untersuchung von Sign. Bazzichelli bestätigt worden. Der vorletzte Buchstabe, den Undset nicht bestimmt hat, scheint mir nach seiner Zeichnung am ehesten ein *z*. Ich theile: *..ne tei esninuṇe hut uchuni ϑmuẓu* (?).

Das *tei* verhält sich zu *teis'* F. 1914 ganz wie *ras'ne* zu *ras'nes'*. Da *teis'* Gen. plur. ist, muss *tei* Nom. oder Accus. plur. sein. Dies wird dadurch bestätigt, dass *tei* zwischen zwei Wörtern auf *-e* steht, denn in *-e* habe ich eine Endung des Nom.-Acc. plur. nachgewiesen. Nach *esuinune* folgt *hut*. Dies ist offenbar das Zahlwort, welches das darnach folgende Wort bestimmen muss. Ich möchte hier *ueluni* abtrennen. Da ich nun in der zweiten Zeile kein Subject des Verbs *arce* am Ende der zweiten Zeile finde, fasse ich *hut uelani* als Nom. plur. und sehe darin ein Subject des Verbs *arce* d. h. »opferten«. Wenn dies richtig ist, muss . . *ne tei esuinune* ebenfalls Nom. pl. sein und zugleich mit dem coordinierten *hut uelani* Subject des Verbs *arce* sein.

Die Wörter . . *ne tei* sind in ihrer Stellung vor dem Nom. pl. *esuinune* mit dem Zahlworte *hut* in seiner Stellung vor dem folgenden Substantiv ganz analog. Dies führt zu der Folgerung, dass . . *ne tei* Zahlwörter sind, während *esuinune* ein Substantiv sein muss.

Die Lesung *esuinune* ist in Betreff des zweiten *u* unsicher: in dem Facsimile Gamurrinis ist dieser Buchstabe ganz undeutlich. Auch nach Undset ist der Buchstabe vielleicht ein *n*, scheint aber in seiner Zeichnung einem *u* unähnlich. Von dem oberen Theile des Hauptstabes geht ein Querstrich links schräge aufwärts (nicht niederwärts, wie bei *n*): der linke Stab des Buchstabens lässt sich wegen des Bruches nicht erkennen. Jedoch spricht das Metrum, wenn die Zeile, wie ich vermuthe, versificiert ist, für ein viersilbiges Wort: *esuinūne*. Dies ist nach meiner Vermuthung durch Epenthese aus **esunanei* entstanden und ist Nom. plur. von einer Singularform **esunana*. Vielleicht ist dies ein Familienname, von einem Familiennamen **esuna* (oder **esunu?*) ungefähr wie *pulena* von *pule*, *ripina* von *ripi* (Pauli Fo. u. St. I, 82 f., Deecke Fo. u. St. II, 33 f.) weitergebildet; vgl. den Familiennamen *ezunei* F. Spl. III, 126 (Chiusi), fem., *ezuu* G. App. 172 — F. 597 bis b (Chiusi) und F. 1011 bis b (Sarteano). Verwandt scheint der Familienname *eizenes* F. Spl. II. 113. 114 (Corneto), Fem. *ẹizeni* F. 2077 (Viterbo) nach Deecke Fo. III, 296. Wenn diese Deutung richtig ist, wird man *esuinuṇe* als »Mitglieder der Familie *esununa*« oder »Nachkommen der Familie *esuna*« auffassen dürfen.

Diese Deutung wird dadurch bestätigt, dass auch nach *hut* ein Familienname im Nom. plur., wie es scheint, folgt: *veluni* deute ich als Nom. pl. vom Nom. sg. masc. **veluna*; vgl. *arnϑ· vipi | velunu* F. Spl. III, 247 und das lat. Gentilicium *Velonius*. Die Form *veluni* zeigt dieselbe Endung wie *velznani* [1]).

Nach dieser Inschrift, wie ich sie deute, opfern also Männer, die zwei verschiedenen Familien gehören, ein Todtenopfer. So erwähnt der grosse Cippus von Perugia ein den Familien *velϑina* und *afuna* gemeinsames Begräbniss und Weihgeschenke, die von beiden Familien zu diesem Begräbnisse gegeben sind.

Ich habe bereits nachgewiesen, dass *tei* G. App. 804 Z. 1 Nom. pl. zu dem Gen. pl. *teis'* ist, welcher im Ausdrucke *tesns' teis' ras'nes'* F. 1914 A Z. 4—5 und Z. 22 vorkommt; ferner habe ich nachgewiesen, dass *tesns'* Gen. pl. zu dem Nom.-Acc. pl. *tesne* F. 1914 A Z. 20 und 21 ist. Wenn man hiernach . . *ne tei* G. App. 804 Z. 1 mit *tesns' teis'* F. 1914 A Z. 4 und Z. 22 vergleicht, liegt es auf der Hand, dass das unvollständig erhaltene Wort . . *ne* vor *tei* mit *tesne* gleichbedeutend ist. Der Buchstabe vor *ne* ist nach Undset *r* oder *e*; von diesem Buchstaben ist ein senkrechter Strich mit einem Querstriche erhalten. Ich lese hiernach [*t*]*ẹne*. In diesem ist *s* vor *n* ausgefallen wie in den Formen *tanna, ϑentma*, die ich im folgenden besprechen werde.

Wir haben also [*t*]*ẹne tei esuinuṇe*. Hier ist [*t*]*ẹne tei* ein Zahlwort, das die Zahl der durch *esuinuṇe* bezeich-

[1]) Des *veluni* wegen gebe ich jetzt eine frühere Auffassung auf, wonach *esuinuṇ* ein Appellativ mit der Bedeutung »Priester« wäre, wie *eisnevc* F. 2100 nach Deeckes Deutung et fuit sacerdos bedeutet; vgl. umbr. *esunu* (sacrum).

neten Personen angiebt. Ich bin somit »von sachlichen Gesichtspunkten aus, unter Beihülfe der Analogie in der Formenbildung, combinatorisch, stellenweise sogar rein divinatorisch« vorgehend zu einer Deutung gelangt, die mit der zuerst von G. F. Grotefend gefundenen, später von Corssen stark hervorgehobenen und neuerdings von Deecke anerkannten Deutung übereinstimmt, dass *tesne* (= *tesne*) *tei* — *tesns' teis'* »12« bedeutet. Auf der anderen Seite ist es klar, dass die von Pauli für *tei* Gen. *teis'* aufgestellte Deutung »statutus« wie die Deutung von *tesns'* als »dedicationis« an den besprochenen Stellen nicht anwendbar ist. Pauli hat keine mit einem Particip. *tei* analoge Bildung anführen können, und ich begreife nicht, wie er seine Deutung dieses Wortes aufrecht halten kann, da er die Deutung von *tece* als »statuit«, worauf allein die Deutung von *tei* als »statutus« gegründet war, selbst (nach meiner Ansicht freilich mit Unrecht) Fo. u. St. III, 73, 156 wieder aufgegeben hat.

Pauli hat Fo. u. St. III, 33—35 die Deutung von *tesne, tesns'* als 10 und *tei* als 2 vom Standpunkt der Lautlehre bekämpft. Er räumt ein, dass *c* vor *l* sicher in *s* übergeht, behauptet aber, dass dieser Uebergang vor den Nasalen nicht stattfinde. »Hier finden wir nicht bloss im Inlaut *lecne, pacnei* etc. (Mü.-De. 397) stets unverändert, sondern das *cn* wird sogar auslautend in *cen* beibehalten.« Diese Argumentation scheint mir in mehreren Hinsichten verfehlt. Erstens ist die Konsonantenverbindung *cl* im Inlaut sehr häufig (vgl. Deecke Müll. II, 397). Da nun *s* in *munsle, ucrislane* u. s. w. aus *c* entstanden ist, trotzdem dass etruskische Formen mit inlautendem *cl* (wie *aclena, auclina, cuclnies* u. s. w.) sehr häufig sind, so können Formen mit inlautendem *cn* (wie *lecne, pacnei* u. s. w.) nicht die Annahme widerlegen, dass *s* in *tesne* aus *c* entstanden ist. Zweitens liegt der geleugnete Lautübergang, wie Corssen und Deecke erkannt haben, deutlich vor in *fels'nal* Poggi Nr. 1 (bei Montepulciano), *felznal* F. 668, *flznal* G. App. 516 neben *felcna* F. 867 ter g (bei Montepulciano), *felcinatial* F. 1450, 1803; ferner in *reisnei* G. App. 525 (bei Chiusi) neben *reicnei* F. Spl. I bis a (Chiusi), *reicnal* u. s. w. Drittens hat Pauli diese Lautfrage überhaupt, wie mir scheint, schief betrachtet. Sowohl der Uebergang *cl* — *sl* als *cn* — *sn* scheint mir — unmittelbar — unerklärbar und unzulässig. Das Umbrische giebt die richtige Erklärung. Hier ist *çl* von *kl* geschieden: *-çl-* ist, wie Bréal richtig gesehen hat, aus *-çĕl-*, *-kĕl-* entstanden, z. B. *arçlataf* aus **arkĕla-*. So ist etrusk. *ucrislane* nicht aus **ucriclane,* sondern aus **ucrisĕlane, *ucricĕlane* entstanden, Dies wird durch Formen wie *sleparis* = *Κλεοπατρίς* nicht widerlegt: *sleparis* ist zunächst aus **sĕleparis, *cĕleparis* entstanden. Für den Vokaleinschub in **celeparis* vgl. *heraceli,* spätlat. *carabro, chalamydem, Cereperia* u. ähnl. (Corssen Aussprache II, 385 f.), *trichilinium* (II, 387); ähnliche Beispiele aus dem Romanischen bei Diez Gramm. I, 303. Will man die lautliche Möglichkeit eines Ueberganges **tecĕne* — **tesĕne* — *tesne* leugnen, so muss man zugleich leugnen, dass inlautendes etr. *s* vor *e* (z. B. in *manerse*) aus *c* entstanden und inlautendes *ĕ* vor *n* ausgedrängt sein kann. Allein dies leugnet auch Pauli gewiss nicht.

Mit dem *n* von *tesne*, [*t*]*ene*, *tesns'* vergleiche man das *n* der gotischen Form *taihun,* Dat. *taihunim*.

Der Nom. plur. *ras'ne* F. 1914 A 21 und der Gen. plur. *ras'nes'* A 5 und 22 setzen einen Nom. sg. **ras'nas, *ras'na* voraus. Das Wort muss Personen bezeichnen und ist nach meiner Ansicht wie *esuinune* männlich. Die *ras'ne* bezeichnen, wie es scheint, Mitglieder einer gewissen Abtheilung des Volkes *(rasnea, rasna),* etwa *tribules.*

Das Zahlwort 12 findet sich vielleicht auch F. 808 (Henkeltopf von schwarzer Erde, Chiusi):

mitesanteiatarχumenaia

Deecke trennt dies in *mi tes antein tarχumenaia*, Pauli dagegen in *mi tesan tei atar χumenaia.* Ich möchte die Trennung Pauli's für die wahrscheinlichere halten, obgleich ich nicht mit ihm übersetze: »hanc dedicationem statutam (sc. dedit) familia Cominiae«. Ich nehme mit Pauli an, dass *tesus' teis'* der Genetiv zu *tesan tei* ist. Dies deute ich »zwölf« und verbinde es attributivisch mit *atar*, worin ich das Subject (Nom. pl.) sehe. Auch mit *atrs'*, dem Genetive von *atar*, ist an zwei Stellen ein Zahlwort verbunden. In *tesan tei* (oder *tesantei?*) sehe ich eine Nebenform zu [*t*]*ene tei* G. App. 804 Z. 1. Vielleicht ist *tesantei* als ein zusammengesetztes Wort aufzufassen, während wir in [*t*]*ene tei* und *tesus' teis'* zwei selbständige Wörter, jedes mit seiner Endung, haben.

Oder ist F. 808 *mi* (dies) *tes* (stellen auf) *an* (hier) *tei* (zwei) zu theilen?

Eine Form des Zahlwortes »zehn« findet sich F. 2335 (Corneto):

caṃnas : larϑ· larϑals' : atnalc· clan· an s'uϑi· lartni :
ziras'·ceriχu | tes'amsa· s'uϑiϑ· atrs'rc· escuna· -- —

Hier hat Deecke (Lit. Centralbl. 1881, 20. Aug.) *tes'am sa* als »16« gedeutet. Dies bestreitet Pauli (Fo. u. St. III, 33, 36), weil das Zahlwort *s'a* sonst stets mit *s'* geschrieben sei, und er sieht in *tes'amsa* einen mit *tesus'* gleichbedeutenden Genetiv. Wenn Pauli hierin Recht hätte, würde ich jedenfalls *tes'amsa* nicht mit ihm »dedicationis« übersetzen, sondern darin den Gen. des Zahlwortes 10 finden. Allein man beachte die Sarcophaginschrift F. Spl. II, 109:

ulznei : ramϑa· arṇaṭ· al|e|tnaṇ . . . nas' | seϑrus'·
a . . . . ua . . larϑalis'la | sas' . . . .

Vgl. Deecke Fo. III, 312 f. Hier scheint *sas'* mit dem Zahlworte *s'as* gleichbedeutend: wenn dies richtig ist, muss nach *sas'* ein Zehner im Genitiv fehlen. Und diese Inschrift ist wie F. 2335 zu Corneto gefunden.

Ich deute also *tes'amsa* mit Deecke »sechszehn« und verbinde es mit dem folgenden *atrs'*, worin ich ein Substantiv im Gen. pl. finde; der Genetiv hat hier, wie gewöhnlich, die Bedeutung des Dativs. Das Verbum ist *munθ* »schenkte«. Ich fasse also *tes'am* als Nebenform zu *tesan*. Für den Wechsel *m* — *n* vgl. *am* Magliano = *an*, *leθam* Gen. *leθms* und *leθns*; *tesan* steht für **tesn*, **tesen*, **tecen*. Die Cardinalzahl *tes'amsa* ist hier bei dem Genetiv *atrs'* unflectiert: vgl. *sal efrs, afrs ci* Magliano.

Das ähnlich lautende *tezan* scheint mir F. 1900 und F. 1914 A von *tesantei*, [*t*]*enr*, *tesns'*, *tes'amsa* ganz verschieden und vielmehr mit Deecke in *tez* (Verbum) *an* (pronominales Wort) zu trennen.

Das Zahlwort für 10 finde ich ferner in *tanma* F. 1914 A Z. 1. Dass dies die richtige Lesung ist, hat Deecke Fo. III, 153 bemerkt. Ich erkläre *tanma* als »elf« und sehe darin eine Zusammensetzung von **tesn* (aus *tesne* zu folgern), *tesan*, *tes'am* und *maχ*. Wie in *tanma* eine mit *maχ* gleichbedeutende Form *ma* erscheint, so findet sich *malaris* G. App. 773 neben *malarisχ*, *munθu* F. 2487 — Gerh. T. CLXV neben *munθuχ*, *rescial* neben *resχuale*, *asu* F. 2661 und 2662 neben *asuχ* F. 2488. Das *a* der ersten Silbe in *tanma* ist durch Assimilation an das *a* der zweiten entstanden, vgl. meine Bemerkungen S. 5 zu *anmat* F. Spl. III, 391; *tanma* steht für **tenma* und dies wieder für **tesnma*. Vgl. *clan* neben *clesnes* G. 802, Z. 6; *fuflant* Spl. I, 453 fuflunsl F. Spl. III, 402; *tuan* F. 1214 neben *tus'un* F. 1208 in demselben Grabe; [*t*]*ene* neben *tesne*. Ich deute *tanma* — — *sleleθ caru* so:

»elf — — (sind) in der Grabzelle bestattet«. Eine Nebenform zu *tamna* finde ich in *θentma* F. 346. Dies hat das ursprüngliche *e* der ersten Silbe erhalten. Das *t* in *θentma* scheint mir eingeschoben. Ich erinnere daran, dass in den verschiedensten Sprachen *d* zwischen *n* und *l* (auch *t*, z. B. deutsch *wöchentlich*), *n* und *r*, *l* und *r* eingeschoben wird, wie auch *t* zwischen *s* und *r*, *s* und *l*. Ich erinnere an das eingeschobene *t* in den niederdeutschen Formen *diärenthalwen*, *diäszenthalwen* (Kuhns Zeitschr. IV, 137). Das Zahlwort *θentma* gehört attributivisch zu dem unmittelbar folgenden Nom. pl. *selaei tre*.

Die Wortstellung *tesan tei*, [*t*]*eue tei*, *tesns' teis'*, *tamna*, *θentma* findet sich wieder im umbr. *desenduf*, lat. *decem sex*, *decem et duo* (Buecheler: Populi Iguvini lustratio p. 38), gr. *δέκα τρεῖς* u. s. w.

Pauli Fo. u. St. III, 145—147 hat in einer höchst scharfsinnigen Entwickelung für das Etruskische die Zahl *nurθ* »zehn« nachzuweisen gesucht.

Das Zahladverbium *nurφzi* wird durch die Combination von F. 2339 mit G. App. 740 gewonnen. Die jetzt verschwundene Wandinschrift eines cornetanischen Grabes F. 2339 wird von Maffei so gegeben:

> *larθ· ceisinis· velus· clan· cizi· zilaχnce | meani· municleθ meθlm· nupφzi canθce· calus . . lupu*

Statt *meani* steht bei Forlivesi und in einem cod. Marucell. *meiani*; statt *meθlm* bei Forl. *memolum*, im cod. Mar. gewiss richtig *meθlum*; statt *nupφzi* bei Forlivesi *nurφzi*.

G. App. 740 (Viterbo, drei Fragmente von Peperin aus einem Grabe)[1]):

[1]) Undset konnte das Stück, auf dem die Wörter der zweiten Zeile standen, nicht finden.

. leϑnas· a· r· zilχ· marunuχva· za (falsch statt *te*) .... |
. rϑz· zince . . c . . . .

Dass F. 2339 *nurϑzi*, nicht *nupqzi*, das richtige ist, folgert Pauli aus *. rϑz* G. App. 740. Jedoch fehlt vor *rϑz* nach Gamurrini nur ein Buchstabe.

Ich nehme nicht mit Pauli an, dass in *canϑce* ein Beamtentitel stecke und dass dieser durch das Adverbium *nurϑzi* näher bestimmt sei. Ich deute die Worte vielmehr so: »Ein *meϑlum* (d. h. *magister*) schenkte (*canϑce*) dem Bestatteten (*calus*) den Sarg (oder: das Grabmal, *meiani*) in der Grabkammer (*municleϑ*)«. *Canϑce* heisst wohl eig.: verarbeitete, dann: schenkte einen künstlich gearbeiteten Gegenstand als Weihgeschenk. Ich werde diese Deutungen im folgenden begründen. In *nurϑzi* hat Pauli gewiss richtig ein wie *cizi* gebildetes Zahladverbium gesehen. Durch dies Adverbium wird hier der voranstehende Magistratstitel *meϑlum* bestimmt, wie G. App. 912 bis *zel* durch *es'ulzi* und wie F. 346 das Substantiv *selaei : tre* durch das unmittelbar folgende Adverbium *es'*. Also bedeutet *meϑlum nurϑzi* »ein Mann der —mal (oder: zum —ten Male) *meϑlum* (magister) gewesen ist«. Wenn aber Pauli *nurϑzi* bestimmt durch »zehnmal« übersetzt, glaube ich dies dadurch widerlegt zu haben, dass ich im Etruskischen das indogermanische Zahlwort für »zehn« nachgewiesen habe. Was Pauli für seine Deutung positiv vorbringt, ist zwar scharfsinnig, jedoch nicht beweisend. Die Göttin *Nortia* wird von den Alten mit der Zahl »zehn« nicht in Verbindung gebracht. Die römische Göttin *Decuma* hat nach den Zeugnissen der Alten mit *Nortia* nichts zu thun. Auf dem Templum von Piacenza hat Poggi nach Autopsie *teϑ|rm*, nicht *tec|rm* gelesen, und auf der Zeichnung Deecke's, die nach einem freilich mehrfach mangelhaften Gypsabgusse gefertigt ist, sieht der dritte Buchstabe wie ein unvollständiges *ϑ*, nicht wie ein *c* aus. Auch wäre es sonderbar, dass unter etruskischen Götternamen ein lateinischer Name *teerm* angebracht wäre, wenn die *Decuma* im Etruskischen *Nortia* hiess[1]).

Eine Vermuthung über die positive Bedeutung des Zahladverbiums *nurϑzi*, *.rϑz* halte ich vorläufig zurück.

maχ.

Neben *maχ* »ein« erkenne ich eine Form *ma* in *tanna* F. 1914 A Z. 1, *ϑentma* F. 346. Das Verhältniss zwischen *maχ* und *ma* ist wohl eher so zu fassen, dass in *ma-χ* das Suffix -χ angefügt ist, als dass das -χ in *ma* abgefallen sei. Andere haben bereits *maχ* mit *μία* verglichen, das wahrscheinlich aus *smia* entstanden und mit kret. *ἅμακις* »einmal«, lat. *semel*, slav. *samŭ* »einer, irgend einer«, got. *sums* »irgend einer«, verwandt ist. Hieher gehört auch *μοῦνος*, *μόνος* statt *mo-n-ro-s*, dessen Element *mo* mit dem *ma* des etr. *maχ* identisch scheint. Der Umstand, dass anlautendes *sm* im Etruskischen vorkommt *(sminϑe)*, kann diese Combination nicht hindern. In gr. *μία*, *μικρός* u. m. ist ja *s* vor *m* auch abgefallen, obgleich anlautendes *σμ* im Griechischen oft vorkommt. Vielmehr wechselte schon in der indogermanischen Ursprache anlautendes *sm* mit *m*, wie *st* mit *t*, *sp* mit *p* u. s. w., nach einer bestimmten, freilich bisher nicht gefundenen Regel. Wurde *sm* zu *m* ursprünglich vor einem unbetonten Vokale? Nach Corssen ist in etr. *maru* ein *s* vor dem *m* abgefallen; dies scheint mir jedoch zweifelhaft.

[1]) Dass die *Decuma* wirklich von dem zehnten Monat der Schwangerschaft benannt ist, erhellt aus der neben *Decuma* genannten *Nona*; s. Varro bei Gell. III, 16. Dadurch wird die Deutung Paulis, wonach *Decuma* die Göttin des zehnmonatlichen Jahres sein soll, hinfällig.

Das Zahlwort „zwei“ im Etruskischen.

Nach meiner Annahme wird »zwei« im Etruskischen an einigen Stellen durch *tei*, Gen. *teis'*, *teis*, an anderen durch *θu*. *θun*, Gen. *θunes'i* ausgedrückt. Mit Recht findet Pauli (Fo. u. St. III, 33) es befremdend, dass *tei* mit *θu*, *teis'* mit *θunes'i* gleichbedeutend sein soll. Wie ich meine, haben diese Formen grammatisch nicht dieselbe Function, obgleich sie sämmtlich im Deutschen durch »zwei« übersetzt werden müssen.

Um die genannte Differenz zu erklären, ist es nothwendig, die Anwendung dieser Numeralformen näher zu betrachten.

Die Formen auf *-ei*, Nom. *tei*, Gen. *teis'*, *teis*, sind überall von Personen angewendet. So steht *teis'* d. h. duorum F. 1914 A 4—5 und 22 attributivisch zu *ras'nes'*, das jedenfalls Personen, vielleicht »tribulium« bezeichnet. G. App. 804 Z. 1 ist *tei* (duo) mit *esnimne* verbunden: dies bezeichnet ebenfalls sicher Personen, vielleicht »Mitglieder der Familie *esnimna*«. Magliano B 4 ist der Gen. *teis* (duorum) mit dem Gen. pl. *eritinras* verbunden; darin haben wir sicher Männer zu suchen, denen eine Grabkammer (*mulsle*) geweiht wird. Ich deute *eritinras* als »Verklärten«, eig. *aeternorum*. Wenn Pauli die Wörter der Inschrift F. 808 richtig abgetheilt hat, gehört *tei* hier zu *ator*, das nach meiner Vermuthung »fratres«, »sodales« bedeutet. Ist der Gen. pl. *teis* auch in *teisnica* F. 2279 Z. 3 enthalten und bezeichnet dies einen Grabraum für zwei Personen?

Dagegen gehört *θunes'i* F. 2335 a, der Gen. von *θu* »zwei«, zu *avils* d. h. annorum; *θun* Magliano B 6, das ich als Accus. »zwei« deute, steht adjectivisch zu *auri* d. h. ossuaria, siehe meine Deutung im folgenden. Das

Zahlwort »zwei« kommt auch Magliano A 8 in der folgenden Verbindung vor: *arilsχ· eca· cepen· tuθiu* | *θuχ· iχutevr· hes'ni· mulveni·* — —

Hier ist *θu* (in *θu-χ*) von Gegenständen, die geschenkt oder gewidmet werden, nicht von Personen, angewendet. Ferner bedeutet *θutum* F. 2777 nach meiner Vermuthung »zwei und zwanzig«, was von Schalen zu verstehen ist. Endlich ist *θu* auf den Würfeln nicht von Personen angewendet. Das Resultat ist also: *tei*, Gen. *teis'*, *teis* »zwei« ist überall von Männern angewendet, *θu* oder *θun*, Gen. *θunes'i* dagegen überall von Gegenständen oder unpersönlichen Begriffen. Wie weit *θu* (*θun*) nicht nur in Betreff der Anwendung, sondern auch in Betreff des grammatischen Geschlechts von *tei* abweicht, wage ich nicht zu entscheiden. Auf den Würfeln passt für *θu* neutrale Bedeutung; vgl. den griechischen Vers:

ἓξ ἕν, πέντε δύο, τρία τέσσαρα κύβος ἐλαύνει.

Nach der von mir gegebenen syntaktischen Bestimmung scheint die etymologische Erklärung von *tei* nicht schwierig. Die Form *tei* steht für **tvei*; vgl. *s'elans'l* = *selvansl*, *mulenike* = *mulveneke*, *nacna* = *nacnva*, *s'ec* = *s'vec* F. 724 bis a, u. m.: *tei* statt **tvei* ist mit got. *tvai* masc., altpreuss. *dwai* masc. identisch. Die ursprüngliche duale Flexionsendung ist also bei etr. *tei*, wie im Gotischen und Altpreussischen, in eine plurale verwandelt. Die Endung *-ei* in *tei* ist mit dem *-e* von *ras'ne*, *esuinune*, [*θ*]*urane* u. s. w., dem *-i* von *velznani* etymologisch identisch; ebenso die Endung *-eis'* in *teis'* mit dem *-es'* von *ras'nes'*. Die Formen *ras'ne*, *ras'nes'* sind aus **ras'nei*, **ras'neis'* entstanden. Während *-ei* hier in der unbetonten Silbe zu *-e* erleichtert wurde, hat es sich in *tei*, *teis'*, wo es betont war, erhalten. Dass *ras'ne* aus **ras'nei* entstanden ist, wird auch durch das im folgenden zu besprechende *selvei* bewiesen.

Die Länge des auslautenden *-e* in *[t]ene* wird G. App. 804 Z. 1, nach einer im folgenden begründeten Vermuthung, durch das Metrum erwiesen. Also war auch in *tesne* das auslautende *e* lang. Diese etruskische Zahlform hat im Gegensatz zum lat. *decem,* gr. *δέκα* u. s. w. dieselbe plurale Endung wie *ras'ne, esuinune* u. s. w. angenommen. Wir haben aber gesehen, dass das Etruskische auch die ursprünglichere Form mit auslautender Nasalis erhalten hat.

Neben *ϑu* ohne *n* kommen mehrere zu diesem Zahlworte gehörige Formen vor, welche nach *u* ein *n* zeigen: *ϑun, ϑunes'i* (Gen.), *ϑunz* »(zwei)mal«, *ϑufi* statt **ϑunzi, tunur* Dat. plur. fem., vielleicht *ϑunχulϑe, ϑunχulϑl.* Pauli Fo. u. St. III, 16 f. hebt mit Recht hervor, dass dies *n* bei der Identification des etr. *ϑu* mit lat. *duo,* gr. *δύο, δύω* u. s. w. Schwierigkeit macht. Dass das *n* mit dem *n* des lat. *bini* identisch sei, hat keine Wahrscheinlichkeit. Ich wage einen anderen Versuch. Weder die Nominative *ϑu, zal, ci, s'a,* noch die Genetive *ϑunes'i, esals, cis, s'as* zeigen ein Merkmal des Pluralis: *s'as* ist von *s'a* wie *alfas'* von *alfa* gebildet, *cis* von *ci* ist mit dem Gen. *ripis* von *ripi* analog, *esals* von *zal* zeigt dasselbe Genetivsuffix wie *usils* von *usil.* Der Nominativ *ϑu* kann aus der indogermanischen Form *duo* entstanden sein; vgl. *cerun, Γηρυόν.* Dass dies *ϑu* den Gen. *ϑunes'i* bildet, ist aus der Analogie der Nomina auf *-u* zu erklären. Mehrere dieser Nomina zeigen nämlich in der Flexion und in der Ableitung nach *u* ein *n.* So haben wir *marunuχ* und *marunuχva* neben *maru; mliϑuns* F. 2033 bis A b (Genetiv) setzt eine mit *apulu, aplu* = Ἀπόλλων, *muifu*[1]) F. 2033 bis C a analoge Nominativform voraus;

[1]) Pauli St. I, 93 ändert *muifu* in *mliϑu.* Allein *muifu,* wie Brunn, Conestabile, Fabretti unabhängig von einander gelesen haben, ist nach Undset sicher und deutlich.

neben *hatta* erscheint das Fem. *hattunei*, u. s. w. Auch *θunz*, die Dativform *tunur* u. m. sind daraus zu erklären, dass *θu* wie *maru* als ein Stamm auf *un-* aufgefasst wurde.

In der Magliano-Inschr. kommt *θu* in *θu-χ* vor, dagegen *θun* B Z. 6, wo ich *θun* mit *uni* verbinde. Sowohl *θu-χ* als *θun* steht im Verhältniss des Objects.

Pauli (Fo. u. St. III, 129—134) sieht in *θunχulθe* ein zu *θu* gehöriges Zahlwort. Ich kann darin nicht ein Zahlwort sehen, allein auch mir ist es wahrscheinlich, dass *θunχulθe* mittelbar von *θu* abgeleitet oder damit zusammengesetzt ist. F. 1914 A 12 haben wir — — *clen θunχulθe* — —. In *clen* sehe ich ein Adjectiv, das von *cela* abgeleitet ist und »zur Grabkammer gehörig« bedeutet. Ein Genetiv von *θunχulθe* erscheint F. 1914 B 19 20:

ein zeriu naeχa θil θunχulθl iχ ca ceχa ziχuχe

Hier ist *θunχulθl* wie *θil* von *naeχa* »Todtenopfer« regiert, und mit diesem scheint *ca ceχa* copuliert zu sein.

Den Genetiv ergänze ich auch F. 2279 Z. 7: *cecasin : θunχu[lθle]m : enac :* wo die mit einander copulierten Genetive *cecas* und *θunχulθl* beide von *enac* »Todtenopfer« regiert sind. Das Substantiv *θunχulθe* scheint mir mit *tuχulχa*, dem Namen einer Furie in der Tomba dell' Orco bei Corneto, F. Spl. I, 412 verwandt; *θunχulθe* bedeutet daher nach meiner Vermuthung »ein der Tuchulcha dargebrachtes Opfer«. Der Name *tuχulχa* steht vielleicht für **θunχulθa*; vgl. *meχlum* = *meθlum* und *zilaχnu* statt **zilaθnu* von *zilaθ*. Von **θunχulθa* = *tuχulχa* scheint *θunχulθe* ungefähr wie *reke* G. App. 912 bis von *reχ* abgeleitet.

Auf der Aussenseite einer Thonschale von Nola ist eine jetzt stark beschädigte Inschrift eingeritzt: F. 2777

(T. XLIX) nach Mommsen Unterit. Dial. T. XIII, 13, S. 315; Corss. T. XVI, 6. Corssen I, S. 513 liest:

curelatnaheliuϑutumletuleXXII *acre*

Das Wort *acre*, wovon man bei Mommsen nur *a* ... deutlich sieht, ist durch einen grossen Zwischenraum von der übrigen Inschrift getrennt. Deecke Fo. III, 101 macht darauf aufmerksam. dass die Zeichnung Corssens vielmehr *latnal* zeigt.

Nach Deecke ist *cure* Nomin. eines männlichen Familiennamens, *latnal* Genetiv des Namens der Mutter, *heliu* Beiname im Nominativ. Nach meiner Ansicht darf statt *cure* nicht *cupe* gelesen werden. Im folgenden theile ich mit Corssen *ϑutum letule*, deute aber dies anders als er.

In *letule* erkenne ich ein Casussuffix *-le*. Dies scheint mir wesentlich dasselbe Suffix wie *-ale*, das Deecke Fo. u. St. I, 2 in *larϑiale* F. Spl. I, 398 als Casussuffix mit der Bedeutung des lateinischen Dativs erkannt hat. Zwei andere Wortformen mit derselben Endung hat Pauli Fo. u. St. III, 83 in *slicale*. | *aprinϑvale* G. App. 799 nachgewiesen. Ob diese Endung formell eigentlich, wie Pauli meint, eine Genetivendung ist, geht uns hier nicht an, denn sowohl G. App. 799 als F. Spl. I, 398 scheint sie die Bedeutung des lateinischen Dativs zu haben. Für die Form *-le* in *letule* neben *-ale* in *larϑiale* u. s. w. vergleiche man *cezpalχals* neben *cealχls*, *larϑl* = *larϑal*, *arnϑl* = *arnϑal*, *lasl* für **lasal*, u. s. w.

In Betreff des Stammes vergleiche ich *letule* mit dem Götternamen *leϑam* F. Spl. I, 395, der auf dem Templum von Piacenza in verschiedenen Formen 5 oder 6mal vorkommt: *leϑam*, *leϑn*, *leϑms*, *leϑns*, vielleicht auch *leta*. Nach Deecke bedeutet dieser Name »Lar«, »Genius«. Ich möchte die Deutung »Vesta« vorschlagen; vgl. hierüber mehr im folgenden. Nun scheint zwar die Form *-le* einen Genetiv auf *-l*, *-al*, also **letnal*, vorauszusetzen, während der

Genetiv *leϑns* auf dem Templum vorkommt. Allein diese Differenz scheint meine Deutung von *letnle* nicht zu widerlegen, denn der Vorname *larϑia* hat in und um Clusium den Genetiv *larϑias*, in Volaterrae *larϑias'*, dagegen im südlichen Etrurien *larϑial* (Pauli St. II, 68). Ich deute also *letnle* als »der Göttin Letham«. Weniger wahrscheinlich ist mir die Deutung von *letnle* als »der Latona« von *letun* F. 478; vgl. *marnu* neben *marunu*.

In Gefässinschriften sind Genetive von Götternamen regelmässig von Verben des Widmens regiert. Ein solches Verbum finde ich hier in *acre*. Die Endung *-e* kommt in vielen Verbalformen vor: *ture, mulune, rile, ace,* u. s. w. Die Verbalform *acre* scheint mit *ace* F. 2058 verwandt. Dies letztere bedeutet nach meiner Vermuthung »brachte in seinen Besitz«. Wegen der Verbindung mit *letnle* vermuthe ich, dass *acre* der Bedeutung nach Causativum zu *ace* ist und folglich »macht (oder: machte) zum Eigenthum«, »schenkt«, »widmet« bedeutet. Dies finde ich durch einen Götternamen bestätigt, mit welchem *acre* formell verwandt scheint: *aχuritr* fem. F. 2505 ter = Gerh. T. CCCXXIV, *aχrizr* fem. F. 2496 — Gerh. T. CCCXIX und auf einem cornetanischen Spiegel Bull. dell' Inst. 1881 p. 45, *aχristr* masc. F. 2494 bis. Ich habe S. 83 f. nachgewiesen, dass dies göttliche Wesen mit *munϑuχ* und mit *acnaine* sachlich verwandt ist. Nun bezeichnet der Name *munϑuχ* »die Schenkende« und *acnaine* ebenfalls, wie ich vermuthe, »die Zueignende«. Wenn wir also in *aχuritr, aχrizr* eine Ableitung von dem in *acre* enthaltenen Stamme erkennen und diesem die Bedeutung »zueignen«, »widmen« beilegen, so gewinnen wir für den Götternamen die zutreffende Bedeutung »die Zueignende«, »die Widmende«, »die Schenkende«.

Deecke Fo. u. St. II, 5 hat bereits in diesem Namen ein mit *-tr* — lat. *tor* gebildetes nomen agentis erkannt. Die Form *aχrizr* scheint mir durch Assibilation aus

**aχrit(e)r* entstanden [1]): vgl. *pezruni* neben *petruni*. Die Form *aχristr* ist nach Pauli Fo. u. St. III, 81 durch den Einschub eines *t* entstanden. Vielleicht ist jedoch *st* eine ungenaue Bezeichnung des in *aχrizr* durch *z* bezeichneten Lautes: vgl. meine Bemerkungen über *pakste* und *uϑuste* S. 29 f.

Die Form *aχrizr* setzt *-tĕr* als die Form des Suffixes voraus. Diese weicht von der italischen Form des Suffixes ab (lat. *-tor*, osk. und umbr. *-tur*), findet aber im Griechischen und im Slavischen Analogie; vgl. Joh. Schmidt in Kuhns Zeitschr. XXV, 26 ff.

In dem *i* von *aχuritr*, *aχcizr*, *aχristr* vermuthe ich ein dem Causativum oder eigentlich dem Denominativum eigenthümliches Bildungselement; *acre* steht also vielleicht für **acrie*.

Wenn *letule* und *acre* richtig gedeutet sind, muss in *ϑutum* das Object des Verbs *acre* stecken. In *ϑutum* scheint das Zahlwort *ϑu* enthalten. Hiebei fällt das Zahlzeichen *XXII* nach *letule* auf. Dies führt mich zu der Vermuthung, dass »zwei und zwanzig«, wobei »Schalen« hinzuzudenken ist, hier zugleich durch ein Zahlwort *ϑutum* und durch ein Zahlzeichen *XXII* ausgedrückt ist. Auch in der Inschrift von Sermide scheint eine Zahl zugleich durch Zahlwort und Zahlzeichen ausgedrückt.

Nach meiner Vermuthung ist also *tum* 20. Für die Bildung vergleiche ich *zaϑrum*, *[z]aϑrum : s*, *zaϑrmis-c*, *zaϑrms* (Gen.). Diese Genetivformen setzen einen Nominativ **zaϑrum* oder vielleicht **zaϑrumi* voraus. Dies *zaϑrum*, das ich »30« übersetze, steht nach meiner Vermuthung statt **zarϑum*. Das Zahlwort *tum* (in *ϑutum*) scheint mir durch Dissimilation aus **tutum*, **ϑutum* entstanden zu sein. Durch eine ganz analoge Dissimilation ist altschwed. *tiughu* »20« neben altnorweg. *tuttugu* entstanden.

[1]) Anders Deecke Fo. u. St. II, 5.

standen. Das Zahlwort *ϑun* »20« statt **ϑu-ϑun* enthält als zweites Glied eine tonlose Form von *tes'am*, *tes'ne*, [*t*]*ṣne*. Für die Verdumpfung des *e* zu *u* vgl. *artumes*, *artum* Ἄρτεμις, *stenule* Σθένελος, *zimuϑe* Διομήδης, *cluϑumusϑa* Κλυταιμνήστρα, *selume* neben *selimesu*, *mamurces* neben *mamerce*, u. m.

In dem etruskischen Zahlworte für 20 sehe ich eine Neubildung, wie im altschwed. *tinghu*, altnorweg. *tuttugu*, got. *twai tigjus*, litau. *dwìdeszimt*, u. s. w.

Wenn meine Deutung von F. 2777 richtig ist, finden wir die Deutung *ϑu* »zwei« durch diese Inschrift bestätigt.

zeral, zaϑrums, zeriu.

Ich habe S. 74, 125—128 nachgewiesen, dass *z*[*e*]*ral* in einer Inschrift von Corneto (Bull. dell' Inst. 1881 S. 95), *zeral* F. 314 A mit *zelar* F. 2058 und 2100, dem Dat. masc. von *zal*, identisch ist. Man könnte in *zeral* eine Umstellung aus *zelar* sehen wollen. Nach meiner Ansicht ist *zeral* vielmehr durch Dissimilation aus **zerar* entstanden: vgl. das *l* von *murs'l*, *tarχnalϑi*. Andere Formen setzen nämlich für *zal* einen Stamm mit *r* statt *l* voraus. *zaϑrums* F. Spl. 1, 388, *zaϑrms* F. 2071, [*z*]*aϑrum : s* (*-umis?*) G. App. 658, *zaϑrmis-c* Deecke in Bezz. Beitr. I, 260 ist nach Pauli Fo. u. St. III, 124—128 von **zaϑr* durch ein Ordinalsuffix *-mi* gebildet, und **zaϑr* analysiert er als **zal-ϑr*, von *zal* durch das Suffix *-ϑr* gebildet, welches Suffix auch in *triatrus*, *quinquatrus* u. s. w. erscheinen soll. Hiegegen wende ich ein: 1) das *-atrus* von *quinquatrus* u. s. w. hat eine verschiedene Bedeutung und kann nicht verwandt sein, wenn Gruppe (Hermes XV, 624) Recht hat, *dies atri* mit *quinquatrus* u. s. w. zu verbinden; 2) *zaϑrmis* ist keine Ordinalzahl, denn *cis*, womit es copuliert ist, hat F. 2340 die Bedeutung einer Cardinalzahl; 3) *tum*, wenn ich dies richtig als »zwanzig« deute, fordert eine andere Auffassung von *zaϑrums*. Nach meiner Ansicht ist *zaϑrums* Gen. der Cardinalzahl **zaϑrum* »(dreissig)«. Dies steht für **zarϑum*, von **zar*, einer älteren Nebenform zu *zal*, mit **ϑum* zusammengesetzt. Dies **ϑum* ist die tonlose Form des Zahlwortes für 10, welche auch von *tum* »zwanzig« statt **ϑutum* vorausgesetzt wird. Die in *zaϑrums* statt **zarϑums* hier angenommene Metathesis ist aus anderen Sprachen bekannt; vgl. *Σκόδρα*, jetzt Skutari, in Illyrien neben der älteren Form *Σκόρδα*, lat. *Scorda*; das macedonische Gebirge *Scodrus mons* = *τὸ Σκόρδον ὄρος*, jetzt *Schardagh* (Deecke Rhein. Mus. N. F. XXXVI, 594): *psidrâh*, Frühling, in dem iranischen Dialekte Yidghah, aus *psirdâh* (Tomaschek in Bezz. Beitr. VII, 196): ital. *leggiadro* für *leggiardo*, *bugiadro* neben *bugiardo*, *linguadro* neben *linguardo* (Diez Roman. Wörterb. II, 41). Aus dem Etruskischen vergleiche ich für die angenommene Metathesis *preϑnse* F. 1053 neben *presnϑe*, *presnte*; *pemφetru* F. Spl. III, 393 = *Πεμφρηδώ*.

Eine Stammform mit *r* ist für *zal* vielleicht noch aus F. 1914 B Z. 18—19 zu folgern:

| *zerinacχ* | *a* — — (der Punct unsicher).

Ich theile nicht mit Corssen *zerinn acχa*, auch nicht mit Pauli (Fo. u. St. III, 6): *zerinna cχa*. Anlautendes *cχ*, das lautlich unmöglich scheint, habe ich im Etruskischen nicht gefunden. Ich theile: *zerin nacχa*. Inlautendes *cχ* erscheint auch in [*ϑle*]*cχineas'* F. Spl. I, 311; vgl. inlautendes *tϑ* in *patϑna* F. 803 und *κχ* im Griechischen. Wir haben hier offenbar eine Form des öfter vorkommenden *nac* »Todtenopfer«. Ich wage *zerin nacχa* als Accus. pl. neutr. »(drei) Todtenopfer« zu deuten, obgleich ich sichere Neutralformen sonst nicht gefunden habe; vgl. jedoch *aparu* F. 1933. Dabei hat das Pron. demonstr. *ein* nicht plurale Form. Von *zeriu nacχa* sind die Genetive *ril θunχulθl* regiert. Bei dem *-u* von *zeriu* erinnere ich an die osk. Endung *-o* im Neutr. pl., wie an das *-u* der etrusk. singularen Femininformen *alpnu*, *z[ic]u*, dem osk. *-o* entspricht. Mit *zeriu* vgl. umbr. *triia*, *trio* (in *trioper*), lat. *tria*, gr. *τρία*, got. *thrija*, altir. *trí*. Die Differenz zwischen dem *-u* in *zeriu* und dem *-a* in *nacχa* kann meine Deutung nicht widerlegen, denn die Stammformen dieser Wörter sind lautlich nicht ganz analog. -

Das *l* trat wohl zuerst in denjenigen Formen des Zahlwortes *zal* ein, wo es durch Dissimilation begünstigt wurde. Die Form *zeriu* scheint nach *r* ein ursprüngliches, sonst verschwundenes *i* erhalten zu haben. Da *zee* F. 1930 gewiss, wie die Vergleichung der Inschriften lehrt, mit *tece* F. 1922 identisch ist, und da Διομήδης im Etr. nicht **tiumiθe* heisst, sondern *zinmiθe*, *zimuθe* oder *zimite*, wird man die Möglichkeit, dass das *z* in *zelar*, *zal* u. s. w. aus *t* entstanden ist, nicht mit Grund leugnen können.

huθ und anlautendes h statt c.

Anlautendes *c* kann im Etruskischen sicher in *χ* übergehen. Deecke Müll. II, 421 f. und Gött. g. Anz. 1880 S. 1430 nimmt an, dass anlautendes *c* in mehreren Wörtern weiter in *h* übergeht. Pauli Fo. u. St. III, 27 f. leugnet dagegen diesen Lautübergang. Mir scheint die Auffassung Deecke's die richtige, was ich hier näher begründen will.

Deecke stellt den Namen *hamqna* zu *Campanus*, was Pauli »durch nichts gerechtfertigt« nennt. Für die genannte Combination lässt sich das folgende anführen. Einerseits finden sich die Namen *hamqna* F. 1398 (masc.), *hamqnal* F. 1250, 1522 (Gen. fem.), *hamqnial* F. Spl. I,

328, lat.-etr. *hampnhea* G. App. 722 (fem.), *hanqina* F. 1603 (masc.); hieher gehören wohl auch *ḥaniqnei* oder *hamqnei* F. Spl. I, 258 T. IX (Deecke Müll. II, 406), *haqnas'* F. 1769, Spl. I, p. 107 [1]). Diese Namen kommen sämmtlich in perusinischen Inschriften vor. Anderseits erscheinen in perusinischen Inschriften *campane* F. 1631 (masc.) und das entsprechende Femininum *campania* F. 1632; in einer cornetanischen Inschrift F. 2335 hat Corssen I. 559 T. XVII, 1 den Namen *canpnas* statt des *camnas* der früheren Abschriften gelesen. *Campanius* ist ein häufiger lateinischer Familienname, und ein entsprechender oskischer Name findet sich in einer pompejanischen Inschrift (Bull. dell' Inst. 1882 p. 205).

Die Differenz von *h* und *c* ist das einzige, was die Combination beider Gruppen hindern sollte. Aspiration ist im Etruskischen häufig, vgl. z. B. *amϑni* neben *amtnes*; dass ein *a* in einer tieftonigen Silbe syncopiert wird oder dass hier ein anderer Vokal statt des *a* eintritt, hat nichts auffallendes; vgl. Deecke in Bezz. Beitr. II, 178 f. Für die Endung *-e* neben *-a* vgl. *afunes'* von *afuna*, *tarnes* neben *tarnas*, auch *tarχunies* neben *tarχnas*. Dass aber die Differenz von *h* und *c* allein die genannte Combination nicht hindern kann, zeigt der folgende Umstand. Münzen von Capua tragen (mit griechischen Buchstaben) die Aufschrift *kappanos* oder *kappano*, *kampano*, auch *hampano*; siehe Mommsen Unterital. Dial. S. 104, Fabr. Gloss. p. 753. Das anlautende *h* in dieser Münzaufschrift lässt sich weder aus der griechischen, noch aus der oskischen, noch gar aus der römischen Sprache erklären. Eine rationelle Erklärung scheint nur möglich, wenn man erkennt, dass *h* in *hamqna* und anderen etruskischen Wörtern aus *c* entstanden ist. Dann wird man das *h*

[1]) Ob *amqnei* aus *hamqnei* entstanden ist, will ich nicht entscheiden.

von *kampano* aus dem in Capua starken etruskischen Einfluss natürlich erklären können.

Die Beziehung des Namens *hekinas'* G. App. 48 (Volterra, Genetiv) auf *Caecina* wird dadurch höchst wahrscheinlich, dass *ceicna* der häufigste Name in Volterra war, wo der Familienname *Cecine* bis ins vorige Jahrhundert existierte (Deecke Müll. I, 487). Der *hekina* G. App. 48 trägt den Vornamen *larisa* (Gen.); zweimal findet sich bei einem *ceicna* der Vorname *l(ari)s* F. 324, 325 bis e. Die Form *hekinas'* hat vor *n* das *i* erhalten, welches in *ceicna* zwischen *c* und *n* ausgedrängt ist, wie *pacinei* in einer anderen volterranischen Inschrift das in *pacnei* F. 1672 ausgefallene *i* erhalten hat. In volterranischen Inschriften kommt oft, wie nach der Deutung Deecke's in *hekinas'*, *e* statt *ae* vor, so z. B. *cneue, cnevna.*

Der Name *hacanal* F. 1203 i, siehe Spl. I p. 101, (Perugia) verhält sich in Betreff des Anlauts zu den perusinischen Namenformen *cacnal, cacnei, caceinei, caceinal,* wie *hekinas'* zu *ceicna.* Für die Differenz der Endungen vgl. *anani, ananal, anni* neben *aneinei, aneini,* u. m.

Hiernach halte ich daran fest, dass *h* in *hameris'* F. 1859 bis = G. App. 886 aus *c* entstanden ist, da *Camerius* ein nicht seltenes lateinisches Gentilicium ist. Weniger wahrscheinlich ist gewiss die Vergleichung des Namens *Amerius.*

In F. Spl. I, 170 e (Chiusi) hat Deecke Müll. II, 441 gewiss richtig *heizumnatial* gelesen, obgleich die von Lattes genommene Abschrift *h-napial* giebt. Dieser Name ist nach meiner Vermuthung Ethnikon vom Namen der samnitischen Stadt *Cisauna,* die in der scipionischen Grabschrift F. 2707 genannt ist. Dieser Name ist gewiss aus zwei Elementen zusammengesetzt, welche dem lat. *cis* und dem lat. *amnis* = skr. *ámni-s* entsprechen; vgl. *Interamna, Antemnae* und *Cisalpinus, Cispadanus.* Hiedurch erklären sich die verschiedenen Formen. Mit *mn* wechselt *cu* in *ramϑa* (statt **ramnϑa*) neben *ravnϑu*. In *heizumna-* ist *u* aus *a* verdumpft wie in *prinume, mamurces;* das *u* von *heizumnatial* verhält sich zu dem *e* der lat. Formen *Antemnae, Interemnia,* wie etr. *mamurces* zu *mamerce,* lat. *Mamercus,* und wie altlat. *condumnari* zu *condemnari.* Etr. *heiz* verhält sich in Betreff des Vokales zu dem lat. *cis* (diesseits), wie etr. *eiϑi, ein* zu lat. *ibi, im.*

Der Name *huzcnai* F. Spl. I, 436, a, b (fem.), *huzcni* F. Spl. I, 445 scheint mir dem lateinischen, u. a. in Etrurien vorkommenden *Cosconius* zu entsprechen.

Mit *huzlnnia* F. 1011 quat. a, Spl. I p. 100 (Sarteano bei Chiusi) scheint ebenso *cuizlania* G. App. 127 (Chiusi) verwandt. Für die Differenz der Vocale in der zweiten Silbe vgl. *puplana* neben *puplena, curanial* neben *curunial.* Für die Epenthese in *cuizlunia* siehe Deecke Müll. II, 365.

Der Name *hupni* Bull. dell' Inst. 1881 p. 95 (Corneto), *hupnii* F. 2424 bis T. XLIII (Bomarzo), statt dessen Deecke Fo. III. 124 *hupnis* (Gen.) vermuthet, scheint mit *cupna* G. App. 447, *cupnna* G. App. 448 (beide bei Chiusi) verwandt.

Die Formen *hatusa* F. 604 (Chiusi), *hatunia* F. Spl. I. 251 bis o (Cetona bei Chiusi) stelle ich nicht zu *atuni, atunial,* auch nicht zu *haltu,* sondern zu *catusa* F. 839 bis r (Chiusi), *catsa* F. Spl. III, 171 (Chiusi).

Dass in *harpitial* G. App. 220 (Chiusi) *h,* wie Deecke annimmt, aus *c* entstanden ist, wird dadurch wahrscheinlich, dass die Namenformen *carpnati* F. 628 quat., *carputi* F. 629, femin., *carpnatial* F. 612 (wo Hübner Bull. dell' Inst. 1857 S. 162 gewiss mit Unrecht *sarpnatial* las), 779 (dieselbe Person wie F. 628 quat.), *carpnatesa* F. 547, *carpnates* F. Spl. I, 227 sich gleichfalls zu Chiusi finden. Diese Namen, wie die von Fabr. Gloss. 785 angeführten lat. Namen *Carpinatius, Carpinius,* scheinen einen Ortsnamen vorauszusetzen; vgl. den jetzigen Ortsnamen *Carpegna* in Umbrien.

Die Namen *hisu* F. Spl. I, 229 bis (Chiusi), *hisunia* F. 620 (Chiusi), *hisunias* F. 717 = 810 (Chiusi, dieselbe Person wie F. 620), *his'unu* Spl. II, 77 = G. App. 888 (Chiusi) vergleiche ich mit den lateinischen Namen *Cisso*, *Cissonius*. Ebenso vergleiche ich *hesual* F. 1880 (Perugia) mit *cesusa* F. 645 bis und 658 bis b (Chiusi), *cesu* F. 451 bis a (Siena) und 632 bis b (Chiusi), *cesunia* F. Spl. I, 224 (Chiusi), lat. *Caesonius* [1]). Ob *hesei* F. 1608, siehe Spl. I p. 105, (Perugia) zu den Namen *cesi* F. 1187, *ceisi* F. 1188, 1190, *ceisial* F. 1468 in derselben Stadt, oder zu *θesia* G. App. 200 (Chiusi) gehört, bleibt ungewiss; Pauli St. I, 83 ändert *hesei* in *φesei*.

Ob *hutiesa* F. Spl. II, 13. 14 und *hutie* (nicht sicher) F. 719 zu lat. *Cutius*, etr. *cutueal*, *cutuisa* gehören, bleibt ebenfalls zweifelhaft, da auch andere Combinationen möglich sind.

Endlich entscheide ich nicht, ob *huprin* F. Spl. III, 221 = G. App. 195 (Chiusi) mit *cuprna* F. Spl. II, 71 (Chiusi), lat. *Cuperius* I.R.N. 6828 (Caere), oder mit *θupre* G. App. 559 (bei Chiusi), dem Zunamen eines Lautni, verwandt ist.

Obgleich einige der hier versuchten Combinationen zweifelhaft sind, scheint mir nach dem Obigen der Uebergang eines anlautenden *c* in *h* völlig gesichert, um so mehr, als für die meisten der angeführten Namen eine anderweitige Erklärung ganz fehlt. Ich werde später die Vermuthung begründen, dass anlautendes *f* in einigen Wortformen ganz analog aus *p* entstanden ist.

Die Zurückführung des Zahlwortes *huθ* auf eine ältere Form **cuθ* ist also nicht, wie Pauli meint, auf Grund der etruskischen Lautgesetze unmöglich.

[1]) Deecke Müll. II, 363 vergleicht dagegen *hisu*, *hisunia*, *hesual* mit *φesus* und *φisis*, lat. etr. *phisius*. In Bezz. Beitr. III, 27 stellt er *φisis* mit Recht zum lat. *Pisius*.

Die jetzige florentinische Mundart aspiriert nach Vokalen das *c* in der Art, dass es dem deutschen *h* ähnlich lautet. Mehrere haben dies für einen Nachhall der etruskischen Sprache gehalten. Dies ist gewiss nicht ungereimt, denn mehrere dem Italienischen eigenthümliche Lautwandelungen finden sich ja schon im Etruskischen: ich erinnere z. B. an anlautendes *ci* und *pi* vor Vokalen statt *cl* und *pl*.

Gegen die Herleitung des etr. *huϑ* vom indogermanischen Zahlworte für »vier« wendet Pauli (Fo. u. St. III, 28 f.) auch ein, dass die schwere Endung *-vōres* der indogerm. Grundform *ketvōres* nicht abgeworfen sein könne. Allein man kann in *huϑ* ein indogermanisches Zahlwort für »vier« erkennen, ohne darum *huϑ* als phonetische Entstellung aus einer Grundform *ketvóres* zu betrachten. Wenn man Formen wie skr. *c'atúras* (Accus.), gr. *πίσυρες* (bei Homer), *τέτρασι* (bei Pindar), osk. *petiropert*, lit. *keturì* u. s. w. vergleicht, wird man im etr. *huϑ* lieber eine Bildung, die eine schwächere Stammform enthält, sehen. Die Form *huϑ* ist vielleicht zunächst aus *huϑr* entstanden. Nach *ϑ* ist ein *r* ausgedrängt in *cluϑumusϑa*, *clutmsta* = *Κλυταιμνήστρα*.

cezpz, cezpalχ.

F. Spl. I, 387 (Vulci) erscheint das Zahladverbium *cezpz*, das man gewöhnlich »8mal« übersetzt. In derselben Inschrift *cezpalχals* (Gen.), das »80« bedeuten soll. Eine entsprechende Accusativform *cezpalχ* kommt in einer cornetanischen Inschrift (Fo. u. St. III, 8, No. 15) vor; in einer anderen Inschrift ebendaselbst (angef. St. No. 16) das unvollständige *cezpa* . . .

Für diese Formen hat man in anderen Sprachen keinen Anhalt gefunden, denn ein Erklärungsversuch

Deeckes ist von Pauli Fo. u. St. III, 30 f. widerlegt worden. Der Stamm *cezp-* kann nach meiner Ansicht nicht »acht« bedeuten, da »acht« im Etruskischen, wie ich dies im folgenden begründen werde, durch ein dem deutschen »acht« entsprechendes Wort ausgedrückt wird. Nach meiner Vermuthung ist *cezpz* Nebenform zu *cizi*, *cs'* »zum fünften Male«, *cezpalχals* zu *cealχls*, *celχls* »50«.

Die indogermanische Grundform von »fünf« war *penke* (*penqe*). Dies wurde nach meiner Vermuthung im Etruskischen zu **kempe* umgestellt. Für die Umstellung vergleiche man gr. *σκέπτομαι* neben lat. *specio*, skr. *spaç*, *paçjami* u. s. w.: lit. *kepù* braten, backen, gr. *ἀρτοκόπος* »Brotbäcker« neben slav. *peką*, skr. *páčami*; gr. *σπάλαξ* = *σκάλοψ*: dän. *kopper* (Blattern) aus älterem *pokker*.

Im Etruskischen tritt bei *c* vor *i* und *e* Assibilation ein, welche ältere Palatalisierung voraussetzt. In mehreren Sprachen tritt Assibilation auch da ein, wo früher ein Labial vor *i* oder *e* stand, so z. B. ital. *approcciare*, prov. *apropchar*, fr. *approcher* aus *appropiare* (das zunächst zu **appropjare*, **approptjare* wurde): ital. poet. *deggio* aus *debeo* (das zunächst zu **debjo*, **debdjo* wurde). Aehnlich denke ich mir die Entwickelung im Etruskischen: **cempe(alχ)*, **cepe-* (vgl. *pupuni* — *pumpuni*), **cepj-*, **ceptj-*, **cepc'-*, **cepz-*. Hieraus ist *cezp-*, wie *resciał* aus *reciał*, *felscia* aus *felcia*, zu erklären. Dass die vollere Form *cezpalχals* neben den mehr abgeschliffenen *cealχls*, *celχls* vorkommt, hat darin Analogie, dass man *θlecinia*, [*θle*]*c*-*χineas'* neben *θlainei*, *relcacias* neben *relχaias*, umbr. *façia* neben *feia* findet.

Die Konsonantenverbindung *zp* kommt im Etruskischen sonst nur im Namen *ezpus* F. 2183 (Gen.) vor. Die Form *ezpus* findet sich wie *cezpz*, *cezpalχals* in Vulci; daher scheint es mir unnöthig, mit Pauli *ezrus* einzusetzen. Steht *ezpus* für **epzus*, **epius*? vgl. *epues*, nach einer anderen Abschrift *epeus*, F. 2126 (bei Toscanella) und lat. *Eppius*.

Dass mein Erklärungsversuch viele unerwiesene Voraussetzungen enthält und daher sehr unsicher ist, erkenne ich selbst vollständig an.

s'a, seϑasri.

Bei der Combination des etrusk. *s'a*, Gen. *s'as* mit dem lat. *sex*, gr. ϝέξ statt **sfex* macht der Vocal *a* Schwierigkeit. Ich versuche hier diesen Vocal zu erklären. Im Altschwedischen lautet »sechs« *siax*, dessen *ia* aus der urgermanischen Form der Cardinalzahl sich nicht erklären lässt. Das *ia* des altschwed. *siax* ist, wie Noreen erkannt hat, aus der Ordinalzahl *siatti*, Nom. sg. fem. neutr. und Cas. obl. *siattu*, übertragen; *siatta* erklärt sich regelrecht aus den Grundformen **sehto* und **sehtan*. So ist vielleicht das *a* des etr. *s'a*, *s'as* aus der entsprechenden Ordinalzahl übertragen. Sowohl gr. ἕκτος als althochdeutsche und nordische Formen setzen *sektó-s* oder *sektó-s* als Grundform der Ordinalzahl voraus. Dieser würde eine etr. Form **s'ehtu*, **s'eϑa* entsprechen. Aus **s'eϑa* konnte **s'aϑ*, wie aus **clena* etr. *clan*, entstehen. Diesem **s'aϑ* kann *s'a* zum Theil sein *a* verdanken.

Dass *e*, nicht *a*, der ursprüngliche Vokal des etr. Zahlwortes war, wird vielleicht durch die folgende Inschrift (Bull. dell' Inst. 1880 p. 51: »Guttus d'argilla«, Corneto) bestätigt:

ei· muχ· ara· un· ei· seϑasri

Das Subject ist *ara*, das ich »die Brüderschaft« übersetze. *muχ* scheint mir das Verbum. Es bedeutet nach meiner Vermuthung »schenkte«: *muχ* statt **munχ* scheint mir mit *munϑ* F. 1335 »schenkte« und mit lat. *munus* verwandt. Ein hiehergehöriges Substantiv findet sich vielleicht F. Spl. II, 81 (Trinkschale, Chiusi):

minmlki·rapamni a

Mit Pauli St. III, 52 theile ich *mi muki s' rapanaia*, was ich so übersetze: »dies (ist) das Geschenk der Sethra Rapanaia«. Die Uebersetzung Paulis weicht nur darin ab, dass er *muki* durch »poculum« übersetzt.

In der Inschrift des cornetanischen Guttus ist *ei* »dies« das Object des Verbs *muχ*. Durch *eu* wird der demonstrative Begriff stärker hervorgehoben. Das Object *ei* wird durch *ei seϑasri* wieder aufgenommen und näher bestimmt. In *seϑasri* sehe ich ein Substantiv mit der hervorhebenden Partikel *-ri*; *ei seϑasri* muss den Guttus, auf dem die Inschrift geschrieben ist, bezeichnen. Nach meiner Vermuthung steht *seϑasri* für **seϑase-ri*; vgl. Deecke Müll. II, 346 f.; **seϑase* scheint mir durch dasselbe Suffix wie *ceχase* F. 2280, *ceχasię* G. App. 802 Z. 4 (Undset liest hier *ceχasilϑur*) abgeleitet. Dies Suffix entspricht dem lat. *-a-rio* (Nom. sg. m. *-arius*), zuweilen *-a-sio*, osk. und umbr. *-asio*[1]), gr. *-αῖο*, messap. *-ahia* (Deecke Rhein. Mus. N. F. 37 S. 373) und ist daher sicher indogermanisch. Hiernach deute ich *seϑas-ri* als »sextarium« und übersetze die ganze Inschrift so: »dies hier schenkte die Brüderschaft, diesen Sextarius«.

Es wäre für die Deutung nicht nur von *seϑasri*, sondern auch von *s'a*, wichtig, das Volumen des hier besprochenen Guttus bestimmt zu haben. Die Nachforschungen, welche Dr. Undset auf meinen Wunsch hierüber angestellt hat, sind jedoch vergebens gewesen. Der vorige Besitzer Herr Canon. Marzi hatte den Guttus an irgend jemanden verkauft; weder er, noch Helbig, der die Inschrift des Guttus im Bullettino mitgetheilt hat, konnte das Volumen desselben angeben.

[1]) Das Etruskische stimmt hier in der Erhaltung des *s* mit dem Oskischen und dem Umbrischen gegen das gewöhnliche Latein. So auch *papasla* F. Spl. II, 20, Gen. von *papasa* (Pauli Fo. u. St. I, 4), in demselben Grabe wie lat.-etr. *Papirius*.

Ich habe oben vermuthet, dass *s'a* sein *a* zum Theil einer Ordinalzahl **s'aϑ* verdankt. Dies **s'aϑ* verhält sich in Betreff des Vokales zu *seϑas-ri* wie *clan* zu *clenar*, *zal* zu *zelar*. Für das *s* im Anlaut neben *s'* vgl. S. 144 f. Vielleicht waren auch andere Formen und Ableitungen vom Zahlworte »sechs« vorhanden, in denen *a* nach *s'*, wie in dem vorausgesetzten **s'aϑ*, durch Vokalassimilation aus *e* entstanden war: bei der Bildung der Analogieform *s'a* waren also wohl für den Vokal derselben mehrere Formen bestimmend.

Bei der Combination des etr. *s'a* mit dem lat. *sex* u. s. w. ist zweitens das Fehlen des auslautenden *x* zu rechtfertigen. Pauli Fo. u. St. III, 28 bemerkt, dass im Etruskischen zu einem solchen Schwund »gar kein Grund wäre, denn der etr. Auslaut verträgt, wie *palacs*, *χisclics'*, *aϑumics'* zeigen, die Laute *cs* ohne Anstand«. Man könnte mit eben demselben Rechte durch osk. *tortiks*, *ekss* beweisen wollen, dass osk. *meddís*, *meddíss* nicht aus **med-diks* entstanden wäre. In *palacs*, *χisclics'*, *aϑumics'* ist wahrscheinlich ein Vocal zwischen *c* und *s* (*s'*) ausgedrängt: wenn dem so ist, sind diese Wortformen mit dem Zahlworte »sechs« gar nicht gleichartig.

Inlautendes *cs* zwischen zwei Vocalen kann im Etr. (durch *χs*, *hs*) zu *s* werden. Dies wird durch *asi* F. 1122 bewiesen. In Inschriften desselben Grabes ist dieser Name *acsi*, *aχsi* geschrieben, F. 1271. 1273 *ahsi*. Neben *lauχusies*, [*la*]*uχsie* findet sich *larsies'* G. App. 23 T. II, vgl. den Etrusker *Lausus* bei Vergil (Deecke Gött. g. Anz. 1880 S. 1447); neben *elaχsantre*, *elχsntre* kommt **elsntre* vor. Ein *e* scheint vor *str* ausgedrängt in *mastr* F. 658 T. XXXI neben *macstrevc* F. 2100. Auslautendes ξ ist zu *s* geworden in dem Lehnworte *qoinis* F. 2164 — φοῖνιξ.

Es ist somit erwiesen, dass das *k* der Grundform **seks* nach etruskischen Lautneigungen im Genetive *s'as* geschwunden sein kann. Die indogerm. Form der Ordinalzahl *s(e)ekto* konnte, wie schon bemerkt, im Etr. zu **s'aϑ* werden. Eine vocalisch auslautende Stammform trat vielleicht durch phonetischen Uebergang in noch anderen Formen (vgl. lat. *se-ni*) ein. Durch den Einfluss dieser Wortformen, die scheinbar den Stamm *s'a-* zeigten, entstand nach meiner Vermuthung die Nominativform *s'a* statt einer älteren Form **s'as* aus **s'es*, **seks*. Da die etruskischen Cardinalzahlen im Genetiv das singulare Suffix *s* an die Stammform (*cis* u. s. w.) fügten, so konnte das ursprünglich auslautende *s* im Nominativ des Zahlwortes für »sechs« leicht als die singulare Nominativendung *s* aufgefasst werden, und auch dies konnte dazu beitragen, dass dies auslautende *s* hier später abfiel, wie die Nominativendung so oft fehlt. Das mit ξ ganz analoge ψ ist abgefallen im Lehnworte *cuclu* F. Spl. I, 413 = *Κύκλωψ*, das eine ältere Form **cuclus* voraussetzt.

semφs'.

semφs' F. 2033 bis D e scheint mir der Genetiv der Cardinalzahl für »sieben«, *semφalχls* der Genetiv der Zahl für »siebzig«: *semφs'* ist nach meiner Vermuthung durch Umstellung aus **seφms'*, und dies aus **seφtms'* entstanden. Für die Umstellung vergleiche man folgendes: *relnϑial* F. 2573 ter b neben *relϑne*, *releϑnei*; *ϑens'i* F. 346 nach meiner Vermuthung statt **ϑes'ni* = *hes'ni* Magliano; *clunsiaz* F. 803 statt **clusniaz*. Ein merkwürdiges Beispiel der Umstellung bei einer Nasalis giebt der zu Clusium erscheinende Zuname *fastntru* F. 562 ter f, g, *hastntru* b, c, Gen. *fastntrusa* i. Der Name bezeichnet »Mann vom Geschlecht der *fasti*«, »Nachkomme der *fasti*«. Dies erhellt aus der Vergleichung von F. 562 ter c: *hastisnaϑancilnlnas'* mit F. 562 ter b: *aϑ tutna hastntru sutnal*.

Das *u* vor *-tru* findet in *fasti* nicht seine Erklärung. Die Form *fastntru* steht daher nach meiner Vermuthung für **fastitrun*, **fasti-ϑurna*; vgl. *ceiϑurna*, *relϑurna* u. s. w., siehe Deecke Müll. II, 453, Gött. g. Anz. 1880 S. 1437, Pauli Fo. u. St. III, 132.

Für die Ausdrängung des *t* in *semφs'* statt **seφms'*, **seφtms'* vgl. *seple* F. Spl. III, 123 (Chiusi), *seplanal* G. App. 514, *sepana* 513 neben *septle* F. 713 bis (Chiusi), Spl. III, 213 (Chiusi), lat. *Septilius*. Eben dies *septle* zeigt, dass dem lat. *pt* nicht nothwendig etr. *t* (*setume*) oder *ϑ* (*neϑuns*) oder *ht* (*sehtumial*) entspricht; vgl. auch etr. *nefts* d. h. *nepos*. Vor *l* ist *t* in *tuule* (Bull. dell' Inst. 1882 p. 224) = *tuutle* ausgedrängt.

vχt|u|, uentum.

Ein grosser länglich viereckiger Stein zu Florenz trägt die folgende Inschrift (F. 103, T. XXII):

> *tular s'pu | ral | aiiuparatum | cisl*
> *vχlatr . . . | . . . | . l :*

So ist die Inschrift von Gamurrini bei Corss. I, 462 gelesen: vgl. F. Spl. I, p. 6. Mit dieser Inschrift vergleicht Gamurrini die Inschrift eines Sandsteines des Florentiner Museums (F 259 T. XXIII), die er (angef. St.) so liest:

> *tular· s'p· a· cis· vχ*
> *au· cur· elt*

Der Inhalt beider Inschriften scheint wesentlich derselbe. Das Subject finde ich F. 259 in *au· cur·* d. h. *au(le) cur(e)* »Aulus Curius«. Das Verbum ist *elt* d. h. *el(u)t(i)* »schenkte«, »weihte«. Dies Verbum war wohl in F. 103 abgekürzt [*e*]*l* : geschrieben. Das Object ist *tular s'pural aiuparatum*. *tular s'pural* d. h »sepulcrum publicum«. Dass *ainpuratum* nur ein Wort ist, wird durch F. 259 bewiesen. Hierin vermuthe ich *ainpural*, das durch *-um* mit *s'pural* copuliert ist; *ainpural* scheint sicher zusammengesetzt, ist mir aber sonst dunkel. Ist *ain-* durch Epenthese aus *ani*, dem Namen des Janus, entstanden? Ist *pural* von *pul* abgeleitet? Giebt das Epitheton *ainpural* an, dass in dem Begräbnisse Libationen dem Janus gebracht werden? Vgl. G. App. 799 Z. 6—8.

Das Wort *risl* ist mir unverständlich. Endlich *eχtatr* ... enthält gewiss das öfter vorkommende *atrs'*, worin eine Personenbezeichnung steckt; *eχt* muss eine Bestimmung dazu enthalten. Es kann kaum etwas anderes sein, als ein Zahlwort = lat. *octo*; vgl. *eχtur* = *″Εκτωρ*. Ich ergänze *eχtatr*[*s'*]. Dies steht für **uχtu atrs'*; vgl. *relχatini* statt *relχe atini*, *lautn· eteri* statt *lautni eteri* (Pauli Fo. u. St. I, 55—57), *zil eterais* statt *zila eterais* (Fo. u. St. III, 61), *selaci:tre* statt *selaci etre*, *fasteteras'* F. 1939 statt *fasti eteras'* (Pauli Fo. u. St. I, 20). Der lautlichen Verschmelzung wegen wurde *eχtatr*[*s'*] als ein Wort aufgefasst und darum F. 259 durch *eχ* bezeichnet. Der Genetiv *eχtatr*[*s'*] giebt also acht Personen an, denen Aule Cure das Grab geschenkt hat; vielleicht »octo sodalibus«. Die Zahlwörter in *eχtatr*[*s'*] F. 103 und *tes'amsa* — *atrs'* F. 2335 stützen sich gegenseitig. Möglich bleibt freilich die Ergänzung *eχtatr*[*a*] Dat. plur., die denselben Sinn giebt.

Bei Papias ist als der etruskische Name des Monates October *xofer*, in einem Leydener Glossar *xoffer* überliefert. Corssen (I, 849) emendiert dies in *utofer*, indem er scharfsinnig vermuthet, dass *x* aus dem etrusk. Monogramme der Buchstaben *ut* verlesen ist. Etr. **utufer* wird durch *eχtatr*[*s'*] gestützt.

Ich versuche das Zahlwort »acht« noch an einer anderen Stelle nachzuweisen. F. Spl. I, 399 (Wandinschrift der Tomba dell' Orco bei Corneto); vgl. Deecke Fo. u. St. II, 44:

surinaṣ : an : zilaϑ : amce : meχl : rasnal
. . . . s' : purϑ : ziḷace : ueṇtum : hece

In *-s'* Z. 2 sehe ich den Schluss eines Zahladverbiums, vgl. *cs'* F. 346 »fünfmal« oder »zum 5ten Male«, *elss'i* F. 2055 »dreimal« oder »zum 3ten Male«. Hiedurch wurde also angegeben, wie oft der Verstorbene das durch *purϑ zilace* bezeichnete Amt bekleidet hatte. *uent-um* enthält das copulative *-um;* folglich muss *hece,* das wie *zilace* eine Verbalform ist, wie dies, eine amtliche Stellung bezeichnen. Deecke (Fo. u. St. II, 46) hat *hece* F. Spl. I, 399 Z. 2 und F. 1487 durch eine Form **ϑece* mit *tece* F. 1922, 2596 vermittelt. Das Verbum *hece* bedeutet F. 1487, wie *tece* an den genannten Stellen, »posuit«, »exstruxit« oder »dedit«. Allein diese Bedeutung ist F. Spl. I, 399 Z. 2 nicht anwendbar. An der letzteren Stelle ist das Wort von der Amtsthätigkeit eines Magistrates gebraucht. Diese Anwendung vermittelt sich mit der Bedeutung »setzte«, wenn man gr. *τίϑημι* vergleicht. Denn *τιϑέναι νόμον* ist »ein Gesetz geben«, und *τιϑέναι* überhaupt »gesetzlich und rechtskräftig bestimmen, verordnen«. Wie nun *zilaχnu* mit *zilaχce, zilace* verwandt ist, so scheint *tenu* mit *tece* (= *hece*) verwandt. Hiernach scheint mir *hece* F. Spl. I, 399 mit *tenu, tenϑas* synonym, und *tenu, tenϑas* gehören mit *τίϑημι,* nicht mit lat. *tenere,* zusammen.

Ich gehe nun zu *uentum* über. Wenn ich Recht habe, dass *-s'* Z. 2 der Schluss eines Zahladverbs ist, scheint das durch *-um* mit dem vorausgehenden copulierte *uent-* ebenfalls ein Zahladverbium zu sein.

Nach meiner Vermuthung steht *uent-um* für **uctnt-um.* Das *t* wurde der Dissimilation wegen ausgedrängt; vgl. auch die Ausdrängung des *t* in *semqs'* statt **seqms'*, **seqtms'*, in *tunle* — *tuntle* und in *seple* — *seplle*. Ich setze also hier für »acht« eine Stammform *uct-* mit *ct* voraus. Die Lautverbindung *ct* findet sich mehrfach im Etruskischen (Deecke Müll. II, 397), und *uct-* kann neben *uχt-*, *ut-* bestanden haben, wie *uesi* neben *uχsi*, *usi*. Das *n* von *uent-um* statt **uctnt-um* ist wohl aus benachbarten Zahlen (vgl. *tesne*, *tun-mu*, *θen-t-mu* und *semqs'* statt *seqms'*) übertragen; vgl. das romanische *octembre* nach *septembre*, *novembre*, *decembre*; lit. *asztìntas* nach *septìntas*, *devìntas* (Kuhns Zeitschr. XXV, 232); dän. *ottende* nach *syvende*, *niende*, *tiende* [1]).

Die Form *uent-um* ist besonders dadurch wichtig, dass sie, wenn meine Deutung richtig ist, das Suffix der Zahladverbia als *-t* zeigt. Hiernach kann das Suffix der Zahladverbia *-zi* kaum, wie ich früher (Academy 6. Mai 1882) annahm, mit dem griechischen Suffixe *-κι*, *-κις* (in *ἑπτάκις* u. s. w.) identisch sein. Vielmehr scheint *-zi* aus *-ti*, *θunz*, *θufi* aus **θunti* entstanden zu sein. Für die Assibilation vergleiche man *rezi* F. 1223, 1429 — *reti* (F. 1429 neben diesem in demselben Grabe), s. Pauli Fo. u. St. III, 18; *seianzi* G. App. 122 (statt dessen Helbig Bull. 1877 p. 204 jedoch *seianti* liest) — *seianti*; *presitze* G. App. 956 = *presnte* (Deecke Gött. g. Anz. 1880 S. 1432); *rezu*, *rezus'* F. 1297—1303, *resu* F. 1304 in demselben Grabe neben *retus'* F. 1305, *retui* F. 1306. Dass das ursprüngliche *t* in *uent-um* sich erhalten hat, während es in *cizi* u. s. w. assibiliert ist, erklärt sich wie osk. *bantins* neben *bansae*. Bevor das Suffix *-ti* zu *-zi* assibiliert wurde, fiel das *-i* desselben vor *-um* (*uent-um*) aus. Aehnlich findet sich *clel* statt **clali*, wo das *a* vom folgenden *i* umgelautet ist, neben *clal-um*, wo das *i* vor *-um* ausgefallen ist ohne das *a* umzulauten.

[1]) Weniger wahrscheinlich ist es mir, dass das *n* von *uent-um* wie das *n* von *θunz* u. s. w. zu erklären sei, nämlich durch den Einfluss der Nominalstämme auf *-un*, bei denen der Nom. sg. wie bei **uctu* — lat. *octo* auf *-u* endete.

Das Suffix der etr. Zahladverbia ist somit als *-*ti* (woraus *-zi* u. s. w.) erkannt. Dasselbe Suffix finde ich in umbr. *duti* (iterum). *tertim*, lat. *tertium*, skr. *dritījam*, *tṛtījam* u. s. w. Dies Suffix, welches ursprünglich nur den Zahlen 2 und 3 gehörte, ist im Etruskischen verallgemeinert worden.

Wenn diese etymologische Erklärung richtig ist, löst sich der oben hervorgehobene Zweifel über die Bedeutung der etruskischen Zahladverbia: *ϑunz* bedeutet nicht »zweimal«, sondern »zum zweiten Male«. Dies führt wieder zu der Erkenntniss, dass die etr. Zahladverbia vom Stamme der Ordinalia gebildet sind, und diese Erkenntniss ist für die etymologische Erklärung der etr. Numeralia überhaupt wichtig. Das Adverbium *cizi* aus **citi*, **cinti*, **cen-t-i* »zum fünften Male« lässt sich mit der indogermanischen Form ohne Schwierigkeit vermitteln. Wenn wir neben *cizi* (*cs'*) und *cealχls* (*celχls*) die gleichbedeutenden Formen *cezpz* und *cezpalχals* finden, fasse ich das Verhältniss nicht so auf, dass *cizi* durch Lautwandel auf **cezpzi* entstanden sei. Ich vermuthe vielmehr, dass die Form der Cardinalzahl *ci* eine Analogiebildung nach *cizi* und anderen Formen der Ordinalzahl ist, und dass die ursprünglichere Form der Cardinalzahl den Formen *cezpz* und *cezpalχals* näher stand. Auch bei anderen Zahlen scheint die Form der Ordinalzahl auf die Form der Cardinalzahl Einfluss gehabt zu haben. Das Zahlwort *zal*, Dat. m. *zelar*, *zeral* bedeutet nach meiner Ansicht »drei«; *es'ulzi*, *eslz* aus **zelzi* »zum dritten Male«. Hier erscheint eine Stammform *zel-*, ursprünglicher *zer-*, die, wie ich meine, durch Assibilation aus **ter-* entstanden ist; vgl. *zec* — *tece* und wlach. *tzest* — lat. *testu* u. s. w., siehe Diez Rom. Gr. I, 230. Die Formen *zel-*, *zer-* aus **ter-* entsprechen der bei der Ordinalzahl erscheinenden indogerman. Form lat. *tertius*, skr. *tṛtīja-s*. Ich vermuthe daher, dass etr. *zal*, *zelar*, *zeral* von der

Form der Ordinalzahl beeinflusst sind. Hiedurch wird die Vermuthung, zu der ich im vorhergehenden durch andere Gründe geleitet wurde, dass die Form *s'a* »sechs« von der Ordinalzahl beeinflusst ist, bestätigt.

mean, mealχls, mevaχr.

Die Göttin *mean* erscheint oft in etruskischen Spiegelbildern. Sie wird als eine jugendliche Frau dargestellt, die gewöhnlich nackt oder halb bekleidet, zuweilen beflügelt ist. Sie erscheint mit Stirnband und Halsband geschmückt. Sie bekränzt, wie sonst die *alpnu* oder die *munθuχ*, den Herakles (Gerh. T. CXLI = F. 1067) oder erhebt die Hände, um ihn zu kränzen (Gerh. T. CXLII = F. 2146), oder bindet eine Tänie um sein Haupt (Corss. I, 1014, vgl. Bull. dell' Inst. 1866 p. 102). In einem Spiegelbilde sehen wir die *mean* den Paris auf der Insel der Seligen bekränzen (Gerh. T. CLXXXI = F. 2500). Zweimal tritt sie neben Adonis auf, einmal zugleich mit *alpan*, grüne Palmzweige, die sich mit den Spitzen berühren, in der Hand tragend (Gerh. T. CCCXXII = F. 2494 bis); in einem anderen Bilde folgt sie der *eran* (G. App. 770).

Man hat *mean* auch Gerh. T. LXXXII — F. 2470 zu erkennen geglaubt. In der Mitte sitzt *tinia;* vor ihm hält *θalna* einen Knaben. Links steht *apulu*, rechts die bekleidete *m.an*, gegen den Knaben hinschauend. Sie ist hier beflügelt, mit Stirnband geschmückt, hält in den Händen Salbenbüchse und Scheitelstift oder Schminkbüchse und Schminkstäbchen.

Die *mean* ist hiernach der griechischen Hebe und den Horen nahe verwandt. Es ist der Kranz der ewigen Jugend, mit dem sie den Herakles im Olymp, den Paris auf der Insel der Seligen bekränzt. Auch die Horen bezeichnen gleich der Hebe mythisch die schönste Blüthe des Lebens. Die Horen erscheinen, wie Hebe und *mean*, in der dienenden und begleitenden Umgebung der Aphrodite und des Zeus. Die Horen sind Pflegerinnen der neugeborenen Götter; ebenso, wie es scheint, *mean*.

Der Name *mean* scheint mit dem Zahlworte *mealχls* lautlich verwandt, obgleich die Bedeutungen anscheinend ganz disparat sind. Das Zahlwort *mealχls* F. 2340 steht für **mevalχls*, wie dies durch die Nebenform *muvalχls* F. 2335 a, F. 2335 d und F. Spl. II, 115 (vgl. *mevaχr* F. 1914) erwiesen wird. Daher scheint *mean* aus einer älteren Form **mevan* entstanden. Man hat *mealχls*, *muvalχls* zu lat. *novem*, gr. ἐννέα, skr. *návan* u. s. w. gestellt. Wenn dies richtig ist, lässt sich *mean* für **mevan* zu *novus*, νέος, *náva-s* stellen. Hiedurch gewinnen wir für *mean* die Bedeutung »die junge«, »die jugendliche«, welche trefflich zu ihrem Auftreten passt. Für das Suffix vergleiche ich gr. νεᾱν-, wovon νεᾶνις, νεανίας. Die Deutungen von *mealχls* als »neunzig« und von *mean* als νεᾶνις »die jugendliche« stützen sich gegenseitig. Den Uebergang von *n* in *m* erkläre ich mir folgendermassen. In den indogerm. Formen *névn̥* oder *néwn̥* »neun«, *névos* »neu« ruhte der Hochton ursprünglich auf der ersten Silbe. In dem von νέος abgeleiteten gr. νεάν- ist der Hochton auf die zweite Silbe verschoben. Dasselbe setze ich für den etruskischen Stamm **neván-* voraus. Allein durch diese Verschiebung der Betonung wurde das volle kurze *e* der ersten Silbe zu dem Schwalaute des *e* erleichtert. Da *v* in **n(e)ván* von dem anlautenden *n* nun nicht durch einen vollen Vokallaut getrennt war, konnte es auf *n* Einfluss bekommen und dies in *m* verwandeln. So entstand **m(e)ván*, und ebenso **m(e)válχls* aus **n(e)válχls*.

Aehnlich ist nach Ausdrängung eines *e* *m* durch den Einfluss eines folgenden *f* aus *n* entstanden in *prumfte[r]* (pronepotes), *prumts*, *prumaϑs'* (pronepos) neben *nefts*,

nefts' (nepos). Ich führe aus dem Umbrischen einen mit *mealχls* aus **n(e)vál-* analogen, wenn auch nicht vollständig übereinstimmenden Fall an. Neben *benurent* (venerint) und anderen Formen mit anlautendem *b* besteht *menes* (venies) tab. Iguv. I b 15, wo das anlautende *b* durch den Einfluss des folgenden *n* zu *m* verwandelt worden ist, weil hier ursprünglich nicht ein voller *e*-Vokal das *b* von *n* trennte.

Gegen die Deutung von *mealχls* oder *muvalχls* als »neunzig« spricht freilich der Umstand, den Pauli (Fo. u. St. III, 29), wie früher Lorenz (Kuhns u. Schleichers Beitr. III, 29), hervorgehoben hat, dass es 4mal unter den im ganzen nur 19 Grabschriften mit ausgeschriebenen Alterszahlen vorkommt. Entscheidend ist dies jedoch nicht. Da die Angabe des Alters durch ausgeschriebene Zahlwörter in so wenigen Inschriften vorkommt, kann der Zufall hier leicht walten. Dies wird dadurch bestätigt, dass *XCIII* unter den lat.-etr. Inschriften mit Altersangabe durch Zahlzeichen vorkommt, das Zeichen für achtzig dagegen nicht.

F. 1914 A 2 trenne ich mit Pauli Fo. u. St. III, 136 f. *meraχr* als ein Wort ab. Auch mir scheint *meraχr* mit den Zahlwörtern *mealχls* F. 2340, *muvalχls* F. 2335 a und d, F. Spl. II, 115 »(neun)zig« verwandt. Dagegen kann ich in *meraχr* nicht eine Amtsbezeichnung finden. Die von Pauli dafür angeführte Analogie von *zilaχ* scheint mir nicht zutreffend, denn *zilaχ* hat nach meiner Ansicht mit *zal* nichts zu thun. Ausserdem wäre eine Beamtenbezeichnung neben *lautn* (d. h. familia), dem Collectivum von *lautni*, nicht passend.

Ich vermuthe, dass der Nom. plur. *meraχr*, der die Pluralendung *-r* zeigt, selbst ein Zahlwort ist und dass es »neunzig« bezeichnet. Gegen diese Deutung lässt sich der Accus. pl. *cezpalχ* Fo. u. St. III, 8, No. 15) anführen. Entscheidend ist dies jedoch nicht, denn *cezpalχ* ist ein

Adjectiv und mit *avil* d. h. *annos* verbunden, *meraχr* wäre dagegen als Substantiv und von Personen angewendet. Dadurch könnte die Differenz der Form veranlasst sein.

Pauli Fo. u. St. III, 37—40 hat bewiesen, dass *-alχ*, Gen. *-alχls*, in den etr. Zehnern mit dem litau. *-lika* nichts zu thun hat, und er hat darin (S. 127—130) vielmehr ein Doppelsuffix *-al-χ* nachgewiesen, dessen beide Elemente im Etrusk. häufig vorkommen. Die Pluralform *mera-χ-r* ist wie *maχ* durch das Suffix *-χ* gebildet. Ich sehe in den Bildungen auf *-al-χ* speziell etruskische Neubildungen. Das »zehn« ist in ihnen formell eigentlich nicht ausgedrückt. Dasselbe ist bei den altnorweg. Zahladjectiven *áttrœdhr* (octogenarius), *nírœdhr* (nonagenarius) u. s. w. der Fall. In den altsächs. Cardinalzahlen *ahtoda* 80, *nigonda* 90 ist das »zehn« ganz verschwunden.

Die Deutung von *meraχr* als »90« ist jedoch sehr unsicher. Sollte es vielmehr nach *mean* als »junge« zu deuten und mit *tamna larezula* zu verbinden sein?

nini.

Corssen II. 580—583 (T. XXV, 3) giebt Mittheilungen von einer kleinen abgestumpften, mit einer Inschrift versehenen Pyramide von gebranntem Thon, die bei Sermide in der Provinz Mantua gefunden ist; unter der abgestumpften Spitze ist sie durchbohrt parallel mit der beschriebenen Vorderseite derselben und mit der Base. Darin hat man ein Gewichtstück erkannt, welches zum Aufhängen mittelst eines durchgezogenen Fadens bestimmt war. Die Inschrift, welche sich weder bei Fabretti noch bei Gamurrini findet, ist von Corssen als etruskisch erklärt und als solche auch von Deecke Müll. I, 132 n. 26 bezeichnet. Corssen liest:

IX

ṭaine nini

IX

Das angebliche *t* ist unten unvollständig; *e* hat die verschnörkelte Form ꟻ. Das Trennungszeichen hat die Form einer nach rechts gewandten Volute.

Die Deutung Corssens, wonach die Inschrift den Namen des Töpfers enthalten soll, scheint unhaltbar. Ein Vorname *tuine* (oder *zuine*) ist unerhört. Ich vermuthe:

puine nini

Freilich hat das von mir vermuthete *p* den oberen Querstrich über den Grundstrich nach rechts verlängert [1]), was nicht gewöhnlich ist. Allein in einer bei Vicenza gefundenen Inschrift (F. 21 T. II) kommt neben **X** *t* zweimal das Zeichen **T** vor, welches Fabretti *p* liest. Nach meiner Vermuthung ist die Anzahl von kleinen Gewichtseinheiten, welche das thönerne Gewichtstück enthält, zugleich durch Ziffern und durch Wörter ausgedrückt. Aehnlich ist in F. 2777 nach meiner Vermuthung die Zahl sowohl durch ein Wort als durch eine Ziffer ausgedrückt. In *puine* vermuthe ich Nom. plur. von **puinu*, dem im Lat. entweder ein **pondia* (fem.) oder ein **pondius* (masc.) entsprechen würde. Aehnliche Ableitungen sind lat. *assipondium*, *dupondius*. Die Form *puine* steht für **punie*, **punnie* durch Epenthese, vgl. *ruifris'*, *reila* u. m. bei Deecke Müll. II, 364 f.; Gött. g. Anz. 1880 S. 1422. Im Osk. und Umbr. wird *nd* regelmässig zu *nn* assimiliert: dieselbe Assimilation liegt in *puine*, vielleicht durch Entlehnung aus einer italischen Sprache, vor. Dass ein mit dem lat. *pondo* verwandtes Wort im Umbrischen gebräuchlich war, geht aus dem Siglum *P* tab. Iguv. V b 9, 14 vor.

In *nini* vermuthe ich »novem«. In *nuis'* G. App. 462 = F. Spl. III, 86 d. h. *Novii* (Gen.) neben *nuves'*

[1]) Die Zeichnung deutet an, dass das Gewichtstück bei dem Querstriche beschädigt ist.

G. App. 705 entspricht das etr. *u* dem lat. *or*. Hiernach vermuthe ich, dass *niui* aus **nui* entstanden ist, vgl. *partiunus* F. Spl. III, 371 neben *partunus* F. Spl. III, 367—8, *tiucuntnal* G. App. 694 neben *tucuntines'* F. 1172. Das Zahlwort hat nach meiner Vermuthung die Endung *-i* angenommen, weil es mit dem Substantiv *puine* grammatisch verbunden ist, wie *tesne* mit der Endung *-e* für »10« angewendet wird, wo die Zahl mit substantivischen Pluralformen auf *-e* grammatisch verbunden ist. Die Endung *-i* in *niui* scheint nämlich mit dem *-e* von *puine* ursprünglich identisch: vgl. *velaϑri* = lat. *Volaterrae* neben *ϑezle* = *Faesulae* und Fem. sg. *anini* F. 2358 (Deecke Müll. II, 369) = *aninai*.

Meine Deutung der Inschrift von Sermide wird durch G. App. 69, T. III bestätigt: Eine zu Talamonaccio gefundene kleine Scheibe von gebranntem Thon in der Form einer Linse und am Rande durchbohrt, um als Gewichtstück an dem Aufzug eines Webestuhls befestigt zu werden, trägt die Buchstaben *pui*, welche, wie bei der Inschrift von Sermide, auf den weichen Thon vor dem Brennen aufgeprägt sind.

Das Wort *puia*, Gattin, das Gamurrini hier finden will, würde, wie mir scheint, als Inschrift eines Gewichtstücks höchst sonderbar sein, um nicht »sinnlos« zu sagen. Vielleicht ist *pui* als Abkürzung von *puina* (Bezeichnung eines Gewichts) zu deuten. Die Deutung der hier besprochenen Inschriften würde vielleicht mehr gesichert werden können, wenn man untersuchte, wie die Pyramide von Sermide in Betreff des Gewichts sich zu der Scheibe von Talamonaccio verhält.

Jedenfalls wird es durch die Inschrift der zu Talamonaccio gefundenen Scheibe wahrscheinlich, dass das Etruskische ein mit *p* anlautendes Wort besass, welches mit dem lat. *pondo* verwandt war.

Nach Bull. dell' Inst. 1876 S. 131 ist das Gewicht

der Pyramide von Sermide 930 Gramm, also beinahe so viel als 9 römische trientes. Dadurch scheint die Geltung der *puine nini* bestimmt.

Meine Deutung von *nini* verträgt sich wohl mit meiner Deutung von *meralχls;* denn einerseits scheint *nini* einem anderen Dialekte als *meralχls* anzugehören, andrerseits lässt sich die etruskische Form für 9 nicht mit Sicherheit nach *meralχls* 90 bestimmen.

Die Flectierbarkeit der etruskischen Zahlwörter.

Gegen die Herleitung der etruskischen Zahlwörter aus dem Indogermanischen hebt Pauli Fo. u. St. III, 40 hervor, dass »die gesammten etruskischen Zahlwörter flektierbar [1]), während von den indogermanischen es nur die vier ersten sind. Wollte man annehmen, die etruskische Zahlwörterflexion sei eine Neubildung, so würde diese Annahme daran scheitern, dass die Sprachentwicklung sonst durchaus den Gang innehält, dass ehedem flektierte Zahlen unflektierbar werden. Beispiele des entgegengesetzten Ganges sind mir nicht bekannt, und ich zweifle, dass es deren giebt.«

[1]) Im Widerspruch hiemit meint Pauli S. 126, dass die Cardinalien im Etruskischen an sich unflectierbar waren, durch die Flexion aber ordinale Bedeutung annehmen konnten. Wenn dies richtig wäre (was ich nicht annehme), würde nicht von einem Unterschied zwischen etruskischen flectierbaren und indogermanischen unflectierbaren Zahlwörtern, sondern nur von einer Differenz in Betreff der Bildung der Ordinalia die Rede sein, denn die indogermanischen Ordinalia sind ja ebenfalls flectierbar.

Die Flectierbarkeit der etruskischen Cardinalia zeigt sich in den folgenden Formen, von denen ich die meisten schon besprochen habe: 1) Es finden sich die folgenden Dativ-Formen: fem. *θunur* vom Zahlworte 2; masc. *zelur*, *zeral*, fem. *zelur* von 3: masc. *s'ar*, *s'r* von 6. 2) Diejenige Flexion, welche die Gesammtheit der etruskischen Cardinalia angeht, besteht darin, dass sie einen Genetiv bilden, z. B. *θunes'i*, *semφs'*, *huθs*, *zaθrums*, *cezpalχals*, *muvalχls* u. s. w. 3) In mehreren Formen der Zahlwörter sehe ich eine dem Nom. plur. angehörige Flexionsendung: *-ei* in *tei* 2 statt **tvei* (auch im Gen. *teiṣ'*, *teis*); *-e* in *tesne* 10; vielleicht *-i* in *nini* 9; (*-r* in *meraχr* 90?). 4) Neben *θu* 2 findet sich einmal *θun*. 5) Endlich erscheint eine neutrale Form des Nom.-Acc. *zeriu* 3. Pauli hat eine Kluft zwischen dem Etruskischen und dem Indogermanischen dadurch hervorgebracht, dass er behauptet, dass im Indogermanischen nur die vier ersten Zahlwörter flectierbar seien, und dass ehedem unflectierbare Zahlen später nie flectiert werden. Ich kann diese Kluft nicht finden. Z. B. im Sanskrit werden ja die Zahlwörter von 5 bis 19 als Plurale flectiert, mit Ausnahme des Nom.-Accus., und die Zehner, 20 und 30 u. s. w., mit ihren Compositis werden regelmässig in allen Numeris wie feminine Stämme flectiert (Whitney Gramm. Uebers. S. 175 f.). Im Litauischen haben die Zahlen 5—9 sowohl im Masc. als im Fem. sechs verschiedene Casusendungen, und 10 wird zum Theil als feminines Substantiv flectiert. Auch für altgermanische Sprachen gilt die von Pauli behauptete Beschränkung der Zahlwörter-Flexion keineswegs.

Endlich ein Beispiel aus einer modernen indogermanischen Sprache! Im Altnordischen waren die Zahlen 5—19 unflectierbar, später im Mittelalter auch 20—90. Im Neudänischen bilden dagegen diese Zahlen sämmtlich, wenn sie substantivisch angewendet werden, den Genetiv auf *-s*.

Die genannte Einwendung Pauli's wird also hinfällig. Ich fasse die Genetivformen der etruskischen Zahlwörter als Neubildungen.

Eine andere Einwendung Pauli's gegen die früher von Corssen, jetzt von Deecke vertheidigte Auffassung der etruskischen Sprache gründet sich auf die verschiedene Lautbehandlung in *ci* neben *cuinte*, *huϑ* neben *χuarϑe* u. s. w. Diese Einwendung berührt meine Auffassung nur wenig, da ich das Etruskische nicht für eine italische Sprache erkläre, und da ich es wahrscheinlich finde, dass *cuinte* und *χuarϑe* Lehnwörter sind.

Vocalvorschlag.

Den Vorschlag eines Vocales hat bereits Corssen I, 570 f. im Etruskischen nachgewiesen: *is'iminϑii* F. Spl. III, 388 (Dativ), *ismintiis* F. 1061 bis, *isminϑians* F. 2094 neben *sminϑe* F. 2095 bis a, *s'minϑinal* F. 1143, *s'minϑinaz* F. 1145, *sminϑi-* F. 1146 und dem osk. Familiennamen *smintiis* (Var. *simintiis*, *smintis*). Corssen verglich damit spätlat. Formen *iscolasticus* u. ähnl., Deecke Fo. u. St. II, 56 italienische wie *ismaccare* neben *smaccare*. Deecke hat mehrere Beispiele eines vorgeschlagenen *e* oder *i* gefunden (siehe Gött. g. Anz. 1880 S. 1436: Fo. u. St. II, 22 n. 80, 35 n. 123, 45, 90, 92), nämlich: neben *zal*, *sal*, *zl* »drei«, *zelar*, *zelur*, *zeral*, *zerin*, *zaϑrums* die Formen *esals* F. Spl. I, 387, Gen. von *zal*; *eslz* F. 2057 (2mal vorkommend), *es'ulzi* G. App. 912 bis, *elss'i* F. 2055 d. h. »zum dritten Male«; *eslen* G. 658, unmittelbar vor [*z*]*aϑrumis* (Deecke vermuthet *eslem*). Deecke (G. g. Anz. angef. St.) nennt diesen Vorschlag »unaufgeklärt«. Ich erkläre ihn, wesentlich mit Pauli Fo. u. St. III, 17 f. übereinstimmend, folgendermassen. Fick (Gött. g. Anz. 1881 S. 1448) bemerkt: »Auf dem . . . Gesetze des Morenersatzes beruht der Vocalvorschlag des Griechischen, welcher ursprünglich nur vor solchen Silben eintrat, welche ursprüngliches Schwâ ausstiessen. Aus *nḗr, néres* konnte im Griechischen nur *νήρ, νέρες* werden, aber aus *ν-ρῶρ* wurde *ἀ-νρῶρ, ἀνδρῶρ*, sowie der Minimalvocal der ersten Silbe schwand«. Dieser Vocalvorschlag war im Griechischen besonders häufig vor Consonanten, deren der eine *r, l, n, u, s* war. Nach demselben Principe erkläre ich etruskische Formen wie *eslz, elss'i*. In *zal* war der Vocal zwischen *z* und *l*, wie ich mit Pauli annehme, ursprünglich *e*, wie in *zelar*. In dem durch das Suffix *-zi* gebildeten Adverbium ruhte der Hauptton ursprünglich nicht auf der ersten Silbe. Dadurch wurde der Vocal der ersten Silbe zu einem Minimalvocale geschwächt. Indem dieser schwand, wurde ein *e* vorgeschlagen: *eslz* also statt **eslzí, *z(e)lzí*. Das *u* in *es'ulzi* hat sich aus dem Stimmton des *l* entwickelt.

Denselben Vorschlag zeigen, wie Deecke erkannt hat, *eprϑni* G. App. 136 und verwandte Formen, mit *purϑne* G. App. 132 verglichen. Ebenso hat Deecke erkannt, dass *epl* F. 1914 A 8 und 11 (hier *epl-c*), vielleicht auch F. 560 ter g, mit *pul* identisch ist. Das Substantiv *pul* findet sich G. App. 799 Z. 6 und 7 (in dieser Zeile 2mal), F. 2033 bis E a (in *pulum* mit dem enklitischen *-um*) und nach einer brieflichen Mittheilung Deeckes in F. 1565, siehe Spl. I p. 104. Die Inschrift einer zu Foiano bei Bettolle gefundenen Schale giebt G. App. 912 bis so:

ekuauϑiialzreχuruzeles'ulzipulϑesura — —

Allein statt *-pulϑesura-* giebt Helbig (Bull. dell' Inst. 1879 p. 247) *-pul ϑesura-*. Dass Helbigs Mittheilung hier die richtige ist, wird dadurch bestätigt, dass die Inschrift nach Gamurrini No. 552 62 Buchstaben enthält: dies passt nur zu Helbigs Mittheilung. In *pule* darf man wohl nicht denjenigen Familiennamen sehen, wovon der Genetiv G. App. 799 Z. 2 erscheint, denn wenn der Name des Subjects genannt sein sollte, würde dies gewiss genauer geschehen sein. Ich vermuthe in *pule* einen finalen Dativ von *pul*. Ich habe früher (Academy 6. Mai 1882) *pul* mit *puln* F. 2642 identificiert und als »Schale« gedeutet. Ich vermuthe jetzt vielmehr, dass *puln* »Schale« von *pul* durch das Suffix *-n-* abgeleitet ist, und dass *pul* »Opfer«, und sowohl »Trankopfer« als »Opferschmaus« bezeichnet, wie lat. *pollucere* sowohl vom Trank als von Speisen angewendet wird. Dies Substantiv scheint mir zu dem indogermanischen Wortstamme für »füllen«, skr. *par*, *pṛṇâti* oder *piparti* »füllen, sättigen, reichlich spenden«, lit. *pìlti*, »hineingiessen«, u. s. w. zu gehören: formell entspricht *pul* dem ind. *pura* »das Füllen«. Mit *pul* scheint *pultace* d. h. sacrificavit (Deecke) zusammengesetzt: davon mehr im folgenden. Mit etr. *epl* hat man längst lat. *ĕpulum* zusammengestellt. Dies hat im Lateinischen selbst kein Etymon: auch hat man für *epulum*, *epulae* aus den verwandten Sprachen keine etymologische Erläuterung finden können. Nach dem Obigen sehe ich im lat. *epulum* ein Lehnwort aus dem etr. *epl*.

Ferner erinnert Deecke für den Vocalvorschlag an *Etruria*, *Etruscus*, wozu Pauli Fo. u. St. III, 18 *Etriscus* C.I.L. III, 1, no. 1502 fügt, neben *Τυρσηνός*, *Tuscus*, umbr. *turskum*. Endlich hat er den Vorschlag eines *i* in *itruta* F. 986 neben *trt*, *trutvecie*, *trutnvt* erkannt; siehe über diese Wörter meine Bemerkungen im folgenden.

Ausser den von Deecke gefundenen Beispielen nennt Pauli Fo. u. St. III, 17 noch das Pron. demonstr. *ecu*, *eca* neben *ceu*, *cu* F. 1014 ter (unsicher), *ca*, und sieht in *a* einen Vertreter der tönenden Nasalis. Dies scheint mir wegen der Formen *eku* G. App. 912 bis und *ecuz*

F. 1916 bis nicht zulässig. Das *a* von *ca* scheint mir indogermanischem *ŏ* (vgl. z. B. gr. τό, πόθι u. s. w.) zu entsprechen, und in *e-ca* sehe ich eine Zusammensetzung, deren erstes Glied entweder mit dem *e* des etrusk. *eϑ* (in hoc, hic) oder mit dem *e* des pälign. *ēcuc*, osk. *eku* oder endlich mit dem *ἐ-* des gr. ἐκεῖ zu vergleichen ist.

Ich finde einen Vocalvorschlag noch in mehreren anderen Formen. 1) In *escunac* F. 2335 (d. h. *escuna-c* mit dem copulativen *-c*) und dem Familiennamen *esχunus* G. App. 580 (Genetiv) neben *scuna* F. 2279 am Ende, *s'cuna* F. 1914 A Z. 10 und 23, *s'cune* B Z. 10—11 und dem Beinamen *scunus* F. 2279 Z. 2 (Genetiv). G. App. 804 Z. 6 ist vielleicht *scuna* als eigenes Wort abzutrennen; in dem Facsimile T. IX ist *-una* undeutlich. Nach Undset ist *scun-* sicher, allein der hiernach folgende Buchstabe ist in seiner Zeichnung undeutlich und hat nicht die Form eines *a*. In *scuna* sehe ich ein Substantiv, und dies scheint etwas, das mit dem Grabe und den Todten in Verbindung steht, zu bezeichnen. Es ist nach meiner Vermuthung ein gewisses Todtenopfer. F. 2335 schenkt Larth Canpnas mehreren Verstorbenen *r-c escuna-c* im Grabe, d. h. wohl einen Grabstein und *escuna*. Die Grabinschrift F. 2279 nennt zuletzt ein *scuna* (das) dem (verstorbenen) Arnth (geschenkt ist). F. 1914 A 10 ist von *s'cuna* der Genetiv *ϑil* abhängig; allein dies *ϑil* ist B 19 von *zeriu nacχa* »drei Todtenopfer« abhängig und mit *ϑunχulϑl* (wahrscheinlich ein Opfer an die Unterweltsgöttin *tuχulχa*) asyndetisch zusammengestellt. Vielleicht ist *s'cuna*, *scuna*, *escuna* von *ces'u* (d. h. situs), wie *s'uϑina* von *s'uϑi* u. s. w., abgeleitet, wonach es eine gewisse dem Bestatteten dargebrachte Opfergabe bezeichnen wird. Für die Umstellung vgl. *seselnei*, *sescalna*, *sesuclnna* neben *cestnal* (Deecke Müll. II, 437). Wenn diese Vermuthung richtig ist, hängt der Vorschlag eines *e* wohl auch in *escunac* damit zusammen, dass ein Minimalvocal in der ersten

Silbe schwand. Darin, dass *s'cuna* aus **ces'una* entstanden ist, haben wir vielleicht den Grund zur Schreibung mit *s'* zu suchen.

Die Form *s'cune* kommt nur F. 1914 B 10—11 vor in der Verbindung: *relϑina acilune turune s'cune.* Pauli Fo. u. St. III, 73 f. fasst hier wohl mit Recht *acilune* und *turune* als Verba »machte zum Eigenthum und Geschenk«. Da *s'cune* dieselbe Endung zeigt, liegt es nahe, auch darin ein Verbum zu sehen [1]). Wenn dies richtig ist, bedeutet *s'cune* »widmete (dem Bestatteten) als *s'cuna* (als Opfergabe)«. Dies ist mir wahrscheinlicher, als dass *s'cune* hier entweder Pluralform, vom Substantivum *s'cuna*, und Object, oder Dativ sing. sei.

Ich glaube im Etruskischen überaus viele Wörter für »Weihgeschenk«, »Opfergabe«, »Todtenopfer« zu erkennen. Diese Wörter waren natürlich nicht sämmtlich in Betreff der Bedeutung identisch. Vielmehr dürfen wir voraussetzen, dass die etruskische Liturgie und Opferdisciplin jedem Worte eine eigenthümliche speziellere Bedeutung beimass. Allein wir vermögen bis jetzt bei den meisten dieser Wörter nur die allgemeinere Bedeutung zu finden. Das Entsprechende gilt auch für die Bezeichnungen mehrerer anderer Gegenstände, Handlungen und Begriffe, die mit dem Grabe und den Verstorbenen in Verbindung stehen.

2) *cnac* F. 2279 Z. 6 und 7 neben *nac* F. 2598 und Magliano am Ende, *naχ* G. App. 804 Z. 2, *na|cecinia* F. 1916 bis (d. h. *nac-ecinia*), *nacχa* F. 1914 B Z. 18—19. Deecke Fo. u. St. II, 2 u. 5 sieht in *nac* F. 2598 eine Abkürzung von *nacnva* »Grab«. Mir scheint *nac* vollausgeschrieben und mit *nacnva* »Grab« verwandt. G. App.

[1]) In der Verbindung *s'cunaafuna* F. 1914 A 23 ist *s'cuna* freilich nicht mit *afuna* analog, obgleich es neben diesem steht und dieselbe Endung zeigt.

804 ist *naχ* mit *ceχa* Object des Verbs *arce* d. h. fecerunt »opferten«; *nac* F. 2598 ist wie *aχr* Object des Verbs *θrce* »schenkte«. Daher deute ich *nac*, *naχ*, *enac* als »Todtenopfer«[1]). Davon ist *nacχa* vielleicht Nom.-Acc. plur. neutr. Nach meiner Vermuthung ist *nac*, *enac* aus **n(e)ca*, wie *clan* aus **clena*, **clesna* entstanden. Vielleicht sogar aus **necra*, wenn das *r* von *nacnra* umgestellt ist und man eine Form **necnna* voraussetzen darf. Von demselben Stammworte ist gr. *νέκυια* fem. und *νεκύσια* neutr. plur. »Todtenopfer« abgeleitet. Ueber die Todtenopfer der Etrusker vgl. Müller [2]II, 26, 93 f. Hier erscheint also ein echt indogermanisches Wort im Etruskischen. Dass *enac* Nebenform zu *nac* ist, folgere ich nicht nur aus der formellen Uebereinstimmung. Neben *naχ* steht G. App. 804 *ceχa*. Von *nacχa* F. 1914 ist *θunχulθl* abhängig, und mit *nacχa* ist vielleicht *ca ceχa* copuliert. Wenn man hiemit vergleicht, dass F. 2279 Z. 7 *ceças* und *θunχu[lθl]* von *enac* abhängig sind, so lässt sich die Identität von *nac* und *enac* nicht bezweifeln.

Mit *enac* verwandt ist vielleicht *enesci* in dem Ausdrucke *zuci*[2]) *enesci* F. 1914 A 7—8, B 2—3 und 11—12. Ist *enesci* Dativ, [von einem Adjectiv **enesc* (statt **nesc*), das von **nec-* = *νέκυς* durch das Suffix *-sc* abgeleitet ist?

3) F. 1914 B ist der erste Satz: *velθina s'atena zuci enesci ipa s'pelaneθi fulumχva s'pelθi reneθi es'tac* Z. 1—8. Das Verbum finde ich in *es'tac*. Dies ist von demselben Stamme mit *sta* F. Spl. III, 406, F. Spl. III, 417, F. 2754 a, F. Spl. I, 517 (?), F. 2261, *s'ta* F. 2404; *es'tac* bedeutet also eigentlich »stellte auf«, d. h. weihte. Dieselbe Wortform finde ich in der Inschrift eines marmornen Cippus von

[1]) Auf dem Deckel einer »olla fictilis« aus Perugia (F. 1972) steht *naχ* allein geschrieben. Hier ist wohl dasselbe Wort wie G. App. 804 anzunehmen.

[2]) Die Wortform *zuci* erinnert an *tuci* Magliano A 9.

Perugia F. 1916. Die vier letzten Zeilen möchte ich so lesen:

speld | *ar* ⁝ *arlaϑ* | *estakklae* | *χstr* : *curna*

l hat in *spelϑ*, *laϑ* und *klae* die Form ꓤ, die auch F. 1014 bis b vorkommt; *r* ist in *ar*, *χstr* und *curna* rechts gewendet, ebenso *c* in *curna*. Rechts von dem *r* in *ar* sind unten zwei Punkte horizontal neben einander vorhanden (vielleicht Interpunction). Zwischen *e* und *s* in *estak* sieht man zwei Punkte, die bedeutungslos scheinen. Das *t* in *estak* ist verschnörkelt.

spelϑ Z. 5 ist identisch mit *s'pelϑ* F. 1914 A Z. 22—23 und *s'pelϑi* F. 1914 B Z. 6, worin ein Locativ deutlich vorliegt. Verwandt ist *s'pelaneϑi* F. 1914 B Z. 4—5. Das Substantiv *spel* bezeichnet gewiss einen geweihten Raum des Grabes. Das Verbum finde ich in *estak*. Die Subjecte in *ar* ⁝ *ar laϑ* — *klae χstr* : *curna*. Ich vermuthe hier drei Vornamen, jeden mit einem Familiennamen.

Statt *ar* hat die Zeichnung *nr* mit ∧ über *n*; auch bei *a* in *tular* Z. 2 ist die Verbindungslinie oben verschwunden: *ar* ist eine häufige Abkürzung von *arnϑ*. Darauf lese ich *ar* d. h. *arle*. Endlich kommt *laϑ* — *larϑ*, wie wahrscheinlich F. 344. Das erste Gentilicium ist *klae*, dem lat. *Clarius* entspricht, das in einer Inschrift aus Sutri bei Noël des Vergers L'Etrurie III Nr. 70 vorkommt; vgl. *Clarillia* I. R. Neap. 5061, *Clarenius* C.I.L. V, 1920. Mit *klae*, lat. *Clarius* identisch ist *Claius* in einer lateinischen Inschrift zu Vulci (Bull. 1883 S. 47).

Es ist bedenklich *χstr* zu *χste* zu ändern, denn *r* ist in der Inschrift sonst zweimal nach rechts gewendet, *e* dagegen niemals. Vielleicht ist *χstr* graphische Abkürzung statt **χestre*, und dies durch Umstellung aus **χreste* entstanden [1]). Ich vergleiche es mit dem Gentil-

[1]) Eine analoge Umstellung in zend. *khshtva* (sextus) statt *hshti*. Steht etr. *nacnva* für *necuna*? s. oben.

namen *χestes* (Gen.) F. 2328 (Corneto). Dazu stellt Deecke Fo. III, 245 *χestu* . . . F. 1996 (Perugia), die perusinischen und clusinischen Namen *cestna*, Gen. *cestnas, cestnasa, cestnsa*, Fem. *cestnei*, Gen. *cestnal* und den perusinischen Namen *Cestius* bei Vell. Pat., *Κέστιος* bei Appian. *Cestius* ist in lat. Inschriften nicht selten. Hieher gehören wohl auch *χresnas* (Gen.) G. App. 689 (Perugia), *cresϑnal* F. 1120 (Perugia), *cueϑnal* F. 1123 (Perugia), *χrestnal* F. 1246 (Perugia), *χrestnas'* F. 1748 (Perugia). Fabretti vergleicht mit diesen lat. *Quaestuleius* (bei Gruter. 201 col. 3), allein kaum mit Recht. In *cestna* u. s. w. scheint ein *r* verschwunden: vgl. *χartillas'* neben *χuarϑe, s'elans'l = selvansl* u. a. Der Name *cuvna* ist identisch mit dem volaterranischen Gentilicium *cuerna* F. 327 bis, *cneuna* F. 328, 328 bis, 329, Gen. *cneunas'* F. 348. Vgl. Deecke Fo. III, 98.

Die hier vorkommende Wortfolge, dass erst die drei Vornamen und dann nach dem Verbum die drei Gentilicia genannt sind, habe ich sonst nicht gefunden. Die singulare Form des Verbs ist ungeändert, obgleich es mehrere Subjecte sind. *es'tak, estak* verhält sich in Betreff des Anlauts zu *s'ta, sta*, wie *escunac* zu *scuna*. In *es'tac, estak* ist das auslautende *-e* abgefallen wie in den Verbalformen *turk, zec*. Vinc. Campanari hat bereits *es'tac* als *ἕστακε, stetit*, von *ἵστημι* gedeutet.

4) *etera*, das nach Pauli Fo. u. St. I »Erbe« bedeutet, verhält sich nach meiner Vermuthung zu *ϑura*, das man gewöhnlich »progenies« übersetzt, wesentlich wie *epraϑni* zu *puraϑne, epl* zu *pul*.

Nach der Analogie von *epraϑni, epl* sollte man eine Form **etra* erwarten. In F. 346 findet sich *selaci : tre*, das ich als Nom. plur. von **zila etera* verstehe, woven nach Pauli Gen. sg. *zil eteraius* F. 1, 436 a. Zusammengesetzte Formen ohne *u* vor *r*, die jedoch mit *ϑura* verwandt sind, kommen vor: *s'elraϑres'* G. App. 690 neben *s'elraϑuri* G. App. 687.

Das Substantiv *etera* scheint wie *ϑura* eigentlich »progenies« zu bedeuten. Darum kann es als ein Synonym von *clan* (Sohn) angewendet werden, siehe Pauli Fo. u. St. I, 53. So möchte ich es auch (gegen Pauli Fo. u. St. I, 54 f.) in den folgenden zwei Inschriften verstehen:

au· semϑni : etera | helvereal

F. 1906 (Perugia). Diese Inschrift, welche sich auf einer »stela sepulcralis« befindet, ist wohl die Grabschrift eben derjenigen Person, welche in F. 1757 (Perugia, auf einer »area lapidis tiburtini«) genannt ist:

au : semϑni : au | helvereal : clan

In F. 1555 (Perugia):

aule· anei· cacnal· e
»Aule Anei, der Cacnei *etera*«

sehe ich ebenfalls in *cacnal* den Namen der Mutter. Dies wird durch F. 1184 (Perugia) kaum widerlegt:

au· anei· cacnis'· au

Diese Inschrift zeigt zwar, wie Pauli hervorgehoben hat, *cueni* als Cognomen oder zweiten Familiennamen der *anei*, allein die *anei* können diesen zweiten Familiennamen beim Hineinheirathen in die Familie der *cueni* angenommen haben; daher scheint es nicht auffallend, eine *cuenei* als die Mutter eines *anei* zu finden.

F. 2033 bis E, a fängt nach Deeckes Lesung so an [1]):

cel. leinies arnϑial· ϑura larϑialis'a |:| clan : celusum nefts' — — —

[1]) Die Ergänzung *leinies* scheint bedenklich, denn Undset liest: *l . e . . te.*

Deecke hat hier *θura* durch »progenies, Nachkomme« übersetzt, allein er hat das Verhältniss des *arnθ* zu dem *vel*, dessen Grabschrift diese ist, nicht näher bestimmt. Es ist merkwürdig, dass Arnth, dessen *θura* Vel ist, vor dem Vater und dem Grossvater des Vel genannt ist. Ich möchte *arnθial θura* durch »Arruntis gentilis« übersetzen und hiedurch ausgedrückt finden, dass Arnth der Vorsteher derjenigen gens war, zu der Vel gehörte. Man vergleiche F. 2603 (Basrelief mit einem Gorgonenhaupt): *mi· suθilvelθuriθura : turce· au· velθuri fnis'cial*, wo *velθuriθura*, wie schon Pauli St. III, 112 gesehen hat, »der gens Velthuria gehörig« bedeutet.

Wie in F. 2033 bis E a *θura* neben »Sohn« genannt ist, so ist der Verstorbene, wie es scheint, in F. 1245 als der Sohn eines Mannes und daneben als der *etera* eines anderen Mannes bezeichnet: *aule : tites' : petrunis' : velus' : t· | etera*

Pauli Fo. u. St. I, 19 übersetzt: »Aule, des Tite Petruni (Sohn), des Vel Tite etera«, indem er *t·* als *tites'* versteht. Ich möchte *t·* als *tites'la*, Genetivus Genetivi des Vornamens, verstehen. Bei *velus'* denke ich *petrunis'* hinzu. Dadurch, dass *aule* der *etera* (d. h. *gentilis*) des Vel Petruni genannt wird, ist Vel nach meiner Vermuthung als der Vorsteher der Petrunischen gens bezeichnet.

Eine Inschrift F. 1594 besteht bloss aus *etera* ohne jeglichen Namen. Wenn diese nicht verstümmelt ist, muss sie, wie Pauli annimmt, die Grabschrift eines namenlosen Kindes sein. Dies Kind ist meines Erachtens durch *etera* als »zu der gens gehörig« bezeichnet.

Besondere Aufmerksamkeit verdient F. 1931 (Perugia): *s'uθi : etera | velus'aneis'|sen|tinates'*. Man darf dies gewiss nicht so übersetzen: »Der etera des Vel Anei Sentinate (besitzt) das Grab«, denn dagegen streitet die gewöhnliche Structur derjenigen Inschriften, welche nach *s'uθi* einen Genetiv haben. Ich möchte hier *etera* als ein Adjectiv verstehen und die Inschrift so deuten: »das sepulcrum gentile des Vel Anei Sentinate«: vgl. das Adjectiv *velϑuriϑura* F. 2603. Von der adjectivischen Anwendung des Wortes *etera* finde ich noch eine andere Spur. Pauli hat in *zilaϑ· eterav* F. 2055, Gen. *zil eteraius* F. Spl. I, 436 a gewiss richtig einen Titel gesehen. Den Nom. pl. davon finde ich in *selvei : tre* F. 346. Hier sind beide Glieder congruent: sowohl *sela* (= *zila*, *cina*) als *etera*, dessen Pluralform ihr anlautendes *e* nach dem Diphthonge *aei* verloren hat, ist flectiert. Dies scheint darauf hinzuweisen, dass *etera* adjectivisch mit dem Substantive *sela* (*zila*) verbunden ist.

Der Titel **zila etera*, Nom. Plur. *selvei tre*, bedeutet nach meiner Vermuthung »Zila der gens«, bezeichnet also vielleicht einen Magistrat, der die gens im Kriege führte. Später bildete man ein Compositum, worin nur das zweite Glied flectiert wurde: *zil eteraius*, siehe Pauli Fo. u. St. III, 61.

Pauli hat erwiesen, dass *eteraius* F. Spl. I, 436 a, *eterais* 436 b der Bedeutung nach Genetiv von *etera* ist. Daraus folgt aber nicht, dass *aia*, *ai* hier phonetisch aus *a* entwickelt sei. In *eteraias*, *eterais* vermuthe ich einen erweiterten Stamm **eteraia*, der sich zu *etera* verhält, wie *helenaia* zu Ἑλένη, ἀναγκαίη zu ἀνάγκη, Σεληναία zu Σελήνη. Das Verhältniss von *nacnvaiasi* zu *nacnva* ist dasselbe. Dass der erweiterte Stamm bei *eteraias*, *nacnvaiasi* auf den Genetiv beschränkt ist, scheint im skr. Nom. *gnā*, Gen. *gnājās* Analogie zu haben; vgl. Fick Gött. g. Anz. 1881 S. 1462. Darin freilich ist das Verhältniss im Etruskischen abweichend, dass *etera* Masculinum ist.

Noch sind die Formen *eterav* und *eterau* zu besprechen. F. 2055:

aleϑnas· v· v· ϑelu : zilaϑ· parχis | zilaϑ· eterav — —

Hier sehe ich in *eterar* nicht mit Pauli Fo. u. St. III, 69 einen Locativ, sondern den Nominativ *etera* mit der enklitischen Partikel *-r*. Diese hebt hier das zweite Glied *zilaϑ etera* neben dem ersten *zilaϑ parχis* hervor, so dass wir *-r* durch »und« wiedergeben können.

F. Spl. I, 438 (Corneto, Sargdeckel):

lartiucuclnies· larϑal· clan | larϑialcreinaual | camϑi eterau

Auch hier findet Pauli Locative und übersetzt »er war *cam-etera*«. Ich erkenne in *eterau* den Nominativ *etera* mit dem hervorhebenden enklitischen *-u* = *-r*; *etera* scheint mir das Subject des Verbs *camϑi*, das mit *canϑe, canϑce, cana* verwandt scheint. Ich deute dies so: »der Sohn (des Lartiu Cuclnies) (eig. unbestimmt progenies oder gentilis) schenkte (diesen künstlich gearbeiteten Sarg)« oder »liess (diesen Sarg) arbeiten«.

Von *etera* ist *eteri* abgeleitet, welches nur in der Verbindung *lautn· eteri* vorkommt. Siehe die Beispiele bei Pauli Fo. u. St. I, 22 f. Dies ist gewiss nach Paulis trefflicher Erklärung Fo. u. St. I, 55—57 aus *lautni eteri* entstanden. Der Ausdruck *lautn· eteri* bezeichnet wohl denjenigen, der selbst nicht *etera*, nicht edelgeborenes Mitglied einer etruskischen gens war und nicht von demjenigen stammte, nach dem die gens ihren Namen hatte, welcher dagegen in freiem, untergeordnetem Verhältniss dem Hauswesen und der gens eines edelen Etruskers sich angeschlossen hatte und den Gentilnamen desselben trug. Die Stellung des etruskischen *lautn· eteri* scheint derjenigen des römischen *cliens* analog. Auch dieser war den Geschlechtsnamen seines *patronus* zu führen berechtigt.

In F. 1935 1988 (Perugia, Grabstele):

[la]rθ̣cedus'seθres' | [la]utneters'

ist *eters'* wahrscheinlich Genetiv von *eteri* und jedenfalls nicht in *eterni* zu ändern. Für *eters'* statt **eteris'* vergleiche man Deecke Müll. II, 349. Ich übersetze nach Deecke: »(Das Grab) des Larth, des *lautn-eteri* des Sethre Cutu«. Ein Genetivus Genetivi auf *-s'la* wäre hier, wo vom Verhältniss des Sohnes zum Vater nicht die Rede ist, kaum anwendbar und scheint jedenfalls nicht nothwendig. Eine Deutung »Larth, (Sohn) des Sethre Cutu, des *lautn-eteri*« wäre sachlich bedenklich. Ueber die Lesung dieser Inschrift vergleiche man Corss. I, 150, T. IV, 4.

5 und 6) Fabretti 1916 bis giebt nach Garrucci die Inschrift:

χual· tilimia | ecuχ· itemi· na¦ecinia· ituita· quθ | χei iiθ

Hiezu die Bemerkung: »iscrizione incisa intorno sopra un piombo: specchio con graffito che rappresenta Giove alato nell' atto di apparire a Semele, della quale il corpo già estinto dal fulmine; due vasi; due serpenti agatodemoni; due alberelli«. Allein Spl. I p. 109 erklärt Fabretti mit Hinweisung auf Conest. Monum. di Perugia IV, 510 dies Denkmal für die Arbeit eines Fälschers. Conestabile sagt, dass die ersten Archäologen, wie De Witte und Helbig, den Gegenstand für falsch ansehen und meinen, dass er denselben Ursprung wie mehrere andere Fälschungen (Bull. 1844 p. 74, 1859 p. 111, Annali 1855 T. XIII u. a.), die z. Th. von Blei sind, habe. Deecke hat die Inschrift nirgends benutzt.

Ich habe weder den Spiegel noch eine Zeichnung desselben gesehen, und ich kann schon darum nicht beurtheilen, in wie weit die Darstellung des Spiegels und die Formen der Buchstaben auf Unechtheit deuten. Auch kann ich nicht beurtheilen, ob der Umstand, dass der Gegenstand von Blei ist, genügt, um ihn für unecht zu erklären. Allein ich will die Meinung, dass die Wörter der Inschrift stark für die Echtheit derselben sprechen, hier begründen.

Wir haben hier eine längere deutlich geschriebene Inschrift, deren Wörter sämmtlich ein echt etruskisches Gepräge tragen und gleichwohl nicht anderen etruskischen Inschriften entnommen sein können. Schon dies lässt vermuthen, dass die Inschrift echt ist. Die Inschriften der sicher gefälschten Spiegel haben einen ganz anderen Charakter.

Vom einzelnen hebe ich zuerst das Wort *ecuχ* hervor. Dies hätte ein Fälscher in keiner anderen etruskischen Inschrift finden können. Allein dass die Form *ecuχ* richtig ist, wird dadurch bezeugt, dass G. App. 912 bis, welche Inschrift später als F. 1916 bis gefunden ist, mit *eku* anfängt, während von diesem Pronominalstamme in früher gefundenen etruskischen Inschriften nur die Formen *eca* und *ecu* vorkamen.

Die Endung *-χ* von *ecuχ* ist eine häufige etruskische Endung. Bei einer Form des demonstrativen Pronomens liegt es nahe, darin eine enklitische Partikel mit hervorhebender Bedeutung wie das *-c* des lat. *hic*, das *-k* der oskischen Formen *ekak*, *ekik* zu vermuthen. So angewendet findet sich das *-χ* nach meiner Vermuthung auch in *inχ* F. 2754, b (capuanischer Thonbecher), welche Inschrift Deecke Fo. u. St. II, 58 zuerst so gelesen hat:

icar θes inχ n̂ip,

d. h. »Icarus weiht (eig. stellt) diese Schale«. Auch dies zeugt also dafür, dass *ecuχ* nicht einem Fälscher gehört. Endlich spricht für die Echtheit der Wortform *ecuχ* das folgende Moment: ich habe mehrfach feminine Formen mit *u* neben masculinen mit *a* nachgewiesen, so *alpnu* neben *alpnas*, *z[ir]u* neben *ziras*, *zelur* neben *zelar*. Hiernach scheint das neben *eca* vorkommende *ecuχ* eine feminine Form. Hiezu stimmt gut das unmittelbar vorausgehende *tilimia;* denn *-ia* ist nur selten Masculinendung (Deecke Müll. II, 473), dagegen sehr häufig Feminin-endung.

Ein anderes Wort spricht noch mehr als *ecuχ* für die Echtheit der Inschrift, nämlich *na|ecinia*. In diesem erkenne ich ein zusammengesetztes *nac-ecinia*. Dies *ecinia*, das dieselbe volle Vocalisierung wie *tilimia* zeigt, findet sich sonst nicht, ist aber offenbar dasselbe Wort wie *ecnia* Magliano B 1; es verhält sich zu diesem, wie *lucini* zu *lucni*, *pacini* zu *pacnei* u. s. w. Nun ist aber die Magliano-Inschrift, welche wie F. 1916 bis auf Blei ein-geritzt ist, später als F. 1916 bis gefunden.

Dies *ecinia* liefert also, wenn ich mich nicht irre, einen schlagenden Beweis für die Echtheit der Inschrift. Auch das erste Compositionsglied *nac* spricht hiefür; vgl. *nac* F. 2598 und *nac* Magliano B 8 (S. 186 f.). Ferner führe ich an, dass das erste Wort der Inschrift *χual* vollständig ein echt etruskisches Gepräge trägt; vgl. *resχuale* F. 2497, . . *ezuχrale* F. 2100, *petrual* u. s. w.

Auch sonst finde ich in der Inschrift nichts, das auf Unechtheit deutet. Die Doppelschreibung des *i* in *iiϑ* ist wohl, wie die volle Vocalisation in *tilimia* und *nacecinia*, ein Zeichen der Alterthümlichkeit; vgl. *mii* F. Spl. I, 106, *triile* F. 1233, *is'iminϑii* F. Spl. III, 388, *tinϑuraeriina* G. App. 936, wo v. Duhn (Bull. dell' Inst. 1878 p. 50) und Undset einen Punct vor *na* gesehen haben.

Nach dem im vorhergehenden Entwickelten halte ich mich für berechtigt, die Wörter der Inschrift F. 1916 bis als echt zu behandeln. Hier bespreche ich nur *nacecinia* und die darnach folgenden Wörter. Das Verbum des Satzes vermuthe ich in *quϑ* mit derselben Endung wie *haraϑ*, *muleϑ*, *munaϑ*. Es wird eins der vielen Synonyme für »schenkte«, »weihte« sein. Vielleicht ist *quϑ* mit dem Substantiv im Genetiv *puls* G. App. 799 Z. 6 (d. h.

»Spende, Opfer, Trankopfer«?) und mit *putace* F. 314 A (1mal), *pultace* (2mal), d. h. „*sacrificarit*" (Deecke), verwandt. Hier scheint *l* ausgedrängt wie in *reϑurus'* G. App. 385 und 551 für *relϑurus'*, *resi* für *celsi*, siehe Pauli St. III, 134 f. Ganz dieselbe Erscheinung zeigt das Umbrische in *muta* (gesprochen *mota*) = lat. *multa* und in *kumates* neben *kumaltu*. Diese Lautneigung, wie so viele andere lautliche Eigenthümlichkeiten des Etruskischen, findet im Romanischen Analogie; vgl. z. B. neufranz. *couteau*, portug. *cuytelo*, span. *cuchillo* = lat. Accusativ *cultellum*. Formell scheint **put* (wovon *puts*) dem ind. *pūrtá* zu entsprechen; in *quϑ* fungiert derselbe Stamm verbal. Dagegen scheint *pultace* von *pul* mit einem dem ind. *dāç* entsprechenden Verbum zusammengesetzt, wie ich dies im folgenden begründen werde.

Das Subject des Verbs *quϑ* suche ich in *ituita*. Hierin vermuthe ich einen Nominativ zum Genetive *ϑuϑiialz* G. App. 912 bis. Nach meiner Vermuthung ist *ituita* zunächst durch Epenthese aus **itutia* entstanden; vgl. Deecke Müll. II, 365. Dies **itutia* ist wieder durch Vocalvorschlag aus **t(e)utia* entstanden. Auch in *itruta* ist bei anlautendem *t* ein *i* vorgeschlagen. Nach meiner Vermuthung bezeichnet *ituita* »die Stadtgemeinde«. Ein persönliches Object vermuthe ich in *χei*, das ich als Dativ vom Gentilicium *caie* deute. Dies findet sich auch sonst mit *χ* geschrieben: *χaeṣ'* G. App. 117 (Cortona), *χaie* G. App. 935 (Capua), *χaial* G. App. 701, welche Inschrift wie F. 1916 bis aus Perugia stammt. Vor der Casusendung *i* ist *ai* (durch *ei*) zu *e* geworden.

In *iiϑ* sehe ich ein Adverbium »hier«, Nebenform zu *eϑ*. F. 2581 finde ich dies in der Form *iϑ*. Das »hier« ist so viel als »in diesem Grabe«.

Das Object endlich ist *nacerinia* d. h. *nac-erinia* »ein als Todtengabe geschenktes *erinia*«. Ich habe schon bemerkt, dass *erinia* mit *ecnia* Magliano identisch ist. Nun kommt dies Wort auf zwei Bleiplatten vor; daher liegt die Vermuthung nahe, dass *ecinia, ecnia* eben »Bleiplatte« bezeichnet. Diese Vermuthung lässt sich etymologisch stützen. In *ecinia, ecnia* vermuthe ich einen Vorschlag von *e* wie in *esals, epr϶ni, escunae, enac* u. s. w. Ich setze ein Stammwort **cina* oder eigentlich **cyna* »Blei« voraus, das ich mit lit. *szìnas* »Blei« identificiere; **cena* steht für **crena;* vgl. *s'elans'l* neben *selransl, mulenike* neben *mulrenike, ci* neben lat. *quinque, χartillas'* neben *χurϑe, cestnal* neben *cresϑnal.* Das *ì* des lit. *szìnas* scheint derselben Art wie in *vìlkas* = skr. *vṛka-s, ketvìrtas* = gr. *τέταρτος, szìkti* vgl. gr. *κάκκη* u. s. w. Vielleicht ist, der abweichenden Bedeutung ungeachtet, gr. *κέανος* mit lit. *szìnas* zu vergleichen.

Zu *ecinia, ecnia* gehört vielleicht auch *lerzinia* F. 1914 A 18. In diesem Wort vermuthe ich ein zusammengesetztes *ler-zinia* statt **fler-cinia* »eine dem Grabe gehörige Bleiplatte«. Das erste Glied *ler-* werde ich im folgenden besprechen. Mit *-zinia* für **cinia* vergleiche man *ziras* für **ciras, zinace* neben *cina.*

7) Auf einem Spiegel im Pariser Münzkabinet (Gerh. T. CLXXXI = F. 2500 Gl. p. 378 f.) sieht man einen geflügelten Knaben auf dem Arme des *hercle* (Herakles), den derselbe dem *tinia* (Zeus) hinhält. Der Knabe heisst nach der Zeichnung Gerhards *epeur;* allein Gerhard erklärt III, 175 nach eigener Anschauung *epiur,* wie auch Chabouillet gelesen hat, für unzweifelhaft. Zu beiden Seiten der genannten Gruppe stehen die Göttinnen *turan* und *ϑalna.* Auf einem Spiegel von Vulci (Gerh. T. CCCXXXV, 2 = F. 2146 bis) lautet der Name eines Jünglings, der von *hercle* emporgehoben wird, *epiur.*

Die von vielen Gelehrten angenommene Deutung von *epiur* als *ἐπίουρος* »Wächter«, »Beschützer« liegt formell sehr nahe, hat aber, wie mir scheint, namentlich in der Darstellung des vulcentischen Spiegels gar keinen sachlichen Anhalt.

Daher vermuthe ich in *epiur* eher ein echt etruskisches Wort, das »Knabe« bedeutet. Nach meiner Vermuthung ist *epiur* zunächst aus **epuir* entstanden: vgl. *tiucuntnal* G. App. 694 neben *tucuntines'* F. 1172, *apaiatrus* aus *apatruis*. Dies von mir vorausgesetzte **epuir* scheint mir aus **p(e)rir* durch die in *epl*, *epr*θ*ni*, *eslz* u. s. w. erkannte Lautentwickelung entstanden. Das etruskische *epiur* »Knabe«, welches aus **p(e)rir* entstanden ist, scheint mir somit dem lat. *puer*, dem altlateinischen aus *porero* zu folgernden *porer* zu entsprechen und mit gr. *παῖς* (statt **πάϝις*) nahe verwandt zu sein. Dagegen sind *caipur* F. 1488, [*n*]*aeper* F. Spl. II, 20 Lehnwörter aus dem Lateinischen.

8) Im vorhergehenden habe ich *prucuuetura* G. App. 912 bis mit *renas*, *renee* in Verbindung gesetzt. Nach meiner Vermuthung ist *euuetura* aus **e(e)uetura* entstanden.

9) Ueber *iχu* siehe S. 87.

Epenthese.

Am Deckel eines cornetanischen Sarcophags (F. Spl. I, 436 a, Deecke Fo. III, 19) liest man die folgende Inschrift:

> *ramθa huzcnai θui ati : nacna : larθial | apaiatrus zil eterais*

Die Inschrift ist später noch wiederholt auf dem Sarcophage selbst, in der Form (F. ebd. b):

> *ramθa : huzcnai : θui : cesu : ati : nacna : larθial : apiatrus zil eterais*

Der hier vorkommende Familienname *apaiatrus*, *apiatrus* (Gen.) ist, wie schon Lattes bemerkt hat, mit dem ebenfalls zu Corneto erscheinenden Familiennamen *apatrui* F. 2335 c (Nom. sg. f.), *apatrual* F. 2335 a (Gen. sg. f.) identisch. Pauli Fo. u. St. III, 60—63 beweist, dass *apaiatrus, apiatrus* männlich ist, und hat als dessen lat. Aequivalent *Apronius* erkannt. Wenn er aber meint, dass *apaiatrus* aus einer Grundform **apatrus* entstanden sei, und einen spontanen Uebergang des *a* in *aia* annimmt, scheint mir dieser Lautübergang ebensowenig hier als anderswo gesichert. Die Richtigkeit einer anderen Auffassung wird erwiesen durch F. 2335 c, wie diese Inschrift von Brunn Bull. dell' Inst. 1860 p. 148 mitgetheilt ist:

ramϑa : apatrui : larϑal : seχ· larϑiale· aleϑnal . . . .
lnas | arnϑal : larϑalisʹlalnia· apatruis· pepnes

(Fabretti hat *apatruis·* ausgelassen und *pepnus* geschrieben.) Hiernach ist *apaiatrus, apiatrus* durch Epenthese aus *apatruis* entstanden. Das masculine **apatrui*, Gen. *apatruis* ist aus **apatruie* entstanden. Analog damit sind einige von Deecke Fo. u. St. II, 31 f. genannte männliche Familiennamen auf *-ui* : *titui*, z. B. *ϑanχ· alfi titluis· puia·* F. 1527, womit Fabretti lat. *Tituleius* vergleicht. Die freilich nur in einer alten Copie erhaltene Inschrift G. App. 106 : *larϑ : petrui : leasʹa* enthält, wenn richtig überliefert, den männlichen Namen *petrui* aus **petruie*. Die Differenz zwischen lat. *Apronius* und etr. *apatrui* aus **apatruie* werde ich später besprechen. Aus *apaiatrus* neben *apatruis* folgere ich, dass auch andere etr. Familiennamen auf *-u* neben lateinischen auf *-onius* ältere Formen auf *-ui, -uie* voraussetzen.

Es ist allgemein anerkannt, dass *a, e, u* im Etruskischen durch die Epenthese eines *i* in *ai, ei, ui* übergehen können: *apaiatrus, apiatrus* beweist, dass *a* durch die Epenthese eines *i* auch zu *aia, ia* werden kann. Hiervon liegen auch andere Beispiele vor. Der Genetiv von

Τερασίας hat F. 2144 die Form *terasias'*, dagegen F. Spl. I, 107 *teriasals*, die ich aus **terasials* erkläre. Das Cognomen *siasana* F. 953 (vgl. Pauli St. III, 56) ist vielleicht aus **siasna*, **sasina* oder aus **sasiana* entstanden: vgl. das Gentilicium *sasnas* F. Spl. III, 299 und die lat. Gentilicia *Sassonius, Sassius, Sasius* [1]).

Aehnlich erklären sich wohl die Nebenformen *sians'l* — *sans'l*; vgl. Deecke Fo. u. St. II, 46—49. *qeluqe* oder *qelucte* F. 45 = *Φιλοκτήτης* steht vielleicht zunächst für **qeluϑie*.

Unsicher ist es, ob etr. *ua* durch die Epenthese eines *u* zuweilen aus *a* entstanden ist: *luanei* G. App. 256 ist aus **lanuei* entstanden, wenn es mit dem römischen Gentilicium *Lanuius, Lanucius* (Fabr. Gloss. p. 999) zusammengehört.

ϑ dem ital. f entsprechend.

Im Namen *ϑezle* und im Suffixe *-ϑi*, *-ϑ* entspricht etrusk. *ϑ* einem italischen *f*. Ein Beispiel dieses Lautverhältnisses giebt nach meiner Vermuthung der Name *ϑuctura* F. 2558 ter, Fem. *ϑuctrei* F. 48. Deecke Fo. III, 66 vermuthet, dass beide Inschriften aus Chiusi stammen. Der Name *ϑuctura* entspricht dem lat. *Fictorius*. Dies erscheint in Brixia, Pola, Tusculum, Neapolis. Eine Inschrift aus Este, die dialectischen Einfluss verräth, C.I.L. V, 2780 wird von Mommsen so gelesen: *Fougonia Feitorei filia, Fucinia .....* Etr. *ϑuctura* ist durch rückwirkende

[1]) Deecke Müll. I, 488 vergleicht jedoch *Sisenna* mit *siasana*. *[illegible]* F. 1276 (s. Spl. I p. 102), Gen. *[illegible]* F. Spl. III, 282, 283, *[illegible]* I 655, gehört wohl nicht zu dem lat. Gentilicium *[illegible]*, *[illegible]*, sondern scheint wie *[illegible]*, *[illegible]*, lat.-etr. *[illegible]* von *[illegible]* abgeleitet; für das Suffix vgl. *[illegible]* u. ähnl.

Assimilation aus **ϑectura*, **ϑictura* entstanden. *Fictorius* ist wohl trotz der Form *Feeitorei* nicht von *ficitor* »Feigengärtner«, sondern von *fictor*, *fingo* abgeleitet. Dass das *f* des lat. *fingo* aus *ϑ*, *dh* entstanden ist; wird u. a. durch got. *deigan* bewiesen.

In einer Inschrift aus Bettolle G. App. 547 findet sich der Beiname *ϑafure*. Diesen identificiere ich mit lat. *faber*, das oft als Beiname vorkommt. Zu *faber*[1]) stellen Corssen II, 26 und Pauli Fo. u. St. III, 27 den etr. Beinamen *kapre* F. 461 und das Gentilicium *kapirnal* F. 253, Deecke dagegen beide wohl richtiger zum lat. *caper*. Das *f* des lat. *faber* ist nach Fick Wörterb. II, 116, der u. a. slav. *dobrŭ* schön, gut vergleicht, aus *ϑ*, *dh* entstanden. Für das *u* von *ϑafure* vgl. Deecke Müll. II, 354—351; I.R.N. 1225 kommt *Faburnius* vor. Anders über *ϑafure* Deecke Rhein. Mus. N. F. 37 S. 382.

Ein weiterer Fall, wo etr. *ϑ* dem lat. *f* entspricht, ist der folgende. F. Spl. I, 310 (Perugia) erscheint der Zuname *ϑlecinia*, nach Deecke Müll. II, 460 fem. Und F. Spl. I, 311, welche Inschrift demselben Grabe gehört, ergänzt Deecke Müll. II, 397 [*ϑle*]*cχineas'*. Sprachlich nahe verwandt scheint mir das weibliche Gentilicium *ϑlainei* F. 132, Gloss. 629 (Florentiner-Mus.); *ϑlainei* ist aus **ϑlacinei* entstanden, vgl. *relχaias'* F. Spl. III, 223 = *relcaias* 222, umbr. *feia* = *facia*, *deitu* = lat. *dicito* u. s. w. *ϑlecinia* ist aus **ϑlacinia* umgelautet, vgl. *elχsntre* aus **alexsantre*. Diesem etr. *ϑlecinia* (masc. *-ie*?) nun entspricht das lat. Gentilicium *Flaccinius*, welches Fabretti Gloss. 489 aus Grut. 175, 6 und Murat. 847, 1 anführt; vgl. die Beinamen *Flaccinus* Grut. 1109, 10, *Flaccinilla* Grut. 433, 5. Das Stammwort ist lat. *flaccus*.

[1]) Der lat. Beiname *Haber* I.R.N. 2281, 2384 g ist nach meiner Ansicht nicht aus *faber*, wie Corssen annimmt, sondern aus ἁβρός zu erklären.

Fick vergleicht mit lat. *flaccus* lit. *blukti* schlaff werden (von den Muskeln). Diese Vergleichung scheint mir unsicher. Wenn sie richtig ist, haben wir in *θlecinia, θlainei* ein Beispiel davon, dass etr. *θ* vor *l* aus ursprünglichem *bh* entstanden ist.

Vielleicht entspricht etr. *θ* lateinischem *f* auch in *θeste* (masc.) F. 2032 (Sovana), *θestia* (fem.) F. 2027 (Sovana), vgl. oben S. 95 f., wenn man lat. *Festus* vergleichen darf. Namentlich ist hierbei der Vorname *Festus* in einer lat. Inschrift von Bolsena (Deecke Müll. I, 488) zu beachten. Deecke angef. St. verbindet *Festus* mit dem etr. *fastia*, allein dies ist vielmehr zu *Fausta* zu stellen.

Andere Fälle, in denen ein etr. *θ* möglicher Weise einem lat. *f* entspricht, bespricht Deecke in Bezz. Beitr. I, 98.

Die Partikel -ri.

Deecke Müll. II, 507 f., Gött. g. Anz. 1880 S. 1441 hat eine Endung *-ri* in vielen Wörtern nachgewiesen. Die Bedeutung derselben hat er nicht bestimmt; an der letztgenannten Stelle deutet er an, dass es eine Flexionsendung sei. Pauli St. III, 108—110 sieht in *-ri* eine masculine Casusendung, welche wie die angeblich feminine Casusendung *-ra* genetivische oder locativische Function habe. Mir scheint *-ri* entschieden nicht eine Casusendung. Diese Endung kommt in *caresri* F. 1915 vor:

> *ehen : suθi : hinθiu : θues' : sians' : etve : θaure : lautnes'cle : caresri : — —*

Dies *caresri* steht mit *cares* F. 1933 in Verbindung. Nun werde ich aber im folgenden nachweisen, dass *cares* Genetiv von *cal*, »Grabzelle« oder »die Gesammtheit der

Grabzellen«, ist. Da *cares* Genetiv ist, kann *-ri* in *cares-ri* nicht Genetivendung sein. Das Wort *cares-ri* F. 1915 steht syntactisch in demselben Verhältniss zu *θaure*, wie *cares* F. 1933 zu [*θ*]*urane*; [*θ*]*urane cares* bezeichnet nach meiner Auffassung »die Geschlechtsgenossen der Grabzellen« d. h. die in den Grabzellen liegenden Geschlechtsgenossen. Das Collectivum *θauru* sagt so viel als der Pluralis *θurane*; *θaure — cares-ri* bezeichnet also ebenfalls »den in den Grabzellen liegenden Geschlechtsgenossen«, eig. »dem Geschlechte der Grabzellen«. Da *cares* und *cares-ri* syntactisch in demselben Verhältniss zum regierenden Worte stehen, kann *-ri* überhaupt kein Casussuffix sein. Ebensowenig kann es ein Merkmal des Pluralis sein, denn der Gen. Plur. wird im Etruskischen vielmehr so gebildet, dass das singulare Genetivsuffix an den Nom. plur. gehängt wird.

Nach meiner Vermuthung ist *-ri* eine enklitische Partikel mit hervorhebender Bedeutung wie das gr. *γε*. Diese Auffassung wird durch die Inschrift des grossen perusinischen Cippus F. 1914 bestätigt. A Z. 4—5 nach meiner Theilung: *tez an fus'le-ri tesns' teis' ras'nes'* — — ; Z. 13 kommt *fus'le* (danach Punct) vor. *tez* fasse ich mit Corssen und Deecke als Verbum »dedicavit« oder »dedicat«; *an* ist, wie schon Corssen gesehen hat, ein demonstratives Wort »dies«: *fus'le-ri* muss das Object sein; *tesns' teis' ras'nes'* giebt die (verstorbenen) Personen an, denen der durch *fus'le-ri* ausgedrückte Gegenstand geweiht wird, etwa: »duodecim tribulibus«. Das Subject ist das im folgenden vorkommende *velθina*. *fus'le* muss das Grab oder einen Grabraum oder ein im Grabe befindliches Gebäude bezeichnen: ich vermuthe etwa »aedicula«. Hier im Anfang ist dies sowohl durch *an*, als durch *-ri* hervorgehoben.

Analog ist die Anwendung der Partikel *-ri* F. 256 (Bronzestatuette), nach der Lesung Gamurrinis:

eitviscriture | *arnθalitlepumpus'*

Das Subject (»Arnth Alitle, der Sohn des Pumpu«) steht in der zweiten Zeile. Das Verbum ist *ture* »schenkt« oder »schenkte«. Das Object *eitrise-ri*. Ich deute *eitrise* als Ableitung von *eitra;* es bezeichnet »etwas, das den Manen gehört«, »Todtengabe«.

Eine Sarcophaginschrift (F. 2058) endet: — — *lurimiace.* Dies habe ich S. 106 so gedeutet: *lu-ri mi ace* »sarcophagum autem hunc comparavit«.

An das Object gehängt scheint *-ri* auch in der Inschrift eines »Guttus« von Thon aus Corneto (Bull. dell' Inst. 1880 p. 51):

ei· muχ· ara· ar· ei· seϑusri

Es ist nicht deutlich, ob der vorletzte Buchstabe *r* oder *a* ist. Ich wage die folgende Uebersetzung: »dies hier schenkte die Brüderschaft, diesen Sextarius«. Das Subject ist *ara*, das Verbum *muχ*, das Object *ei*, welches durch *ei seϑus-ri* wieder aufgenommen und näher bestimmt wird.

Die Partikel kommt ferner vor F. Spl. III, 367 (Corneto):

relϑur : partunus : larisalis'a : clan : ramϑas : cuclnial : zilχ : ceχaneri : tenϑas : — —

Die Anwendung des *-ri* in den schon besprochenen Beispielen zeigt, dass hier *ceχaneri* nicht, wie Pauli annimmt, in dem Verhältniss des Genetives zu *zilχ* steht; *zilχ* und *ceχaneri* sind vielmehr mit einander coordiniert, bezeichnen verschiedene Aemter. Das Verhältniss wird durch verwandte Inschriften näher bestimmt. F. 2070:

— — *zile : parχis : amce | marunuχ : spurana :* -

F. 2335 d: — — *zile· ϑufi· tenϑas· marunuχ· paχanati·* —

In anderen Inschriften steht *marunuχva* statt *marunuχ*. In *marunu-χ* hat Deecke die copulative Partikel *-χ* erkannt; diese ist in *-χra* nach meiner Vermuthung mit einer hervorhebenden Partikel *-ra* verbunden. Auch in *zil-χ* finde ich die copulative Partikel *-χ*. Das *-ri* in *ceχane-ri* ist also mit dem *-χ* in *marunu-χ* und mit dem *-χra* in *marunu-χra* synonym.

In *ceχane-ri* ist folglich die hervorhebende Partikel *-ri* als copulative Partikel angewendet (»et imperator et flamen«). Aehnlich ist die indische enklitische Partikel *-u* theils hervorhebend (was mir die ursprünglichere Anwendung scheint), theils verbindend.

Uebereinstimmend mit dem Ausdruck in F. Spl. III, 367 ist G. App. 802 Z. 6 (Corneto) = F. Spl. I, 418:

| . . *n : ceχaneri : tenu* . . —

Die Annahme Paulis, dass *zilχ* unmittelbar vorausgienge, und dass . . *n* statt [*zi*]*lχ* verlesen sei, scheint jedoch nicht zulässig. Das *n* vor *: ceχaneri* ist nach Undset sicher und kann nicht als *lχ* gelesen werden.

Das enklitische *-ri* erscheint ferner F. 2279 (Corneto) Z. 3:

— — *s'uθiti : in : flenzna* | *teisnica : cal : ipa : ma' ani : tineri* |

tine-ri deute ich als *tine*, Dat. von *tina*, *tinia* (Jupiter) mit dem hervorhebenden *-ri*; *tine* ist wie *etre* F. 1915 von *etra*, *θaure* von *θaura* gebildet.

Ganz ebenso sehe ich in *hermeri* G. App. 799 Z. 4 den Dativ *herme* = Ἑρμῇ mit dem hervorhebenden *-ri*. Der Dativ ist von dem Verbum *caθas* »sie haben geopfert« (oder: »geschenkt«) abhängig.

F. 1915 (Torre di S. Manno):

— — *ipa : murzua : cerurum : ein :* | *heczri : tunur : clutiva :* — —

In *hecz*, woran *-ri* gehängt ist, vermuthe ich ein Verbum, wovon das Object *ein* (dies) regiert ist; *hecz* scheint mir eine Nebenform zu *tez* F. 1900, F. 1914 A Z. 4, F. 1052, F. 2249, worin Deecke eine Verbalform erkannt hat. In Betreff des Anlauts verhält sich *hecz* zu *tez* wie *hece* F. 1487 und Spl. I, 399 (s. Deecke Fo. u. St. II, 44. 46) zu *tece* F. 1922, F. 2596. In Betreff des *cz* vgl. *velczna*. *hecz-ri* bezeichnet vielleicht »stellt« oder »stellte auf (im heiligen Raume)«.

Auch an einer anderen Stelle scheint *-ri* an eine Verbalform gehängt. F. 2056 (Viterbo, Sarcophaginschrift):

> *arnϑ· aleϑn|as· — — — zilc· mar|unuχva· tenϑas· eϑl· | matu· manimeri*

manimeri [1]) ist offenbar mit *manim* F. 2055 und *manince* F. 347 verwandt. Alle im vorhergehenden besprochenen Beispiele haben uns die Form *-ri*, nicht *-eri*, gezeigt. Daher scheint es mir rathsam, auch hier *manime-ri*, nicht mit Deecke *manim-eri*, zu theilen. *manime* verhält sich zu *manince* F. 347 wie *ture* zu *turce*, *mulune* zu *mulruneke* u. s. w. Ich verstehe *eϑl matu manime-ri* so: »in dieser Grabstätte brachten (oder: bringen) sie Todtengaben dar«. Das Verbum *manime*, *manince* ist von dem Subst. *manim* F. 2055 abgeleitet. Die enklitische Partikel *-ra*, die, wie wir sehen werden, mit *-ri* überhaupt analog ist, wird ebenfalls sowohl an Verba als an Nomina gehängt.

Die im vorhergehenden genannten Stellen sind die einzigen, an denen die Partikel *-ri* sicher vorkommt. Mit Unrecht, wie ich meine, suchen Deecke und Pauli dieselbe Endung in *·intemame|r·* F. 1914 A Z. 18—19. Ich finde darin vielmehr eine Pluralform auf *-r* im Verhältniss des Objects (wohl *in temamer* zu theilen). Ebenso wird *armrier* G. App. 799 Z. 9 oder *armpier*, wie Undset gelesen hat, eine Pluralform sein. Anderes, das nicht

[1]) Undset hat *manimpri* gelesen. Die Striche, die *r* von *p* unterscheiden, sind also jetzt undeutlich.

hieher gehört, wirft Pauli Fo. u. St. III, 81 f. mit *-ri* zusammen.

Ob F. Spl. I, 329 Z. 3 unsere Partikel *-ri* enthält, ist mir dunkel.

Nach meiner Vermutung ist die enklitische hervorhebende, zuweilen auch verbindende Partikel *-ri* aus einem Pronominalstamme *si* entstanden. Dieser erscheint in der indischen enklitischen Partikel *sîm*, die im Rigveda meist nach Pronominen und Präpositionen mit kaum hervorhebender Bedeutung vorkommt, ferner in dem altpersischen enklitischen Pronomen der 3. Pers. *shi* (Stamm); Acc. sg. *shim;* Acc. pl. *shis;* Zend. *hi* (Stamm): *hîm; hê*, zuweilen *shê; his.* Hieher gehört auch das altlat. *e-rim* = *eum* bei Festus. Wenn diese Erklärung richtig ist, scheint die etruskische Form *-ri* zuerst im Inlaut nach Vocalen entstanden zu sein.

Die Partikel -ra.

Die Endung *-ra* ist von Deecke Müll. II, 507, Fo. III, 105 f., Gött. g. Anz. 1880 S. 1441, Fo. u. St. II, 91, von Pauli St. III, 110, 141 besprochen worden. Zwei besonders wichtige Beispiele dieses *-ra* hat man bisher nicht erkannt. Diese finden sich in der Inschrift einer zu Foiano bei Bettolle gefundenen Schale G. App. 912 bis = 552 [1]):

eknaθuθiialzreχurazeles'ul:ipulθesurapurtisuraprueneturareketi

[1]) Pauli St. III, 141 f. hat G. App. 552 behandelt ohne zu erkennen, dass dies eine unbrauchbare Copie von G. App. 912 bis ist.

Helbig Bull. dell' Inst. 1879 p. 247 liest *-puleϑ-* statt *-pulϑ-*. Hier zeigen *reχura* und *ϑesura* dieselbe Endung und sind darum als eigene Wörter abzutrennen: *reχura*, *ϑesura* stehen für **reχra*, **ϑesra*; vgl. *aχuritr* neben *aχristr*, *ϑanχuvil* neben *ϑanχvil*, *menerva* neben *menerva*, *saluri* neben *s'alri*, *peturi* neben *petri* Deecke Müll. II, 384, Gött. g. Anz. 1880 S. 1427. Das Wort *ϑesura* enthält die Verbalform *ϑes* d. h. wahrscheinlich »ponit« oder »posuit«, über welche namentlich Deecke Annali 1881 S. 163—168 handelt. Hieraus folgt mit Sicherheit, dass *-ra* nicht, wie Pauli annimmt, ein Casussuffix ist. Da *-ra* hier an eine Verbalform, anderswo an Nominalformen gehängt ist, kann es nur eine enklitische Partikel sein. Diese Partikel hat nach meiner Ansicht eine hervorhebende Kraft, ungefähr wie das gr. *γε*; es ist in der Function dem *-ri* gleich. In G. App. 912 bis kann ich das Subject nur in *reχ-ura* finden; *reχ* ist dem Stamme nach das lat. *rex regis*, got. *reiks*, altir. *rí*, skr. *rāǵ*. Das etr. *χ* entspricht öfter dem gr. und lat. *g*, z. B. in *aχmemrun* = 'Αγαμέμνων, im Gentilicium *χaie*. Wir finden hier wieder ein etruskisches Wort von indogermanischer Herkunft. Formell scheint mir *reχ* nicht mit der indogermanischen Nominativform (lat. *rex*, got. *reiks*) identisch, denn auslautendes *gs* kann im Etruskischen nicht zu *χ* werden. Vielmehr scheint mir *reχ* ein Accusativ, dessen Suffix abgefallen ist. Dieser Accusativ hat hier die Function des Nominativs übernommen. Dieselbe Erscheinung findet sich in mehreren neueuropäischen Sprachen. Von *reχ(-ura)* d. h. *rex* ist der Genetiv *ϑuϑiialz* d. h. *civitatis* abhängig. Diesen werde ich im folgenden näher besprechen.

Auch F. 1915:

ceuruni : ein : | heczri : tunur : clutiva : zelur —

scheint in *elutira* die Partikel *-ra* an eine Verbalform gehängt, denn *eluti* scheint mit *eluϑi* F. 2400 d identisch; *eluti-ra* scheint mit *hecz-ri* zu correspondieren. Die Partikeln *-ri* und *-ra* sind synonym und sind hier, wie es scheint, in einem zweigliederigen Ausdrucke copulativ angewendet.

Die Partikel *-ra* ist ebenfalls in einer Sarcophag-Inschrift aus dem Grabe der Alethna (F. 2057) an eine Verbalform gehängt:

> *ar|le· ale|ϑṇas |·a|rnϑal· clạ̈n· ϑanχrilusc· rurfial· zilaχ|nu| | spureϑi· apasi· svalas· marunuχva cepen· tenu· epr̈ϑnere· eslz te . . . | eprϑṇera eslz*

Hier hat Deecke *eprϑnera* statt des von Orioli gegebenen *eprϑi . . era* eingesetzt. G. App. 136 scheint *eprϑni* mit verbaler Function angewendet »war Porsenna«, ebenso *purϑne* G. App. 132. F. 2057 folgt die Verbalform *eprϑṇe*, an welche *-ra* gehängt ist, unmittelbar nach dem Worte *te . . .*, das derselben Begriffskategorie angehören muss. Wahrscheinlich ist *te[nu]* zu ergänzen und als kurzer Ausdruck statt *marunu cepen tenu* zu verstehen. Wenn *-ra*, wie hier, an das letzte von zwei gleichartigen Gliedern gehängt ist, können wir es durch eine copulative Partikel wiedergeben. Eine analoge Anwendung der Partikel *-ri* habe ich im vorhergehenden nachgewiesen. Auch F. 2057 zeugt dafür, dass *-ra* kein Casussuffix ist.

F. 1915 wird bei *ipa : murzua :* das Nomen *murz* (= *murs*) durch das enklitische *-ua* (= *-ra*) mit dem derselben Kategorie angehörigen Nomen *ipa* verbunden.

Die Partikel *-ra* kann mit einer anderen, sicher copulativen Partikel, nämlich *-c*, verbunden werden. Einerseits erscheint *-cra*, *-χra* d. h. *-c* + *-ra* in den folgenden Inschriften:

> *atnas· rel· larϑal· svan· svalce· avil LXIII· zi[l]aϑ maruχva· tarils· cepta· ϑeluen*

F. 2101. Deecke Fo. u. St. III. 95. Hier verbindet *-χ-ra maru* mit einem anderen Beamtentitel *zilaϑ*. Aehnlich folgt F. 2056 und G. App. 740 *marunu-χ-ra* unmittelbar nach dem Beamtentitel *zilc, zilχ*, der, wie es scheint, das copulative *-c*, *-χ* enthält. In wesentlich demselben Zusammenhange ist *marunuχra* F. 2057 angewendet. In G. App. 799 Z. 4 *ruϑcra*, Z. 5 *luϑcra* scheint die Doppelpartikel *-c-ra* an einen Locativ gehängt. In F. 1914 B Z. 5 *fulumχra* vermuthe ich, dass drei enklitische Partikeln *-um-χ-ra* verbunden sind und dass *ful* = *pul* ist. Der Lautübergang von *p* in *f*, welcher nach meiner Vermuthung hier nach einem Vokale (*s'pelaneϑi*) eingetreten ist, hat in dem etr. Lautübergange von *c* in *h* Analogie.

Die Partikeln *-ra* und *-c* sind anderseits, wie Deecke bereits erkannt hat, in der umgekehrten Reihenfolge verbunden. Diese Verbindung erscheint in der Form *-re* [1]). So F. 2100:

arnϑ· — — — | eisnere· eprϑnere· maestrere· — —

d. h. »et fuit sacerdos et Porsena et magister« (Deecke); *eprϑnere* erscheint auch F. 2057.

Dieselbe Doppelpartikel finde ich mit Deecke F. Spl. I, 388 (Vulci, vgl. Corss. T. XIX, 1):

lutes· s'eϑre — — zilaχnuce | zileti· purts'varcti· lupu· — —

Es scheint sehr zweifelhaft, ob *-ti*, das nach der Doppelpartikel *-re-* in *purts'varcti* angetreten ist, mit dem Locativsuffixe identisch ist.

Auch allein erscheint die Form *-r*. F. 2055:

alϑnas· r· r· ϑelu : zilaϑ· parχis | zilaϑ eterav·

[1]) Das [illegible] statt [illegible] lat. *-que* umgestellt sein sollte, scheint von etruskischem Standpunkt aus weniger wahrscheinlich.

Hier hebt *-r* das Satzglied *zilaϑ etera* als mit *zilaϑ parχis* gleichberechtigt hervor und steht somit einer copulativen Partikel nahe. Nicht verschieden scheint mir das wohl mit hervorhebender Bedeutung angewendete *-u* in F. Spl. I, 438: — *ramϑi eteru*, wo *-u* das Subject *etera* hervorhebt: »der Spross (des Verstorbenen) liess (den Sarcophag) verarbeiten«.

Pauli (Forsch. u. St. III) findet dagegen in *purts'-ra-r-eti, etera-r, etera-u* ein Locativsuffix *-r* oder *-u*.

F. 2301, Wandinschrift eines Grabes bei Corneto, ist so überliefert:

eiresammatresieulesece ⁝ *eurasrelesras· fesϑiχraχe*

Viele Buchstaben dieser Inschrift sind jetzt verschwunden. Undset bezeugt, dass vor dem zweiten Puncte nicht mit Deecke Müll. II, 467 *ẓesrae* zu lesen ist. Ich theile: *eurasr elesras fesϑ iχraχe*. Hier deute ich das *-r* von *euras-r* als eine enklitische Partikel, wahrscheinlich mit verbindender Bedeutung. Die Richtigkeit dieser Deutung wird dadurch bestätigt, dass *euras*, wenn *-r* abgetrennt ist, und *elesras* dieselbe Endung zeigen. Ich vermuthe in *euras* und *elesras* zwei zusammengehörige Genetive.

Ob die enklitische Partikel *-ra* F. Spl. I, 438 bis a (Corneto):

ramϑa : ripia | . . *sral*[*ce* :] *avil* | *LX· ịc̣eris· ra*

in der dritten Zeile vorkommt, ist mir unklar.

Vielleicht ist das etr. *-ra*, *-r* (*-u*) mit der begrifflich nahe stehenden indischen Partikel *-u* verwandt. Im Griechischen hat *τοῦτο* eine Spur von einer entsprechenden Partikel erhalten. Etr. *-ra* und *-r*, wenn dies aus *-ra* entstanden ist, kann jedoch nicht mit skr. *-u* formell identisch sein. Verhält sich etr. *-ra* zum skr. *-u* ungefähr wie got. *ratō, rahsjan*, altn. *rakr* zu skr. *udan, ukshati, ugra*? und ist etr. *-r* durch Apokope aus *-ra* entstanden?

Oder aber ist etr. *-r* mit skr. *-u* identisch, während in *-ra* das *-r* mit der enklitischen hervorhebenden indogerm. Partikel *-ā* in Verbindung getreten ist?

Enklitisches **-la, -l.**

Deecke (Fo. u. St. II, 37—49) hat nachgewiesen, dass von mehreren Substantiven eine Nominativform mit auslautendem *l* neben einer, wie es scheint, gleichbedeutenden Nominativform ohne *l* vorkommt.

1) Auf der Vase von Tragliatella (Deecke Annali 1881 S. 160 f.) ist in einem Labyrinthe, das gewiss eine Stadt bezeichnen soll, der Name *truia* (d. h. Troja) geschrieben. Auf einem Spiegel aus Bolsena (F. Spl. III, 315) stehen Achilles und Hector, der von Memnon und der Göttin des Todes begleitet ist, vor einem Tempel zusammen; auf der Schwelle des Vorhofes ist *truial* geschrieben.

2) *hinϑia* kommt einmal in der Bedeutung »ψυχή, *anima*, Todtenschatten« vor (F. 2147), *hinϑial* dreimal in derselben Bedeutung (F. 2144, 2162, Spl. I, 407) und einmal als Bezeichnung der Göttin Ψυχή (F. 2475).

3) Die Namensformen *recua*, *resχualc*, *recial*, *rescial* scheinen eine und dieselbe Göttin zu bezeichnen.

4) Gleichbedeutend mit den Nominativformen *sians'l* F. 807, *sans'l* F. 1930 und 1922 (*şianşl* F. 2610 bis?) scheint der Nominativ *sians'* F. 1915.

Deecke sieht in *-l* ein Suffix, das den Stamm erweitert ohne die Bedeutung wesentlich zu ändern. Diese Auffassung finde ich bei *resχualc recial rescial* wahrscheinlich, theils weil dem *-l* in *resχualc* ein *-c* beigefügt ist, theils weil ich diese Namen mit *sral-ce*, *ziras* in Verbindung setze. Bei den anderen Wörtern möchte ich eine verschiedene Auffassung empfehlen, wovon sogleich mehr. Nach Pauli's Meinung (Fo. u. St. III, 115) ist *hinϑia* aus *hinϑial* durch den so häufigen Abfall des *-l* hervorgegangen. Allein so erklärt sich nicht *truial* neben *truia*. Für *truial* ist die Uebersetzung »Trojanum« formell möglich, da *truials* »Trojanus« bedeutet, allein »Trojanum« wäre, wie mir scheint, F. Spl. III, 315 allzu unbestimmt.

Ich möchte das *-l* von *truial*, *hinϑial*, *sians'l*, *sans'l* als demonstratives Enklitikon fassen, welches hier, wo es an Nomina gehängt ist, geradezu als Artikel zu fungieren scheint: *truial* ἡ Τροία. Der Artikel kann ja in mehreren Sprachen, z. B. im Griechischen, bei Eigennamen stehen.

Dies demonstrative Enklitikon verbinde ich mit dem Pronominalstamme *ala-*, *al-*. Diesen finde ich in dem Ausdrucke *alti s'uϑiti* F. 2335. Pauli Fo. u. St. III, 69, 78 f. sieht in *alti* richtig den Locativ eines Pronomens und übersetzt »in diesem Grabe«. Da jedoch in dieser Inschrift zuerst *an s'uϑi* »dies Grab« vorkommt, dann *s'uϑiϑ* »im Grabe«, scheint es mir möglich, dass in dem zuletzt angewendeten Ausdrucke *alti s'uϑiti* eher anaphorische Bedeutung des Pronomens »in eo sepulcro« als deiktische anzunehmen ist. Pauli fasst das *l* in *alti* als Genetivzeichen. Ich deute die Formen *tarχnalϑi* und *elϑi*, die er als analog betrachtet, anders und fasse das *l* in *alti* als stammhaftes Element.

Eine Nebenform zu *alti* scheint mir *alaϑ* Magliano A 6, eine Form, durch welche es bestätigt wird, dass *l* in *alti* stammhaft ist. Auch bei *alaϑ* scheint anaphorische Bedeutung anwendbar, denn ich verbinde *alaϑ χimϑm*, und *χimϑm* kommt schon A 2 und A 5 vor. Ob *alatie* G. App. 802 Z. 6 (so auch von Undset gelesen) zu *alti*, *alaϑ* (mit enklitischem *-e* = umbr. *-e*, osk. *-en*) gehört, weiss ich nicht.

F. 2330 (Corneto, Stein), Z. 3: *ariϑ : alϑ* scheint zwei Locative zu enthalten. Ob *alϑ* hier Pron. demonstr. = „*in hoc*“ ist, bleibt unsicher, da die Inschrift nur in einer unzuverlässigen Abschrift vorliegt und mehrfach unklar ist.

Etr. *al-ti*, *ala-ϑ* erinnert an altlat. *ollus*, altir. *an-all* »von dort her«, *t-all* »dort«.

Auch in mehreren anderen Wörtern glaube ich noch *-l* oder eine ursprünglichere Form *-la* als demonstratives Enklitikon zu erkennen und meine, daß die hier gegebene Deutung der Wortformen *truial*, *hinϑial*, *sians'l*, *sans'l* dadurch bestätigt wird.

Der Erzhund von Cortona trägt die Inschrift F. 1049:

s' : calus'tla

calus'tla bedeutet nach meiner Vermuthung »das (oder: dies) dem Bestatteten angehörige«, »das dem Bestatteten gegebene Weihgeschenk«. Es ist von *calu* F. 2058, 2059, »bestattet«, Gen. *calus* F. 2339, abgeleitet. Das *-la* ist demonstratives Enklitikon. Vielleicht steht *calus'tla* für *calusc-la*, von *calusc* Magliano B 1, das wie *eiteisc(-ri)*, *helsc*, *arilsχ* gebildet ist. Ich werde versuchen, den Lautübergang von *cl* in *tl* in mehreren Wortformen wahrscheinlich zu machen. F. 1049 ist *s'* : wohl Subject = *s'eϑre*, sodass ein Verbum »besitzt« hinzuzudenken ist. Weniger wahrscheinlich ist es mir, dass *s'* : Abkürzung des Genetivs *s'eϑres* sei.

Die Basis einer kleinen Erzstatue F. 2603 bis trägt die Inschrift:

tite : alpnas | turce : aise|ras : ϑufltϑic'la : trutvecie

»Tite schenkte willig der Aisera — «. *alpnas* »lubens« habe ich S. 18—21 besprochen. Ich habe S. 116 f. nachgewiesen, dass *aiseras* Magliano A 4 als Nomen proprium vorkommt, und dass dieser Name eine Göttin bezeichnet, deren Name anderswo *as'ira* geschrieben ist. In *θufl θicla* sieht Pauli Fo. u. St. III, 114 einen durch das Genetivsuffix *-cla* gebildeten Genetiv von *θufl θa*. Dies Genetivsuffix hat Pauli S. 83 aus dem Genetivus Genetivi *-alisla* gefolgert, welchen er als *-ali-cla* deutet. Allein Pauli hat nicht nachgewiesen, dass Nomina auf *-a* sonst einen einfachen Genetiv auf *-icla* oder *-isla*, vor welchem das *a* wegfalle, bilden. Bei seiner Deutung der Wortform *θufl θicla* bleibt das *i* vor *-cla* ganz unerklärt. Diese Deutung kann somit nach meiner Ansicht nicht die richtige sein. Deecke Fo. u. St. II, 52 f. sieht in *θufl θicla* den Genetiv eines Deminutivs; allein diese Deminutivbildung hat im Etruskischen selbst schwache Stütze. Da *aiseras* als Nom. progr. vorkommt, braucht *θufl θicla* nicht damit grammatisch verbunden zu sein. Ich vermuthe in *θufl θic-la* das Object des Verbs *turce*; *-la* scheint mir suffigiertes Pronomen. *θufl θic* deute ich als »ein der Thufltha angehöriges Weihgeschenk«. Für das Suffix *-ic* vergleiche man *aθmic* F. 1050, Gen. *aθumics'* F. 1914 B 12, *s'uθic* F. 2183, vielleicht den Genetiv *melecraricces* G. App. 799 Z. 6, statt dessen ein Abklatsch vielmehr *melecrapicces*, wie Undset liest, zeigt (Deecke vermuthet jedoch sehr ansprechend *m-aticces*). Auch der dem Sinne nach nicht analoge Genetiv *χisvlics'* F. 1922 scheint dasselbe Suffix zu enthalten. Aehnlich ist die Inschrift einer Erzstatuette F. 274:

eiseras θufiθi | ercі· a

wo Pauli *ercr* »Geschenk« statt *erci* vermuthet hat. In *θufiθi* »der Thufltha angehörig« vermuthe ich ein Adjectiv zu *ercr*; für die Bildung vgl. *eteri* von *etera*, *atini* von *atina*, *lautni* von *lautn* (Pauli Fo. u. St. I, 57). Die Göttin *θufl θa*, über welche man Deecke Fo. IV, 29—33, Fo. u. St. II, 53 vergleiche, scheint nach den hier besprochenen Inschriften mit der *aisera*, *eisera* oder *as'ira* identisch.

Corssen sah also mit Recht in *θuflθa* eine Todesgöttin. denn diese Bedeutung ist für *as'ira* gesichert. Die Aenderung von *θufiθi* in *θuflθi* scheint mir wegen *θupitai* F. 315 nicht sicher.

In F. 1914 A 2—3: *lautn relθinas' es'tla afunas'* hat bereits Deecke in Bezz. Beitr. III, 50 eine Verbindungspartikel *es'tla* vermuthet. Vielleicht ist *es'tla* aus **eti-la* entstanden; vgl. *lursθ* Magliano B 5 und 7 statt **lurθi*, *casθialθ* Magl. A 2 = *caθialθi* A 5. Das erste Element in *es'tla* statt **eti-la* scheint mir = lat. und umbr. *et*, gr. ἔτι. In *-la* sehe ich ein pronominales Enklitikon; also: »das *lautn* (d. h. die *familia*) des Velthina und das (sc. *lautn*) des Afuna«.

Das *-la* erscheint auch F. 1914 A 1—2:

eulat· tanna· larezul a - —

larezu, woran *-la* gehängt ist, scheint mir von *lar*, wie der Name *cnizus* F. 2033 ter d, *cnzus* F. 2033 ter c (siehe Deecke Fo. III, 160) vom Vornamen *cnere*, *cnei*, gebildet. Andere Beispiele des Suffixes *-zu* bei Deecke Müll. II, 466 [1]). Das *e* von *larezu* ist wie das *e* von *larece* F. 296 ter b zu erklären. *tanna larezu-la* scheint hiernach »elf Nachkommen des *lar*« zu bezeichnen. *larezu* zeigt kein Pluralsuffix. Dies erklärt sich dadurch, dass das zweite Element von *tanna*, das mit *larezu-la* grammatisch verbunden ist, singulare Form und Bedeutung hat.

Endlich gehört vielleicht hieher Magliano A 6:

— — ⁝ *maris'lnc nilla·* — —

Zwischen *maris'lnc* und *nilla* ist offener Raum, allein keine Punkte. *maris'l* ist sicher der Genetiv des Götternamens *maris'*. Vielleicht ist *menilla* ein Wort. Hiemit müsste man *mene* A 4 und *mimenicac* B 1—2 verbinden.

[1]) Gehört hieher *θmuẓu* G. App. 804 Z. 1 (siehe S. 139)?

In *meni* vermuthe ich, wenn die genannte Theilung richtig ist, ein Substantivum, das mit dem öfter vorkommenden Verbum *mena, menis* verwandt ist. Dies Verbum scheint »widmen« (eig. »als Todtengabe widmen«) zu bezeichnen; das Substantivum also »Widmung«. Entweder ist in *meni-t-la* -*t* dasselbe Suffix wie in *lut* G. App. 88 (siehe S. 109), *asut* F. 2596 Z. 1 (S. 118), *canzate* F. 2582 bis, oder auch es steht *menitla* für **menic-la*. In -*la* sehe ich ein demonstratives Enklitikon oder einen angehängten Artikel [1]).

Die abgekürzte Form des Enklitikons -*l* erscheint nicht nur in *truial, hinϑial, sians'l, sans'l*, sondern auch in anderen Wortformen.

F. 2221 T. XLI (Vulci »in cylice«):

marutl

Dies deute ich als »dem *maru* (dem curator) angehörig (ist) dies«. *marutl* steht vielleicht für **maruc-l*, von einem Adjectivum **maru-c*. Eine Bildung wie *menitla* scheint ferner *nanutlt*. Dies findet sich F. 816 (Chiusi »area marmorea, in cuius operculo iacet vir in lecto cubans«):

arnϑ : nanutlt

und F. 1630 (Perugia, operculum ossuarii):

ϑa· calunei· velsis· nanutlt

nanutlt ist gewiss kein Name, wie Corssen I, 127 meint. In *na-nutlt* vermuthe ich ein zusammengesetztes Wort, dessen zweites Glied von **nut* »Geschenk« gebildet ist; **nut* folgere ich aus G. App. 771 (Corneto, Krug):

minutukariiesi

[1]) Wenn eine Theilung *me nitla* die richtige wäre, würde ich *me* = *mi* deuten und *nitla* mit *nicϑe* F. 2279 Z. 4 verbinden.

»dies zum Geschenk dem Kavie (Gavius)«; *mulu*, das ich nach Pauli Fo. u. St. III, 51 übersetze, scheint Dativ. Verwandt sind ferner *mulune, mulvannice* u. s. w. »schenkte«; auch *muleθ* F. 2059 »schenkte«. *Mul* steht für **mun* und ist mit *munθ* »schenkte«, lat. *munus*, verwandt. Sachlich wird diese Combination von *namultl* mit *mulune* u. s. w. dadurch bestätigt, dass *mulune* F. 429 bis a und *mulveneke* F. Spl. I. 234 auf Aschenurnen vorkommen.

Für die Erklärung des *-t-* in *namultl* verweise ich auf meine Bemerkung zu *menitla*.

In dem zweiten *-l* vermuthe ich ein enklitisches Pronomen. *namultl* ist nach meiner Vermuthung statt *naχ-multl* oder *nac-multl*; vgl. *frauni* = *frauçni, tarnes tarnai* neben *tarχnas* u. m. *naχ* G. App. 804 Z. 2, *nac* Magliano B 8 und F. 2598 bezeichnet, wie ich dies im vorhergehenden begründet habe, ein Todtenopfer. Als erstes Glied einer Composition scheint dies Wort in *nac-ecinia* F. 1916 bis vorzukommen [1]). *namultl* scheint hiernach etwa »das (oder: dies) zum Todtenopfer gehörige Weihgeschenk« zu bedeuten, und ist wohl vom *ossuarium* zu verstehen. Ich fasse *namultl* als Object, so dass ein Verbum, wahrscheinlich »hat«, »besitzt«, hinzuzudenken ist.

Endlich muss *eθl*, wenn diese Form richtig gelesen ist, das enklitische demonstrative *-l* enthalten. F. 2056 (Sarcophag-Inschrift, Viterbo) hat Orioli nach Bazzichelli am Ende so gelesen:

— - *eθl* | *mulu manimeri*

Auch F. III, 318 giebt im Texte *eθl*. Deecke Fo. u. St. II, 5 stellt *eθl* mit *eθ* zusammen ohne das *-l* zu erklären. *eθ*, das vom demonstrativen Pronominalstamme *e, ei* durch das locative Suffix *-θ* gr. *-θι* gebildet ist, bedeutet »hier«

[1]) Deecke Müll. II, 448 findet dagegen in *namultl* ein Suffix *-alte*; [illegible]

oder »in diesem«. So fasse ich ebenfalls *eϑl* und verbinde dies mit *matu*, wie in *eϑ fanu* und anderen Ausdrücken ein Locativ auf *-ϑ* von einem Pronomen als Attribut zu einer Casusform auf *-u* von einem Substantivum gehört. Dies ist zuerst von Pauli Fo. und St. III, 67 bemerkt. In *fanu*, *matu* u. s. w. sehe ich Dative oder Ablative, die als Locative fungieren. Ich deute *eϑl matu* als »in dieser Grabstätte«; *matu* werde ich im folgenden näher besprechen. In *eϑl*, wenn dies richtig ist, fasse ich *-l* als ein Enklitikon, das die in *eϑ* liegende demonstrative Bedeutung stärker hervorhebt. Die Zeichnung Fabretti's Spl. III T. IX hat jedoch nicht *eϑl*, sondern *eϑi*, und so liest auch Undset. Wenn *eϑi* richtig wäre, müsste man darin die ursprünglichere Form von *eϑ* sehen; vgl. *eiϑi* F. 255, siehe S. 41 f. Allein es ist mir wahrscheinlich, dass *eϑl* das richtige ist, und dass die Lesung *eϑi* dadurch entstanden ist, dass der Seitenstrich des *l* jetzt undeutlich geworden ist. So sind jetzt auch die Seitenstriche des *e* in *manimeri* undeutlich geworden, denn die Zeichnung Undsets giebt *manimpri*.

Durch die Nachweisung des pronominalen Enklitikons *-la* scheint sich ein neuer Weg zur Erklärung des Genetivus Genetivi auf *-s'la* zu eröffnen. Z. B. F. Spl. II, 107:

> *pumpui : larϑi : puia larϑal : clev|sinasarles'la* — —
> »Larthi Pumpui, Gattin des Larth Clevsina, des Sohnes des Avle«.

Ich vermuthe, dass *avles'la* formell eigentlich »der des Avle«, »ὁ Αὐλι« bedeutet; *-la*, d. h. ὁ, ist unflectiert an den Genetiv *avles'* gehängt, obgleich es logisch Apposition zu dem Genetive *larϑal* ist. Analoges kommt öfter vor, z. B. F. 2322:

*varnϑus : felcial : felces' arnϑal : larϑial : vipenal |
s'eϑres : cuϑnas : puia*

Siehe Deecke Fo. III, 177; Pauli St. II, 41 f. Das Bestreben, die Wiederholung des *s*-Lautes zu vermeiden, wirkte gewiss dazu mit, dass man bei der Bildung des Genetivus Genetivi die Form *-la* und nicht eine dem *-la* entsprechende Genetivform anwendete.

Für meine Deutung spricht der von Deecke (Rhein. Mus. N. F. 36, S. 580) nachgewiesene messapische Genetivus Genetivi: *bennarrihino, biliorasno*, denn *-no* sieht wie ein Pronomen aus.

Dass das *-la* des etruskischen Genetivus Genetivi eigentlich ein flectierbares Pronomen ist, scheint aus einer Wortform in F. 1915 hervorzugehen:

— — *aules' : larϑial : precuϑuras'i : | larϑialisvle : cestnal : clenaras'i :* — —

Hier scheint *larϑialisvle* ein Genetivus Genetivi, der sich auf zwei Personen *aules'* und *larϑial* bezieht. Daher steht hier nach meiner Vermuthung die Pluralform *-le*, d. h. *oi*, nicht die Singularform *-la*. Eine analoge Erklärung lässt sich jedoch, wie es scheint, bei *alfnalisle* in der Bilinguis F. 793 nicht anwenden. Dadurch, dass das *-la* des Genetivus Genetivi eigentlich ein flectierbares Pronomen war, erklärt sich vielleicht auch die Form *-slisa*. F. Spl. I, 201 (Chiusi):

fastia : velsi : nus'teslisa

bedeutet vielleicht »Fastia Velsi, Gattin des Sohnes des Nuste«.

nus'teslisa scheint Genetiv von *nus'tesla* F. 533 (Chiusi):

arnϑal : pulfnas' : nus'tesla

»(Sarg) des Arnth Pulfna, des Sohnes des Nuste«: *nus'tesla* ist der Zuname des Vaters. Freilich weiss ich nicht zu sagen, warum der Genetiv nicht *nus'teslasa* lautet.

Die Form auf *-sla* scheint zuweilen als einfacher Genetiv, nicht als Genetivus Genetivi, zu fungieren. In der Bilinguis F. 252:

> *arϑ· canzna | varnalisla*
> *c· caesius· c· f· varia | nat*

scheint es natürlicher, mit Deecke Müll. II, 495 *varnalisla* durch »Sohn der Varnia« als durch »Sohn des Sohnes der Varnia« zu übersetzen. Formell scheint *varnalis-la* eigentlich »ὁ *Varniae*«. Aehnlich möchte ich u. a. auch das *-la* der folgenden zwei Inschriften erklären. G. App. 711 (Perugia, ganz kleine Urne),

> auf dem Deckel: *etera*
> auf der Urne: *aupusla*
> d. h. »der des Aupu«.

G. App. 436 (bei Chiusi):

> *larϑi : marinei : faltusla*
> d. h. »die (Gattin) des Faltu«.

In beiden Inschriften fasst Pauli Fo. u. St. I *la* als Genetiv von *larϑ*.

In F. Spl. III, 306 (Orvieto):

> *mi larϑia : hulχenas : velϑurusceles*

ist *velϑurusceles* mit einem Genetivus Genetivi auf *-sla* gleichbedeutend. Allein formell ist es wohl aus *velϑurus clens* entstanden. Dies dürfte wahrscheinlicher sein, als dass *velϑurusceles* für **velϑurusles*, wie deutsch *Sclave* für *Slave*, altfranz. *esclate* (= ahd. *slahta*) »Geschlecht« für *eslate*, stünde, und dass das *-les* der Genetiv von *-la* wäre.

Auch *-l*, die abgekürzte Form des enklitischen Artikels, findet sich bei der Bildung des Genetivus Genetivi angewendet, wenn Pauli St. II, 49 Recht hat, F. 1899:

hermialcapznasl | *man· s'eχis· capzna*

so zu übersetzen: »der Hermia, der (Gattin) des Capzna, der Mania Tochter (weihte dies) Capzna«. Vielleicht ist das *-al* von *velaral* F. 1717 (siehe S. 75 f.) wie das *-l* von *capznasl* zu erklären.

Proklitisches l-.

Der göttliche Jüngling *laran* kommt auf neun Spiegeln vor. Auf einem Spiegel aus Orbetello (F. Spl. II, 93, Gamurrini Bull. dell' Inst. 1873 S. 144) sieht man rechts *elaχs'antre* und *elinei*, links *turan* (Aphrodite) und einen Krieger *laran*, die einander umarmen. Hier entspricht also *laran* deutlich, wie Gamurrini bemerkt hat, dem griechischen Ares.

Ebenso Gerh. T. CCLVII, C, 1. Links sieht man *menrva* im Gespräch mit *aplu*, rechts *laran* neben *turan*, die ihn mit dem Arme umfasst. *laran* erscheint hier mit Chlamys und Fussbändern, sonst nackt; er hat Schwert und Schild. Fast ganz übereinstimmend ist die Spiegeldarstellung Gerh. T. LIX, 2 = F. 2474. Auch in diesen beiden Bildern ist *laran* gewiss der griechische Ares. Auf dem Spiegel Gerh. T. CCLV, c = F. 2487 bis erscheint *laran*, d. h. Ares, neben *hercle*, *menrva*, *rile*, lauter Personen der griechischen Mythologie. Der Jüngling ist durch Helm und Wehrgehenk gekennzeichnet [1]).

[1]) Nahe verwandt ist das Bild Gerh. T. CCLV, B, wo *ca tu* die Stelle des *laran*, *fultuce* die des *hercle* einnimmt.

Auf dem Spiegel F. Spl. I, 395 war wohl die Geburt der Minerva dargestellt. Die Personen sind *laran* (d. h. Ares), *leϑam, tinia, menrva, ϑalna, uni.*

In anderen Spiegelzeichnungen tritt *laran* einem anderen kriegerischen Gotte gegenüber. Gerh. T. XC = F. 477 zeigt in der Mitte *[s'eϑ]lans* »Hephaistos«, der den *fuflun* »Dionysos« umarmt. Rechts sieht man den Jüngling *laran*, mit Chlamys, Stirnband und Stiefeln, sonst unbekleidet; sein linker Arm ist auf ein Geländer gestützt, an welches ein Schild gelehnt ist. Links steht der jugendliche *maris'*, an einen Pfeiler gelehnt, mit Chlamys, Kopfbedeckung, Wehrgehenk und Stiefeln, sonst unbekleidet. *laran* und *maris'* winken einander zu [1]).

Gerh. T. CCLXXXIV, 1 = F. 2478 stellt die Geburt der Minerva dar: in der Mitte *tinia* mit *menrva;* an seiner Seite links *ϑalna*, rechts *uni;* zu äusserst links ein leicht bekleideter Jüngling *laran* mit Helm, Wehrgehenk (und Lanze?); zu äusserst rechts ein ähnlicher Jüngling *prenle* mit Wehrgehenk. Nahe verwandt ist Gerh. T. CCLXXXIV, 2 = F. 2471 bis; nur sitzt hier links (statt *prenle*) ein bärtiger Mann, der einen Stab hält, dem *laran* gegenüber. Bei ihm sieht man die Inschrift *maris* mit einem undeutlichen Zunamen. Nach Gerhard ist dieser vielleicht *phjusta*, d. h. nach seiner Umschreibung *fjusta*, zu lesen. Steht *fiusta* für **fustia*, von einem dem altlat. *fostis* = *hostis* entsprechenden Worte abgeleitet?

[1]) Die Spiegelzeichnung Gerh. IV, 73, T. CDII, 2 = F. Spl. I, 386 zeigt links einen mit Chlamys und Wehrgehenk versehenen, sonst nackten, sitzenden Jüngling, der ein Schwert in der Hand hält; rechts einen ganz nackten, sitzenden Jüngling, dessen Fuss auf einem Helm ruht. Zwischen ihnen steht eine Figur von kräftigeren Formen, wahrscheinlich ein älterer Mann, mit um die Hüften geschlagener Chlamys. Er streckt seinen Arm über den links sitzenden Jüngling aus. Bei diesem Jüngling hat man die Beischrift *lur* gelesen. Statt dessen vermuthe ich *lar* d. h. *lar(an)*.

Auf dem Spiegel Gerh. T. CCLVII, B = F. 2094 erscheint *laran* [1]) als fast unbekleideter Jüngling mit Chlamys und aufgestützter Lanze, zwischen *amatutunia* und *turan* stehend. Dasselbe Spiegelbild zeigt uns drei Götterkinder, alle *maris'* genannt, allein mit verschiedenen Zunamen.

Der *maris'* ist mit *Mars* unzweifelhaft identisch, denn *Mars* wird auf einer pränestinischen Cista als Knabe ganz wie *maris'* dargestellt; siehe Deecke Fo. IV, 36 nach Annali 1873 S. 221, Monum. IX T. 58—59. Allein hiedurch wird die völlig gesicherte Identificierung des *laran* mit dem griechischen Ares nicht erschüttert. Gamurrini (App. S. 72) scheint mir die Schwierigkeit in der folgenden Weise richtig gelöst zu haben: *laran* giebt den Ares der hellenischen Tradition wieder, *maris'* ist der italische Gott *Mars;* wie Mars nicht ursprünglich mit Ares identisch war, so blieb *maris'* in Etrurien neben *laran* bestehen. Nach dieser Auseinandersetzung kann der Name *laran* nicht aus dem lat. *Lar* erklärt werden [2]); auch von dem etruskischen Vornamen *lar*, der mit *larϑ, larnϑ*, lat. *Laurentius*, zusammengehört, scheint er mir grundverschieden. In der hellenischen Tradition, aus welcher der Gott selbst stammt, muss auch sein Name seinen Ursprung haben. *laran* ist nach meiner Ansicht der griechische Accusativ Ἄρην mit vorangestelltem etruskischem Artikel *l.* Auch sonst lieh bei der etruskischen Nachbildung griechischer Namen die Accusativform die Norm: *tereun* Gerh. T. CCCLXXVIII, F. 2726 bis Τη-ρεύς: *zetun* F. 2176 Ζήτης oder Ζῆϑος. Vielleicht sind die Beischriften *alixentrom* und *diorem* auf pränestinischen

[1]) In der Zeichnung Gerhards steht nur *uran* (das erste *a* sieht wie ein *u* aus).

[2]) Ist der Ausdruck *Lars* (oder *Lar*) *militaris* bei Martianus Capella, einmal neben Mars, von dem etrusk. *laran* beeinflusst? Vgl. jedoch Deecke Fo. IV, 40.

Cisten (vgl. Jordan Krit. Beitr. S. 10) analog; allein hier ist eine andere Erklärung möglich. Sicher findet sich im Vulgärlateinischen und Romanischen ganz dieselbe Erscheinung. »Man hat die Beobachtung gemacht, dass das ältere Mittellatein in Städtenamen eine besondere Zuneigung für die Form dieses Casus ausdrückt, indem es z. B. *Neapolim* gerne für *Neapolis* setzt (Bethmann in Pertzens Archiv VII, 281). Dem entsprechend sind auch in ältern romanischen Werken *Eufraten, Pentapolin*, dsgl. *Barraban*, *Moisen* oder *Moisens*, *Luciferum* gangbare Nominative. Bemerkenswerth ist ferner, dass in der romanischen Nachbildung deutscher Wörter sogenannter schwacher Declination die Form des Accusativs gewöhnlich die Norm lieh« (Diez Roman. Gr. II, 9 f.). Accusativformen auf *-n* (*Moisen*, *Jordanen* u. s. w.) giengen als Nominativformen auch in die celtischen Sprachen u. a. über. Der Artikel *l* verwuchs in *laran* mit dem anlautenden *a*. Auch dies hat im Romanischen Analogie: fr. *Lille* (*Insula*), *Lers* Flussname (prov. *Ertz*), *lierre* (*hedera*) u. s. w., ital. *lero* (*ervum*), *lunicorno* (*unicornis*) u. m., siehe Diez Rom. Gr. I, 204.

Auf Gerh. T. CCLXXXIV, 1 hat man *lalan* gelesen; allein auf dem nahe verwandten Spiegel Gerh. T. CCLXXXIV, 2 steht *laran*, und auch überall sonst ist der Name mit *r* geschrieben. Ob in *lalan* Verlesung oder Lautübergang von *r* in *l* vorliegt, kann nur Autopsie entscheiden.

Da ein mit vokalischem Anlaut verwachsener Artikel *l* in *laran* sicher gestellt ist, dürfen wir dieselbe Erklärung bei anderen Namen anwenden.

Auf einem Spiegel Gerh. T. XLV, 1 = F. 2473, Gloss. 994 erblickt man zwei Brustbilder; über demjenigen rechts ist ein Gestirn, über dem links ein halber Mond zu sehen. Bei jenem ist *aplun*, bei diesem *lala* geschrieben. *lala* war also der Name der etruskischen

Mondgöttin: sachlich hat sie mit der Nymphe *Lara* oder *Lala* (Ovid Fast. II, 585 ff.) nichts zu thun. Nach meiner Vermuthung ist *l* in *lala* vorgeschobener Artikel: *l'ala* steht für **l'ana*; vgl. *mulsle* = *munsle*, *zilace* = *zinace* u. s. w. *l'ala* für **l'ana* aber identificiere ich mit lat. *Jana*, dem Namen der Mondgöttin. Siehe Varro r. r. I, 37. 3: *Nunquamne rure audisti octavo Janam et crescentem et contra senescentem?* Macrob. Sat. I. 9: *Pronuntiavit Nigidius Apollinem Janum esse, Dianamque Janam.* Anlautendes *j* fällt regelmässig im Etruskischen weg: *ani, uni, unci, uθurl.*

Nach demselben Principe ist vielleicht *lasa*, Gen. *lasl*, zu erklären. Ueber das Vorkommen dieses Namens siehe Deecke Fo. IV, 43 f., wozu jetzt G. App. 832 kommt. Diesen Namen tragen untergeordnete Göttinnen, namentlich Schicksalsgöttinnen, deren Wesen durch Beisätze oft näher bestimmt wird. Ein sachlicher Zusammenhang mit der lat. *Lara*, der Mutter der *Lares*, altlat. *Lases*, scheint mir nicht vorhanden. Passeri hat *lasa* durch „*dira*", S. Birch (Athenaeum 20. Juni 1874) durch „*goddess*" übersetzt. Als *Dira* oder *Dira Mater* werden ja bei den Römern mehrere Göttinnen von untergeordnetem Range bezeichnet, welche die einzelnen Acte und Thätigkeiten des menschlichen Lebens mythisch vertreten; vgl. Preller Röm. Myth. 51. Hiernach möchte ich *lasa* als *l'asa* erklären, Fem. von *ais-* = »Gott«; vgl. etrusk. *aiσoi* = θεοί Hesych. In *afrs* (Magliano) ist *ai* wie in *lasa* zu *a* geworden, ebenso in dem abgeleiteten *as'ira* = **aisera* (Gen. *aiseras, eiseras*) und in den verwandten Formen *asu, asuχ*; siehe S. 113—118. Sowohl nach der gewöhnlichen Zusammenstellung mit den römischen *Lares*, als nach meiner Erklärung liegt in *lasa* ein Beispiel etruskischer Motion vor.

Das proklitische *l* vermuthe ich ferner, wenn auch nur sehr schüchtern, in *leθam*. Alles, was man von dieser Gottheit weiss, ist von Deecke Fo. IV, 38—40 mitgetheilt und trefflich erläutert worden. Auf einem Spiegel (F. Spl. I, 395), der wahrscheinlich die Geburt der Minerva dargestellt hat, erscheinen (von links nach rechts) die folgenden Namen der abgebildeten Gottheiten: *laran, leϑam, tinia, menrva, ϑalna, uni.* Allein die Darstellung ist leider erloschen, so dass sich nicht einmal erkennen lässt, ob *leϑam* einen Gott oder eine Göttin bezeichnet. Auf dem Templum von Piacenza kommt der Name in verschiedenen Formen 5mal vor: *leϑam* 17, *leϑn* 2[1] und 4, *leϑms* 9[1], *leϑns* 9; ob hiezu noch *leta* 22 gehört, ist unsicher.

Nach meiner Vermuthung ist *leϑam* aus *l'eϑam* entstanden und *eϑam* aus dem gr. *Ἑστίαν* entlehnt.

Sachlich passt hiezu trefflich, dass *leϑam* in der Mitte des Templum (17) angebracht ist. Denn Hestia, die Göttin des Heerdes und des Heerdfeuers, hat als solche ihren Sitz in der Mitte des Hauses. Der Staat hatte einen gleichen Mittelpunkt, wo man der Hestia opferte. Ja sie wurde später als der mythische Ausdruck des ruhenden Mittelpunktes aller beweglichen Naturerscheinungen aufgefasst, und *ἑστία* bezeichnete metonymisch den Mittelpunkt überhaupt. Deecke hat die Berührungen zwischen *leϑam* auf dem Templum von Piacenza und *Lar* bei Martianus Capella mit Recht hervorgehoben: *leϑam* kommt auf der Bronze, *Lar* bei Martian häufiger als andere Götternamen vor; zweimal findet sich *leϑam* in derselben Region wie *Lar*; weder *leϑam* noch *Lar* erscheinen in den Nachtregionen. Diese Uebereinstimmungen widerlegen nicht meine Combination von *leϑam* mit Hestia, denn *Lar*, der im Penetrale des Hauses oder der Stadt wohnte, der Schutzgeist des häuslichen Heerdes, ist als solcher der Hestia am nächsten verwandt, ja *lar* bezeichnet sowohl im Lateinischen als im Romanischen (siehe Diez Wörterb.) geradezu *ἑστία*, Heerd. Daher konnte *leϑam* als Bewohner der Himmelsregionen in römischen Bearbeitungen etruskischer Fulguralbücher durch *Lar* übersetzt werden. In der Spiegelzeichnung passt es trefflich, dass *leϑam*, d. h. Hestia, bei der Geburt der Athene gegenwärtig ist.

Auch formell lässt sich *leϑam* mit Ἑστία vermitteln. *leϑam* ist eigentlich eine Accusativform wie *laran, tercrun, zetun*. Auslautendes *n* wechselt mit *m*: *am* Magliano = *an*, daher ist es nicht auffallend, dass das auslautende -*r* durch -*m* wiedergegeben ist. Dies geschieht auch in *pruχum* F. 2754 a πρόχουν. Man wende nicht ein, dass Ἑστία im Etruskischen anlautendes *v* haben müsste. Denn erstens kommt im Etr. *elinai, elinei* u. s. w. neben *velena, vilenu* vor; zweitens findet sich ἱστία ohne Digamma auch in Denkmälern geschrieben, die in anderen Wörtern Digamma anwenden: so das von ἱστία abgeleitete Ἱστιείω neben Fε in einer Inschrift aus Herakleia. Vgl. Knös de digammo p. 131. Das ι von Ἑστίαν ist in *leϑam* ausgedrängt, wie z. B. ein *i* in *arnϑal, larϑal*. Ich vermuthe nach Deecke Gött. g. Anz. 1880 S. 1426, dass *i* zuerst zu *j* wurde. Vor dem *j* gieng *st* hier in *ϑ* über wie vor *l* in *meϑlum* neben *mestles*', lat. *magister*, vor *n* in *cneϑnal* = *cresϑnal, χrestnal*. Deecke Fo. IV, 40 meint, dass mehrere Personennamen, unter denen *leϑaria*, denselben Stamm wie *leϑam* enthalten. Auch hiedurch scheint die Identität von *leϑam* mit Ἑστίαν nicht widerlegt. Wenn Hestia unter dem Namen *leϑam* bei den Etruskern einheimisch geworden war, konnte man von *leϑam* den Familiennamen *leϑari* bilden. Dieser Familienname wird theils mit anlautendem *l* geschrieben: *leϑari* F. Spl. III, 236, *leϑaria* 240, *letaria* 239, *letarinal* Spl. I. 202, theils mit *h*: *heϑaria* F. Spl. III, 237, 238, *hataria* G. App. 445, *hetari* F. Spl. III, 235, *hetarias* 241: mit vokalischem Anlaut *eϑari* G. App. 443. Dieser Lautübergang des *l* in *h* ist an sich sehr auffallend, und noch mehr dadurch, dass er bei diesem Wortstamme so oft vorkommt, bei anderen dagegen gar nicht nachgewiesen ist. Vielleicht ist diese Differenz daraus zu erklären, dass das Stammwort ursprünglich nicht nur *leϑam*, sondern auch, ohne das proklitische *l*, *heϑam* oder *eϑam* (= Ἑστίαν) lautete.

Der Götterkreis des Templum von Piacenza, wo *leϑam* vorkommt, ist zwar wenig von griechischen Vorstellungen beeinflusst, jedoch erscheint hier der griechische *hercle* (Deecke Fo. IV, 81), weshalb eine ursprünglich griechische *leϑam*, d. h. Ἑστία, hier nicht auffallend sein kann.

Auch bei Appellativen ist die Anwendung des vorangestellten Artikels *l*, wie es scheint, nicht ausgeschlossen. Ein clusinisches Bronzegefäss hat die folgende Inschrift (F. 807, T. XXXII):

mi marisl harϑ siansʹl : l eimi

Die vier ersten Worte deutet Deecke Fo. u. St. II, 47 so: »hoc Marti dedicat concilium«. *harϑ*, *harϑna*, *farϑana*, *farϑnaχe* scheinen mit φέρειν »darbringen, darreichen« (z. B. φέρειν χοάς τινι) verwandt; F. 1914 A 24 ist vielleicht eine hiehergehörige Form *har* abzutrennen. In *l* vermuthe ich den proklitischen Artikel, der zu dem substantivischen Objecte *eimi*, von dem das *l* durch einen grösseren Zwischenraum getrennt ist, gehört.

Wenn wir *l eimi* mit F. 2778 bis (tazza nolana):

emel cripes

vergleichen, so liegt es nahe, in beiden Inschriften dasselbe Substantiv *eimi* oder *eme* zu vermuthen, in jener mit dem proklitischen Artikel, in dieser mit dem enklitischen Artikel verbunden [1]). *cripes* muss dann der Genetiv eines Personennamens sein; vgl. Κρίβων?

[1]) Anders Corssen I, 757. Hieher gehört nicht F. 260 (lamella aenea): [*la*]*rtinal* | *emlil*, wo *emlil* weiblicher Beiname im Genetiv scheint.

Der von mir angenommene etruskische Artikel *l*, der mit dem demonstrativen Pronomen *al-*, *ala-* verwandt ist, erinnert auffallend an den romanischen aus dem lat. *ille* entstandenen Artikel, der im Walachischen, vielleicht durch den Einfluss des Albanesischen, hinten angefügt, in den übrigen romanischen Sprachen vorangestellt wird. Es fällt mir natürlich nicht ein, den romanischen Artikel aus dem Etruskischen herzuleiten. Ganz zufällig scheint es jedoch nicht, dass das Etruskische hier, wie bei manchen anderen Erscheinungen, mit dem Romanischen übereinstimmt.

Endlich bemerke ich, dass ich ein pronominales Element *-la* in *eulat* F. 1914 A 1, d. h. *eu-la-t*, erkenne; dies *eulat* scheint »hier« zu bedeuten. Der Genetiv *euras-v* F. 2301 (siehe S. 212) zeigt einen Stamm *eu-ra*, worin ich eine Nebenform zum Stamme *eu-la* vermuthe.

Berichtigungen und Ergänzungen.

S. 1 Z. 4 v. u. G. App. 87 liest Dr. Undset den ersten Buchstaben als [Zeichen] *θr* (nicht als *r*). Die Inschrift scheint also *θruai* zu sein.

S. 13 Z. 1 v. u. Der Abfall des *a* in *mus* = *Μοῦσα* und in *marmis* = *Μάρπησσα* ist wohl nicht nur graphisch, sondern zugleich lautlich; vgl. *puriχ* = *Φρυγία* S. 26, *itun* = *ituna*. Dies ist auch die Meinung Deecke's, der brieflich die Genetivendung *-s'* = *-s'a* vergleicht.

S. 15 Z. 1 v. u. Der Stern vor *Εὐμορφία* ist, wie mir Deecke bemerkt, zu streichen, denn dieser Name kommt wirklich vor, siehe Pape-Benseler.

S. 33. *turmuca*. Quintus Smyrnaeus nennt unter den Amazonen, die mit Penthesileia nach Troja kamen, *Δηριμάχεια* (I, 45. 260). Mit diesem Namen lässt sich *turmuca*, des ersten *u* wegen, schwerlich vereinigen.

S. 36. F. 1046 (Cortona, ein zum Aufhängen bestimmtes Amulet von Terracotta in der Form eines Herzens) hat die Inschrift *can*. Ist dies = *ecan*? vgl. *mealχls* statt **mecalχls*.

S. 37 Z. 2—5. Man streiche die Worte »Drittens sprechen — — nicht ein Lehnwort, ist«, denn *turan* deute ich als ein Lehnwort.

S. 38 Z. 7 - 3 v. u. Pauli (Altit. St. I, 36 f.) meint, dass das etr. *sta* aus dem Oskischen entlehnt sei. Allein dabei hat er weder *s'ta* auf dem cäretanischen Becher noch das in zwei perusinischen Inschriften vorkommende *es'tac, estak* (siehe S. 187—189) berücksichtigt. Das örtliche Vorkommen des Wortes weist also nicht auf Entlehnung hin. Vgl. meine Bemerkung S. 242 zu G. App. 804 Z. 4.

S. 44. Deecke theilt mir brieflich mit, dass er schon vor einem Jahre die Bedenken gegen die Echtheit von F. 803 aufgegeben und *patϑna rite* als *patinam dat* gedeutet hat, ebenso F. 802 *s'enu li | rite* als *Laris Seno dat.*

S. 53 Z. 15. Auf einer Vase im Museum von Arezzo (Mon. ined. Vol. VIII, T. VI; Ann. 1864 p. 240) trägt eine Amazone, die mit Herakles kämpft, den Namen *Θρασοί*. Sie hat einen Schild, worin man, wie es scheint, ein Gorgonenhaupt sieht. Die Zusammenstellung von *tursu* mit der umbrischen *tursa* ist mir gleichwohl wahrscheinlich.

S. 56. Deecke bemerkt mir brieflich, dass *ziras'* F. 1565 (siehe Spl. I p. 104) vorkommt, hier neben *pul*; auch F. 2100 vermuthet er [*p*]*ul ziras*.

S. 61 Z. 4—6. Lies »die einen kleinen Vogel an der einen Flügelspitze berührt« statt »die mit einer Flügelspitze — — er fliegt«. Siehe die Beschreibung des Spiegels Annali 1879 S. 47—53 und die Zeichnung Mon. ined. Vol. XI T. III.

S. 69. *arce* »fecit« vergleicht Deecke (Annali 1881 S. 167) mit gr. *ἀραρίσκω*, lat. *ar-*(*ti-*)*s*. Der Bedeutung nach stimmt etr. *arce* besonders trefflich zum armen. *ar-ne-m* »mache«, Aor. *ar-ar-i*, das Hübschmann Armen. Stud. I, 20 mit *ἀραρίσκω*, *ἤραρον* vergleicht. Hier finden wir also ein etruskisches Wort, das lautlich und begrifflich zugleich so genau wie möglich mit einem indogermanischen Worte übereinstimmt, ohne dass dies als Entlehnung erklärt werden kann. Zugleich spricht dies Wort dafür, dass das Etruskische nicht eine italische Sprache ist.

S. 81 Z. 14. Statt *miace* F. 2058 hat die Zeichnung bei F. Spl. III T. X *mi· ac. i* (der Buchstabe nach *c* kann nach der Zeichnung *e* oder *v* oder *p* sein).

S. 81 Z. 2—1 v. u. Schon die Differenz von *s'* und *s* macht es wenig wahrscheinlich, dass *celus'a* F. 2055 dieselbe Endung wie *acmnasa* in derselben Inschrift enthalte. Wenn Fabretti Recht hat, nach Anleitung von *ϑelu ϑelus'a* statt *celus'a* zu lesen, liegt es vielmehr nahe, in *-s'a* ein enklitisches Wort zu vermuthen. Dies wird dadurch bestätigt, dass *zilaχnu* mit auslautendem *-u* unmittelbar vor *ϑelu-s'a* steht. Dagegen entscheide ich nicht, ob *-s'a* eine copulative Partikel oder ein pronominales Subject ist. Die von Orioli (Bull. dell' Inst. 1850 S. 93) vorgeschlagene Theilung *zilaχnuce lus'a* scheint mir nicht richtig.

S. 82. H. Schäfer (bei Pauli Altit. St. I, 66 f.) bekämpft ebenfalls die von Deecke vorgeschlagene Deutung der Wortform *acnaice* F. 985. Er bemerkt mit Recht, dass *-ce* = *-c* (lat. *-que*) sonst nicht nachgewiesen ist. Hiedurch wird auch meine Deutung bedenklich, obgleich das *ai* bei der Auffassung von *acnai* als Femininform (vgl. Corssen I, 68—71) keine Schwierigkeit macht. Ist *acnaice* das Präteritum eines von **acna* »eigen« abgeleiteten Verbs? bedeutet es »hat (dies) zum Eigenthum bekommen«? Schäfer's *acnal· cl|an*] ist unzulässig, denn so kann in der Inschrift nicht gelesen werden.

S. 86 Z. 8 v. u. Nach Hübschmann (Armen. Stud. I, 49) ist gr. *κίων* (statt **κίϝων*) = armen. *siun* Säule.

S. 87 Z. 11 f. F. 849, worin *iχu* vorkommt, scheint mir entschieden echt. Eine Nebenform *eχr* vermuthe ich G. App. 804 Z. 4; siehe den Nachtrag zu S. 187—189. Durch diese Form wird meine Vergleichung des euganeischen *eχo* bestätigt.

S. 94—97. *nes's, nes', nesna, nes'l.* Ich glaube nachgewiesen zu haben, 1) dass *nes's, nes', nesna* nicht »Grab«

bedeuten; 2) dass *nes'* als Apposition einem Personennamen beigefügt wird; 3) dass das Femin. *nesna* der Bedeutung nach dem Masc. *nes'* entspricht. Dagegen zweifle ich jetzt, ob ich mit Recht *nes's* und *nes'* als »nepos«, *nesna* als »neptis«, *nes'l, nesl* als »dem Enkel oder den Enkeln angehörig« gedeutet habe. Es wäre doch auffallend, dass in zwei verwandten Inschriften aus Sovana nur der Grossvater, nicht zugleich der Vater, des (resp. der) Verstorbenen angegeben wäre. Hiezu kommt, dass ich in einer etruskischen Inschrift, die ich später behandeln werde, *nepit* = lat. *neptis* gefunden zu haben meine.

Ich schlage jetzt eine andere Deutung vor, die, soweit ich sehe, zu dem Vorkommen des Wortstammes in den verschiedenen Inschriften besser passt. Für *nes'* vermuthe ich jetzt die Bedeutung νέκυς, νεκρός. Also F. 2032: *ϑeste vel nes'* »Vel Theste der Verstorbene (wohnt hier)«, F. 2027: *ϑestia : velϑurnas | nesna* »Thestia, (Gattin) des Velthurna, die Verstorbene (wohnt hier)«. Die genannten Inschriften sind über Thüren der Gräber angebracht. Das Adjectiv *nes'l*, welches in der Verbindung *s'uϑi nes'l* erscheint, bezeichnet also »dem (den) Verstorbenen angehörig«; *tuϑines'l man* ist »ein für den verstorbenen Magistrat bestimmtes Grabmal«.

F. 2059 = F. Spl. III, 330, wo *nes's* vorkommt, fordert eine nähere Besprechung. Von der Ueberlieferung des Anfangs:

[*ϑi*] . . . . . *uleϑnass'eϑresa : nes's'*

siehe oben S. 94—95; nach *nes's* soll nur ein Punkt folgen. Danach haben die Abschriften in der ersten Zeile kein vollständiges Wort.

Orioli giebt:

suc' . . . . . *s'* . . . . .
F. Spl. I p. 111: *si* . . . . . .
F. Spl. III, 330: *si* . . . *s'*

Undset zeichnet: *s . . çu* (*s* ist nach Undsets ausdrücklicher Bemerkung deutlich; die zwei Striche, welche er zwischen *s* und *ç* zeichnet, können leicht Reste eines *a* sein). In der zweiten Zeile giebt Orioli:

clen . . . . i· muleϑsvalasi· — —
F. Spl. I p. 111: . . . *muleϑ· svalasi·* — —
F. Spl. III, 330: . . *ei . . . m . . . leϑ svalasi·* — —

In der Zeichnung bei F. Spl. III T. X fängt die Zeile mit *c* an, und hier ist *muleϑ* deutlich.
Undset zeichnet:

c . ẹ . . i· muleϑ svalasi· — —

Vom zweiten Buchstaben sieht man hier einen vertikalen Strich. Wenn der Buchst. 4 *u* gewesen ist, scheint zwischen diesem *u* und *i* nur für 1 (kaum für 2) Buchstaben Raum zu sein. Die Zeichnung Undsets hat eher *muleϑ* als *puuleϑ* (nicht *suleϑ*), davor einen Punkt (wie bei Orioli).

Hiernach ist das von Pauli Fo. u. St. III, 56 und 93 vor *svalasi* eingesetzte [*nun*]*ụị*[*su*]*leϑ* entschieden falsch, und *muleϑ* als eigenes Wort scheint mir hier sicher. Ich habe früher *nes'ś* als Nominativ aufgefasst. Dabei müsste *nes'ś*, wenn es »der Verstorbene« bedeutet, zum vorangehenden gezogen werden. Allein formell liegt es näher, *nes'ś* als Gen. von *nes'*, wie z. B. *maχs* von *maχ*, zu fassen. Ich schlage in F. 2059 die folgenden Lesungen und Ergänzungen vor:

nes'ś· sacn[*is'a*] | *clen* [*u*]*i· muleϑ·*

Von Anderen ist *sacni* F. Spl. I, 402, Gen. *sacnis'a* F. 2169 und F. Spl. I, 419, mit dem davon abgeleiteten *sacniu* F. 2182 nachgewiesen. Dazu füge ich noch aus einer vulcentischen Inschrift Bull. dell' Inst. 1880 S. 149 *sacni . .* (*sacnial?*). Abweichend von Deecke sehe ich in *sacni,* wie ich dies später begründen werde, ein Epitheton, das dem Verstorbenen beigelegt wird, wie z. B. »der Verklärte« od. ähnl. Ich deute die angeführte Stelle so: »dem Verstorbenen (*nes's*), dem Verklärten (*sacn*[*is'a*]) schenkte man (*muleϑ*) diesen Gegenstand der Grabkammer (*clen mi*)«. Bei *clen*, worin ich eine Ableitung von *cela* vermuthe, scheint der Sarcophag gemeint. Ob ein Subject des Verbs *muleϑ* in der Lücke am Ende der ersten Zeile gestanden hat, wage ich nicht zu entscheiden.

Die Deutung von *nes'* als »der Verstorbene« wird uns vielleicht helfen, andere damit zusammengehörige Wortformen zu finden.

Auf einem viereckigen, genau zugehauenen Block von Nenfrostein, der bei la Cucumella zu Vulci gefunden ist, hat man die folgende Inschrift (Bull. dell' Inst. 1883 p. 51) gelesen:

trunasracreϑu

Ich theile *tru nasra creϑu*. Ich deute *tru* »zum Geschenk«. Verwandt sind *trt* F. 2408, *itruta* F. 986 [1]), welche Wortformen ich im folgenden als Pcp. Prät. Pass. zu *turce* »schenkte«, *trce* F. 2613, *ϑrce* F. 2598 erklären werde. Vielleicht ist *tru* Dativ = gr. δώρῳ (vgl. armen. *tur* Gabe, s. Hübschmann Armen. St. I, 52), wie *mulu* G. App. 771, das Pauli Fo. u. St. III, 51 »zum Geschenk« übersetzt hat. Hiernach scheint es nicht nothwendig, *tru* F. 2597 (auf einem Thongefässe) als graphische Abkürzung aufzufassen.

In *creϑu* vermuthe ich ein Pcp. Prät. Pass., das wie *itruta* F. 986 gebildet ist. Verwandt ist das Substantiv

[1]) H. Schäfer (in Pauli's Altit. St. I, 67) nimmt in dieser Inschrift zahlreiche und gewaltsame Aenderungen vor. Diese Aenderungen sind sämmtlich abzuweisen, denn die nach Janssen bei F. 986 gegebene Lesung ist, wie mir Hr. Prof. Kern mittheilt, richtig, was ein mir vorliegender Stanniolabdruck bestätigt.

erer, das von Pauli St. III, 87, 116 f. als »donum« gedeutet ist. Eine analoge Bildung scheint mir *apir* F. 2336 und F. Spl. I, 514, siehe Deecke Annali 1881 S. 161 f., wozu nach meiner Vermuthung der Nom. neutr. plur. *aperu* F. 1933 und der Dat. sing. *apri* Bull. dell' Inst. 1882 S. 92 (in einer Inschrift ohne Worttrennung) gehören. Ich vergleiche mit *erer, apir* die lateinischen Bildungen auf *-us*, Gen. *-eris* (*opus* u. s. w.). Ich deute hiernach *ereϑa* als »gegeben«.

Wenn *tru* — *ereϑa* »zum Geschenk — gegeben« bedeutet, erwartet man eine Angabe des (oder: der) Beschenkten daneben zu finden. Diese Angabe finde ich in *nasra*. Dies zeigt dieselbe Endung *-ra* wie *tamera, atra, partisura, pruemetura* (siehe S. 125—135) und ist darum als Dat. plur. zu deuten. *nasra* kann durch rückwirkende Assimilation aus **nesra* entstanden sein und zu *nes'* gehören. Ich übersetze also *tru nasra ereϑa* »zum Geschenk den Verstorbenen gegeben«.

F. 467, T. XXIX, die fragmentierte Inschrift eines Steines von Arezzo, haben Deecke Fo. IV, 37 und Pauli St. III, 91 f. unabhängig von einander so gelesen:

. . *arishalnasans'nas'ma*

Die verschlungenen Buchstaben sind hier wohl richtig aufgelöst; dagegen darf man hier kaum mit Deecke und Pauli den [*m*]*aris halna* suchen. Der dritte Buchstabe ist nämlich nach Undset sicher und deutlich nicht *i*, sondern Ɏ *t*. Man vergleiche die Bemerkung Fabrettis: »Tertiae litterae | forma accedit ad Ɏ«. Pauli sagt: »Der Stein ist, wie Gamurrini und Orioli ausdrücklich bezeugen, kein Grabstein«. Allein diese Gelehrten haben nur darum einen Grabstein hier nicht sehen wollen, weil sie in der Inschrift *lasa* lasen; es kann also von einer Bezeugung nicht die Rede sein. Dass hier wirklich ein Grabstein vorliegt, ist schon wegen der Worte Gamurrini's wahrscheinlich: »Il suo ritrovamento avvenuto a Marciano allorchè dal capitano Sozzi si scuoprirono le urne della Stepheronia mi farebbe dubitare che avesse servito ad una porta di un loro ipogeo«.

Das erste Wort kann doch wohl nicht anders als [*l*]*arts* ergänzt werden. Die unaspirierte Form des Vornamens *lart* findet sich nach Deecke Fo. III, 189 12mal. Sie erscheint z. B. mehrmals in senensischen Inschriften; und in der arretinischen Inschrift F. 471 = G. App. 82 geben zwei Abschriften die Namensform *lrt*. In [*l*]*arts* haben wir wohl eine seltene Genetivform des Vornamens zu sehen. Ebenso deutet Deecke Fo. u. St. II, 11 *larϑisa* G. App. 221 als den Genetiv des Vornamens *larϑi*; anders Pauli Fo. u. St. I, 87 f. Vor [*l*]*arts* mag der Genetiv eines Gentiliciums fehlen.

Nach [*l*]*arts* folgt *halna sans'*. In *sans'* hat Deecke eine Nebenform zu *sians'* F. 1915 vermuthet. Ebenso verhält sich das gleichbedeutende *sans'l* F. 1922 und 1930 zu *sians'l* F. 807, *ṣianṣl* F. 2610 bis. Die Vergleichung aller dieser Inschriften zeigt, dass *sans'* in F. 467 Subject ist und dass in *halna* hier ein mit *ϑues'*, *kaϑu*, *harϑ*, *tece*, *zec* begrifflich verwandtes Verbum zu suchen ist. In Betreff der Endung *-na* ist *halna* mit *harϑna* F. 734, *farϑana* F. 1226 zu vergleichen. Hiernach ist [*l*]*arts halna sans'* wohl so zu deuten: »dem Larth schenkt (oder: schenkte) der Senat (oder: die Versammlung)«. Wenn dies richtig ist, muss *nas'ma* den geschenkten Gegenstand bezeichnen, und zwar liegt es nahe, hiefür die Bedeutung »Grab« oder »Grabmal« zu vermuthen. In *nas'ma* sehe ich ein zusammengesetztes Substantiv, das durch rückwirkende Assimilation aus **nes'-ma* entstanden ist. Das erste Compositionsglied ist mir *nes'* »νέκυς«. Das zweite ist vielleicht *man* Magliano A 3, B 3, das Stammwort von *manim*, *manime-ri*, *manince*, welches vielleicht »Grabmal« bedeutet. Für den Abfall eines auslautenden *n* vergleiche man *mi* = *min*, *ei* = *ein*, *fastntru* vielleicht statt **fasti-θurna*.

Eine Ableitung von *nes'* »νέκυς« vermuthe ich in *enesci*. Dies findet sich in dem Ausdruck *zuci enesci* F. 1914 A 7—8, B 2—3 und 11—12. Ich vermuthe in *enesci* den Dat. sg. eines Adjectivs **enesc*, das von *nes'* durch das Suffix *-sc* (vgl. *helsc*, *eitrisc-ri*, *arilsχ*, *calusc*) abgeleitet ist. In *enesci*, wie in dem verwandten *enac* (S. 186 f.), scheint mir das *e* vorgeschlagen. Die Wortform *zuci* lässt sich vielleicht mit *tuci* Magliano A 9 durch eine Form **tiuci* vermitteln. Ich vermuthe in *zuci*, *tuci* den Dativ eines Substantivs, das mit dem zweiten Gliede von *pul-tuk* F. 849 »opferte« verwandt ist. Vielleicht wird also *zuci enesci* »zum Todtengeschenk« bedeuten.

Etr. *nes'* »νέκυς« scheint mir aus **neci* entstanden und mit *nac* »Todtenopfer«, *nacnva* »Grab« verwandt. Dass diese Wörter indogermanisch sind, scheint unverkennbar.

S. 98 Z. 11. Die für F. 2033 bis F a Z. 5 vorgeschlagene Ergänzung ist mir jetzt in Betreff des [*ra*]*r*· wenig wahrscheinlich; denn es wäre auffallend, wenn bei der Nennung der *prumfte*[*r*] d. h. *pronepotes* ein Weib zuerst, vor *au*(*le*) und *larθ*, genannt wäre. Daher lese ich jetzt:

prumfte[*r* . . .] *r*· *au*[·] *larθ* :

und deute *r*· als *rel*. Die unmittelbar vor *r*· fehlenden Buchstaben lassen sich nicht sicher bestimmen.

S. 102—103. In *ursrie* suche ich nicht mehr enklitisches *-e*.

S. 112. Vielleicht ist *laχe* Magliano B 4 ein von *la* »Stein« abgeleitetes Adjectiv, das »steinern« bedeutet und mit *mulsle* »Grabkammer« attributivisch verbunden ist. Das Substantiv *la* kann aus **lau* und das Adjectiv *laχe* aus **lauχe*, **lauaχe* entstanden sein. Für das Suffix *-aχe* vergleiche man Deecke Müll. II, 438. Eine andere Flexionsform desselben Wortes ist *lacϑ* Magliano A 2.

S. 135. Die Dative plur. fem. *cerur*, *tunur*, *zelur* stimmen vielleicht vollständig mit altlat. *deras Corniscas*, vgl. Thurneysen in Kuhns Zeitschr. XXVII, 177. Das *a* von *zelár* Dat. plur. masc. kann vielleicht aus *ai* (vgl. gr. *ἵπποις* u. s. w.) entstanden sein, siehe S. 115—118.

S. 151. Deecke schreibt mir: »Ist Hesych's *δενδεκάτη* = *δωδ-* mit *ϑun* zu vergleichen?«

S. 159 Z. 2 v. u. *amφnei* F. 1523 gehört sicher mit *hamφnal* F. 1522 in demselben Grabe zusammen.

S. 187—189. Eine Nebenform zu *es'tac*, *estak* »aufstellte«, d. h. »weihte«, glaube ich in der Inschrift des cornetanischen Goldplättchens G. App. 804 Z. 4 zu finden. Diese Zeile wird von Gamurrini im Texte so gegeben:

·eχrszcsusiasirϑatnaruna

In seiner Zeichnung T. IX ist der 7. Buchstabe *s'*, nicht *s*; der 8. eher *l* als *u*; der 10. undeutlich; der 16. oben offen, so dass er einem *u* ähnlich ist; der 17. eher *u* als *t*. Undset, der die Zeichnung Gamurrini's mit dem Originale verglichen hat, zeichnet:

eχrstes'lsi . sirϑrunnaruna

Er bemerkt, dass die ersten 10 Buchstaben ihm deutlich scheinen und dass sie nach seiner Meinung nicht anders gelesen werden können. Vom 11. Buchstaben hat er im Bruche nur einen kurzen verticalen Strich sehen können. Der drittletzte Buchstabe ist nach seiner Zeichnung eher *u* als *t*. Vom vorletzten Buchstaben ist namentlich der rechte Stab undeutlich. Wie viel oder wie wenig vor dem ersten Buchstaben fehlt, lässt sich nicht bestimmen.

Ich trenne die Wörter folgendermassen: *eχr ste s'lsi usir ϑrunna runa*. Ich deute *eχr* [illegible] *iχu* »Grabmal« (S. 87). In *ste* sehe ich eine Nebenform zu *es'tac*, *estak*, und ich übersetze »sie stellten auf«, »sie errichteten«. Die Objecte dieses Verbs sind *eχr, usir* und die folgenden Nomina. Die Form *ste* bestätigt, dass ich *es'tac, estak* richtig zu *s'ta, sta* gestellt habe. Für die Schreibung *ste* vergleiche man *ps'l* G. App. 799 (2mal), *psϑi* G. App. 704, *plsnϑ* F. 2163, *cnzus* F. 2033 ter c, lat.-etr. *ptroni* F. 1256. Das Fehlen eines Vocales in *ste* ist graphisch, wenn die Auslassung auch wahrscheinlich dadurch begünstigt worden ist, dass der Vocal sehr kurz und undeutlich lautete. Die Lesung *s'lsi*, nicht *s'usi*, scheint mir jetzt die richtige, obgleich ein Substantiv *susi* oder *s'usi* sonst nachweisbar ist. In *s'lsi* sehe ich einen durch das Suffix *-si* mit der Bedeutung des Dativs gebildeten Casus von *zal, sal*; also: »sie weihten drei Personen ein Grabmal«. Wie in *s'lsi l*, nicht *al*, vor *-si* geschrieben ist, so vor *z* in *eslz* (2mal) F. 2057. In Betreff des Anlauts verhält sich *s'lsi* zu *eslz, esals, es'ulzi* u. s. w., wie *ste* zu *es'tac, estak, nac* zu *enac* u. s. w. Die Wörter *armna runa* werde ich später besprechen.

S. 201 Z. 3—6. Das Cognomen *siusana* F. 953 steht wohl für **sasnia* = lat. *Sassonius*.

S. 211 Z. 7 v. u. F. Spl. I, 388 (Vulci):

tutes· s'eϑre· larϑal· clan· pumplialχ· velas· zilaχnuce zileti· purts'varcti· lupu· maχs· zaϑrums

Vielleicht ist *ti* in *zileti* und *purts'varcti*, wie sonst oft, als *tite* zu verstehen. Ich deute die Inschrift so: »Sethre Tutes, Sohn des Larth und der Vela Pumpli, starb 31 Jahre alt, als Tite die Würde eines Zila und Tite die Würde eines Porsenna bekleidete“. Das »als« ist nicht besonders ausgedrückt; die Sätze sind vielmehr unverbunden neben einander gestellt. Man vergleiche zwei Inschriften des Gefässes von Formello (Bull. dell' Inst. 1882 S. 92), wo ich die Wörter so trenne: *mi atianaia aχ-apri alice venelisi* | *velϑur zinace* — —, was ich so deute: »Dies schenkte Atianaia zur Opfer(?)-Gabe dem Veneli; Velthur war Zina (s. v. a. Zila)«. Diese Deutung werde ich im Folgenden begründen.

S. 218—219. Das Substantiv *namultl* F. 816 und 1630 ist vielleicht eher als »den dem Bestatteten geschenkten Gegenstand« zu deuten. Wie ich jetzt vermuthe, setzt *namultl* statt **namulcl* (vgl. *calus'tla, marutl*) ein Adjectiv **namulc* »einem Bestatteten angehörig« voraus. In **namulc* vermuthe ich eine Ableitung von **namul* »bestattet«. Dies **namul* steht, wie ich vermuthe, für **nacural* und ist von *nacura, nacna, nana* »Gruft« durch dasselbe Suffix wie *spural* abgeleitet. Durch den Einfluss des folgenden *r* scheint hier, wie in *muvalχls, n* in *m* geändert.

Indices.

A. Verzeichniss der besprochenen etruskischen Inschriften.

Fabretti Corpus inscriptionum Italicarum (F.).

Fabretti Primo Supplemento
(F. Spl. I).

Fabretti Secondo Supplemento (F. Spl. II).

Fabretti Terzo Supplemento (F. Spl. III).

Gamurrini Appendice (G. App.).

Bullettino dell' Instituto di corrispondenza archeologica
(Bull. dell' Inst.).

B. Etruskisches Wortregister.

C. Etruskischer grammatischer Index.

Nominalflexion:

Wortbildungssuffixe:

D. Italisches und lateinisch-etruskisches Wortregister.

(Die lateinischen Wörter sind als solche nicht besonders bezeichnet.)